고등

확률과 통계

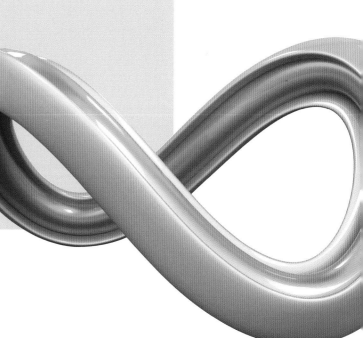

개념

해결의
법칙

www.chunjae.co.kr

도움을 주신 선생님

김성우 서울대 수학교육과 졸 / (현) 용인외대부고 교사
이한주 서울대 수학교육과 졸 / (현) 정의여고 교사
서미경 고려대 수학교육과 졸 / (현) 영동일고 교사

개념 해결의 법칙

머리말

Introduction

이 책은 기초 실력을 다지고 교과서 수준을 마스터하려는 학생들에게 적합한 교재입니다.
수학을 처음으로 시작하는 학생이나 수학에 기초가 닦여 있지 않은 학생은
나도 수학을 잘 할 수 있다! 는 자신감을 가지고 다음과 같은 방법으로 학습하기를 바랍니다.

첫째 , 쉬운 문제부터 풀어나가자.
어려운 문제와 씨름하는 것이 수학을 잘하는 길은 아닙니다.

둘째 , 기본 원리를 확실하게 익히자.
무작정 문제만 많이 푼다고 해서 실력이 느는 것은 아닙니다.

셋째 , 반복 연습을 통해 개념을 익히자.
문제 풀이에 대한 연습 없이는 수학을 정복할 수 없습니다.

수학은 투자하는 시간에 비례해서 실력이 향상된다.

수학은 단계적인 학문이기 때문에 빠른 시간 안에 성적을 끌어올리기는 쉽지 않습니다.
비록 거북이 걸음이라 할지라도 꾸준하게 노력하는 사람만이 수학에서 승리할 수 있습니다.
개념 해결의 법칙은 쉽고 빠르게 기본 실력을 다지는데 그 목표를 두었습니다.
이 책을 사용하는 학생 모두가 수학에 자신감을 갖게 되기를 바랍니다.

구성과 특징
Structure

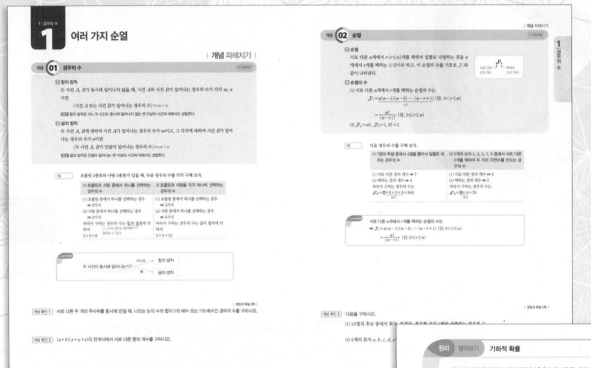

개념 파헤치기

기존 개념 설명과는 다른 방식인 '예'를 통해 직관적으로 개념을
이해, 적용할 수 있도록 하였습니다.
또한 Lecture를 통해 중요 내용은 다시 한번 정리하였습니다.

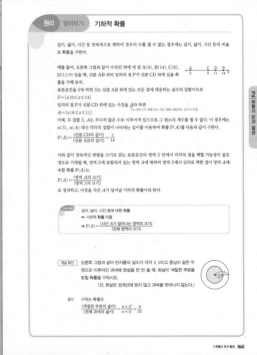

원리 알아보기

조금 어려운 개념이나 보충설명이 필요
한 개념을 원리 알아보기로 별도 구성하
였습니다.
또, 확인 문제로 공부한 개념을 바로 확
인할 수 있습니다.

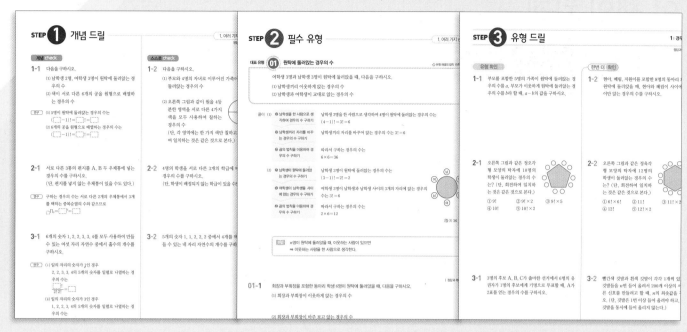

STEP ❶ 개념 드릴

단원에서의 필수 핵심 개념을 반복 연습을 통해 익힐 수 있습니다.
개념 check에서 필수 개념을 간단히 확인해 보고 스스로 check를 통해 한번 더 개념을 익힐 수 있습니다.

STEP ❷ 필수 유형

교과서, 학교 시험에 나오는 필수 개념들을 문제를 통해 익히고, 그 해결 방법을 단계로 제시하여 개념 적용 방법을 한눈에 볼 수 있게 정리하였습니다. 또한 해법에서는 그 문제에 쓰인 개념과 원리를 요약·정리하였습니다.

STEP ❸ 유형 드릴

필수 유형에서 학습한 개념과 유사한 문제들로 구성하였습니다. '한번 더 확인'을 통해 비슷한 유형의 문제를 다시 풀어 보면서 개념을 한번 더 다지고, 창의력 문제를 통해 새로운 문제에 대한 적응력을 기를 수 있습니다.

정답과 해설

자세하고 친절한 해설!
해결 전략 문제를 접근할 수 있는 실마리를 제공하였습니다.
다른 풀이 일반적인 풀이 방법도 중요하지만 다른 원리나 개념으로도 풀 수 있음을 제시하였습니다.
Lecture 풀이를 이해하는 데 도움이 되는 내용, 풀이 과정에서 범할 수 있는 실수들, 주의할 내용들을 짚어줍니다.

이 책의 차례
Contents

1 경우의 수

개념 & 유형 map

1. 여러 가지 순열

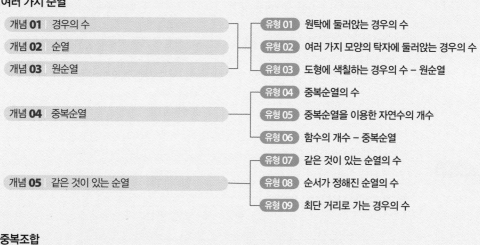

개념 01	경우의 수
개념 02	순열
개념 03	원순열

- 유형 01 원탁에 둘러앉는 경우의 수
- 유형 02 여러 가지 모양의 탁자에 둘러앉는 경우의 수
- 유형 03 도형에 색칠하는 경우의 수 – 원순열

| 개념 04 | 중복순열 |

- 유형 04 중복순열의 수
- 유형 05 중복순열을 이용한 자연수의 개수
- 유형 06 함수의 개수 – 중복순열

| 개념 05 | 같은 것이 있는 순열 |

- 유형 07 같은 것이 있는 순열의 수
- 유형 08 순서가 정해진 순열의 수
- 유형 09 최단 거리로 가는 경우의 수

2. 중복조합

| 개념 01 | 조합 |
| 개념 02 | 중복조합 |

- 유형 01 중복조합의 수
- 유형 02 방정식, 부등식의 해의 개수 – 중복조합
- 유형 03 함수의 개수 – 중복조합

3. 이항정리

| 개념 01 | 이항정리 |

- 유형 01 $(a+b)^p(c+d)^q$의 전개식

| 개념 02 | 파스칼의 삼각형 |

- 유형 02 파스칼의 삼각형

| 개념 03 | 이항계수의 성질 |

- 유형 03 이항계수의 성질

1 여러 가지 순열

| 개념 파헤치기 |

개념 01 경우의 수

1 합의 법칙

두 사건 A, B가 동시에 일어나지 않을 때, 사건 A와 사건 B가 일어나는 경우의 수가 각각 m, n 이면

(사건 A 또는 사건 B가 일어나는 경우의 수)$=m+n$

참고 합의 법칙은 어느 두 사건도 동시에 일어나지 않는 셋 이상의 사건에 대해서도 성립한다.

2 곱의 법칙

두 사건 A, B에 대하여 사건 A가 일어나는 경우의 수가 m이고, 그 각각에 대하여 사건 B가 일어나는 경우의 수가 n이면

(두 사건 A, B가 잇달아 일어나는 경우의 수)$=m \times n$

참고 곱의 법칙은 잇달아 일어나는 셋 이상의 사건에 대해서도 성립한다.

예   초콜릿 3종류와 사탕 5종류가 있을 때, 다음 경우의 수를 각각 구해 보자.

(1) 초콜릿과 사탕 중에서 하나를 선택하는 경우의 수	(2) 초콜릿과 사탕을 각각 하나씩 선택하는 경우의 수
(i) 초콜릿 중에서 하나를 선택하는 경우 ➡ 3가지 (ii) 사탕 중에서 하나를 선택하는 경우 ➡ 5가지 따라서 구하는 경우의 수는 합의 법칙에 의하여 (i), (ii)의 경우는 동시에 일어날 수 없다. $3+5=8$	(i) 초콜릿 중에서 하나를 선택하는 경우 ➡ 3가지 (ii) 사탕 중에서 하나를 선택하는 경우 ➡ 5가지 따라서 구하는 경우의 수는 곱의 법칙에 의하여 $3 \times 5=15$

Lecture

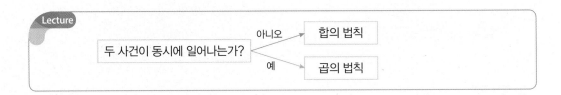

두 사건이 동시에 일어나는가?   — 아니오 → 합의 법칙   — 예 → 곱의 법칙

| 정답과 해설 2쪽 |

개념 확인 1   서로 다른 두 개의 주사위를 동시에 던질 때, 나오는 눈의 수의 합이 5의 배수 또는 7의 배수인 경우의 수를 구하시오.

개념 확인 2 $(a+b)(x+y+z)$의 전개식에서 서로 다른 항의 개수를 구하시오.

개념 **02** 순열

1 순열

서로 다른 n개에서 $r(r \leq n)$개를 택하여 일렬로 나열하는 것을 n개에서 r개를 택하는 순열이라 하고, 이 순열의 수를 기호로 $_n\mathrm{P}_r$와 같이 나타낸다.

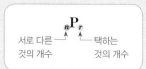

$_n\mathrm{P}_r$
서로 다른 ——↑   ↑—— 택하는
것의 개수   것의 개수

2 순열의 수

(1) 서로 다른 n개에서 r개를 택하는 순열의 수는

$$_n\mathrm{P}_r = \underbrace{n(n-1)(n-2) \cdots (n-r+1)}_{r개} \ (단, \ 0 < r \leq n)$$

$$= \frac{n!}{(n-r)!} \ (단, \ 0 \leq r \leq n)$$

(2) $_n\mathrm{P}_n = n!$, $_n\mathrm{P}_0 = 1$, $0! = 1$

예   다음 경우의 수를 구해 보자.

(1) 7명의 학생 중에서 4명을 뽑아서 일렬로 세우는 경우의 수	(2) 5개의 숫자 1, 3, 5, 7, 9 중에서 서로 다른 2개를 택하여 두 자리 자연수를 만드는 경우의 수
(ⅰ) 서로 다른 것의 개수 ➡ 7 (ⅱ) 택하는 것의 개수 ➡ 4 따라서 구하는 경우의 수는 $_7\mathrm{P}_4 = \underbrace{7 \times 6 \times 5 \times 4}_{4개} = 840$	(ⅰ) 서로 다른 것의 개수 ➡ 5 (ⅱ) 택하는 것의 개수 ➡ 2 따라서 구하는 경우의 수는 $_5\mathrm{P}_2 = \underbrace{5 \times 4}_{2개} = 20$

Lecture

서로 다른 n개에서 r개를 택하는 순열의 수는

➡ $_n\mathrm{P}_r = n(n-1)(n-2) \cdots (n-r+1)$ (단, $0 < r \leq n$)

$= \dfrac{n!}{(n-r)!}$ (단, $0 \leq r \leq n$)

| 정답과 해설 2쪽 |

개념 확인 **3**   다음을 구하시오.

(1) 10명의 후보 중에서 회장, 부회장, 총무를 각각 1명씩 선출하는 경우의 수

(2) 5개의 문자 a, b, c, d, e를 일렬로 나열할 때, c, d, e를 모두 이웃하게 나열하는 경우의 수

개념 03 원순열

1 원순열

서로 다른 것을 원형으로 배열하는 순열을 원순열이라 한다.

2 원순열의 수

서로 다른 n개를 원형으로 배열하는 원순열의 수는

$$\frac{n!}{n} = (n-1)!$$

참고 서로 다른 n개에서 r개를 택한 후 원형으로 배열하는 경우의 수는 $\dfrac{{}_n\mathrm{P}_r}{r}$이다.

예   4개의 문자 A, B, C, D를 원형으로 배열하는 경우의 수를 구해 보자.

방법1 4개의 문자 A, B, C, D를 일렬로 나열하는 경우의 수는 4!이지만 4개의 문자를 원형으로 배열하면 다음 그림과 같이 같은 경우가 4가지씩 있으므로 4개의 문자 A, B, C, D를 원형으로 배열하는 경우의 수는

원형으로 배열할 때는 회전하여 일치하는 배열은 모두 같은 것으로 봐야 해.

$$\frac{4!}{4} = 3! = 6$$

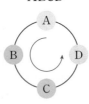 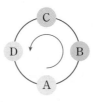 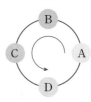

방법2 오른쪽 그림과 같이 4개의 문자 A, B, C, D 중에서 1개의 위치를 고정한 후에 나머지 3개를 일렬로 나열하는 순열의 수와 같으므로 구하는 경우의 수는

$$(4-1)! = 3! = 6$$

Lecture

서로 다른 n개를 원형으로 배열하는 원순열의 수는

➡ $\dfrac{n!}{n} = (n-1)!$

| 정답과 해설 2쪽 |

개념 확인 4   다음을 구하시오.

(1) 서로 다른 6개의 깃발을 원형으로 배열하는 경우의 수

(2) 7가지 재료 오이, 당근, 도라지, 표고버섯, 달걀노른자, 달걀흰자, 새우를 동그란 그릇에 원형으로 담는 경우의 수

개념 04 중복순열

1 중복순열

서로 다른 n개에서 중복을 허용하여 r개를 택하여 일렬로 나열하는 순열을 n개에서 r를 택하는 중복순열이라 하고, 이 중복순열의 수를 기호로 $_n\Pi_r$와 같이 나타낸다.

$_n\Pi_r$
서로 다른 ← → 택하는
것의 개수   것의 개수

2 중복순열의 수

서로 다른 n개에서 r개를 택하는 중복순열의 수는

$$_n\Pi_r = \underbrace{n \times n \times n \times \cdots \times n}_{r\text{개}} = n^r$$

참고 $_n\mathrm{P}_r$에서는 $r \le n$이어야 하지만 $_n\Pi_r$에서는 중복하여 택할 수 있으므로 $r > n$일 수도 있다.

예

4개의 숫자 1, 2, 3, 4로 중복을 허용하여 만들 수 있는 두 자리 자연수의 개수를 구해 보자.
중복을 허용하여 4개의 숫자 1, 2, 3, 4로 두 자리 자연수를 만들 때, 각 자리에 올 수 있는 숫자는 각각 1, 2, 3, 4의 4가지씩이다.

십의 자리   일의 자리
↑   ↑
4가지   4가지

같은 숫자를 또
쓸 수 있어.

따라서 만들 수 있는 두 자리 자연수의 개수는

$_4\Pi_2 = 4 \times 4 = 4^2 = 16$

Lecture

서로 다른 n개에서 r개를 택하는 중복순열의 수는

➡ $_n\Pi_r = n^r$

| 정답과 해설 2쪽 |

개념 확인 5 다음 값을 구하시오.

(1) $_8\Pi_2$

(2) $_2\Pi_2$

(3) $_5\Pi_3$

(4) $_3\Pi_4$

개념 확인 6 4개의 문자 a, b, c, d 중에서 중복을 허용하여 3개를 택하여 일렬로 나열하는 경우의 수를 구하시오.

개념 **05** 같은 것이 있는 순열

n개 중에서 같은 것이 각각 p개, q개, $\cdots$, r개씩 있을 때, n개를 일렬로 나열하는 순열의 수는

$$\frac{n!}{p!q! \cdots r!} \ (단, p+q+\cdots+r=n)$$

> 같은 것이 r개 들어 있는 n개를 일렬로 나열하는 순열의 수와 같다.

참고 서로 다른 n개 중에서 특정한 r개의 순서가 정해져 있는 경우, 이들 n개를 일렬로 나열하는 순열의 수는 $\dfrac{n!}{r!}$이다.

예

5개의 문자 a, a, b, b, b를 일렬로 나열하는 순열의 수 k를 구해 보자.
먼저 5개의 문자 a, a, b, b, b를 일렬로 나열하는 순열 중의 한 순열 $aabbb$에 대하여 생각해 보자.

(i) 2개의 a를 구별하여 a_1, a_2라 하면 한 순열 $aabbb$에 대하여 서로 다른 2!개의 순열 a_1a_2bbb, a_2a_1bbb를 얻을 수 있다.

(ii) 3개의 b를 구별하여 b_1, b_2, b_3이라 하면 위 (i)의 각각의 순열에 대하여 오른쪽 그림과 같이 3!개의 서로 다른 순열을 얻을 수 있다.

a_1 a_2 b b b	a_2 a_1 b b b
↓	↓

a_1 a_2 b_1 b_2 b_3	a_2 a_1 b_1 b_2 b_3
a_1 a_2 b_1 b_3 b_2	a_2 a_1 b_1 b_3 b_2
a_1 a_2 b_2 b_1 b_3	a_2 a_1 b_2 b_1 b_3
a_1 a_2 b_2 b_3 b_1	a_2 a_1 b_2 b_3 b_1
a_1 a_2 b_3 b_1 b_2	a_2 a_1 b_3 b_1 b_2
a_1 a_2 b_3 b_2 b_1	a_2 a_1 b_3 b_2 b_1

3!개 / 2!개

즉, 2개의 a와 3개의 b를 각각 구별하면 한 순열 $aabbb$에 대하여 $(2! \times 3!)$개의 순열을 얻을 수 있다.

마찬가지로 k개의 순열 각각에 대해서도 $(2! \times 3!)$개의 서로 다른 순열을 얻을 수 있으므로 a를 a_1, a_2로, b를 b_1, b_2, b_3으로 구별하여 생각한 순열의 수는

$$k \times (2! \times 3!)$$

그런데 이것은 서로 다른 5개의 문자 a_1, a_2, b_1, b_2, b_3을 일렬로 나열한 순열의 수 5!과 같으므로

$$k \times (2! \times 3!) = 5! \qquad \therefore \ k = \frac{5!}{2! \times 3!} = 10$$

Lecture

n개 중에서 같은 것이 각각 p개, q개, $\cdots$, r개씩 있을 때, n개를 일렬로 나열하는 순열의 수는

➡ $\dfrac{n!}{p!q! \cdots r!} \ (단, p+q+\cdots+r=n)$

| 정답과 해설 2쪽 |

개념 확인 7 다음을 구하시오.

(1) 흰 바둑돌이 3개, 검은 바둑돌이 1개 있을 때, 이 4개의 바둑돌을 일렬로 나열하는 경우의 수

(2) 6개의 숫자 1, 1, 2, 2, 2, 3을 모두 사용하여 만들 수 있는 여섯 자리 자연수의 개수

개념 check

1-1 다음을 구하시오.

(1) 남학생 2명, 여학생 3명이 원탁에 둘러앉는 경우의 수

(2) 색이 서로 다른 6개의 공을 원형으로 배열하는 경우의 수

〔연구〕 (1) 5명이 원탁에 둘러앉는 경우의 수는

$(\boxed{}-1)!=\boxed{}!=\boxed{}$

(2) 6개의 공을 원형으로 배열하는 경우의 수는

$(\boxed{}-1)!=\boxed{}!=\boxed{}$

스스로 check

1-2 다음을 구하시오.

(1) 부모와 4명의 자녀로 이루어진 가족이 원탁에 둘러앉는 경우의 수

(2) 오른쪽 그림과 같이 원을 4등분한 영역을 서로 다른 4가지 색을 모두 사용하여 칠하는 경우의 수

(단, 각 영역에는 한 가지 색만 칠하고, 회전하여 일치하는 것은 같은 것으로 본다.)

2-1 서로 다른 3통의 편지를 A, B 두 우체통에 넣는 경우의 수를 구하시오.

(단, 편지를 넣지 않는 우체통이 있을 수도 있다.)

〔연구〕 구하는 경우의 수는 서로 다른 2개의 우체통에서 3개를 택하는 중복순열의 수와 같으므로

$\boxed{}\Pi_3=\boxed{}^3=\boxed{}$

2-2 4명의 학생을 서로 다른 3개의 학급에 배정하는 경우의 수를 구하시오.

(단, 학생이 배정되지 않는 학급이 있을 수도 있다.)

3-1 6개의 숫자 1, 2, 2, 3, 3, 4를 모두 사용하여 만들 수 있는 여섯 자리 자연수 중에서 홀수의 개수를 구하시오.

〔연구〕 (i) 일의 자리의 숫자가 1인 경우

2, 2, 3, 3, 4의 5개의 숫자를 일렬로 나열하는 경우의 수는

$\dfrac{\boxed{}!}{2!\,2!}=\boxed{}$

(ii) 일의 자리의 숫자가 3인 경우

1, 2, 2, 3, 4의 5개의 숫자를 일렬로 나열하는 경우의 수는

$\dfrac{5!}{\boxed{}!}=\boxed{}$

(i), (ii)에서 구하는 홀수의 개수는

$\boxed{}+\boxed{}=\boxed{}$

3-2 5개의 숫자 1, 1, 2, 2, 2 중에서 4개를 택하여 만들 수 있는 네 자리 자연수의 개수를 구하시오.

대표 유형 01 원탁에 둘러앉는 경우의 수 ↪ 유형 해결의 법칙 10쪽 유형 01

여학생 3명과 남학생 3명이 원탁에 둘러앉을 때, 다음을 구하시오.

(1) 남학생끼리 이웃하게 앉는 경우의 수

(2) 남학생과 여학생이 교대로 앉는 경우의 수

풀이 (1)

❶ 남학생을 한 사람으로 생각하여 경우의 수 구하기

남학생 3명을 한 사람으로 생각하여 4명이 원탁에 둘러앉는 경우의 수는
$(4-1)!=3!=6$

❷ 남학생끼리 자리를 바꾸는 경우의 수 구하기

남학생끼리 자리를 바꾸어 앉는 경우의 수는 $3!=6$

❸ 곱의 법칙을 이용하여 경우의 수 구하기

따라서 구하는 경우의 수는
$6 \times 6 = 36$

(2)

❶ 남학생이 원탁에 둘러앉는 경우의 수 구하기

남학생 3명이 원탁에 둘러앉는 경우의 수는
$(3-1)!=2!=2$

❷ 여학생이 남학생들 사이에 앉는 경우의 수 구하기

여학생 3명이 남학생과 남학생 사이의 3개의 자리에 앉는 경우의 수는 $3!=6$

❸ 곱의 법칙을 이용하여 경우의 수 구하기

따라서 구하는 경우의 수는
$2 \times 6 = 12$

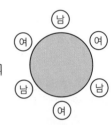

📋 (1) 36 (2) 12

해법 n명이 원탁에 둘러앉을 때, 이웃하는 사람이 있으면
➡ 이웃하는 사람을 한 사람으로 생각한다.

| 정답과 해설 3쪽 |

01-1 회장과 부회장을 포함한 동아리 학생 6명이 원탁에 둘러앉을 때, 다음을 구하시오.

(1) 회장과 부회장이 이웃하게 앉는 경우의 수

(2) 회장과 부회장이 마주 보고 앉는 경우의 수

01-2 일본인 4명, 중국인 2명이 원탁에 둘러앉을 때, 중국인끼리 이웃하지 않게 앉는 경우의 수를 구하시오.

대표 유형 **02** 여러 가지 모양의 탁자에 둘러앉는 경우의 수

↻ 유형 해결의 법칙 10쪽 유형 02

오른쪽 그림과 같은 정사각형 모양의 탁자에 8명의 학생이 둘러앉는 경우의 수를 구하시오. (단, 회전하여 일치하는 것은 같은 것으로 본다.)

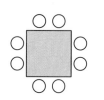

풀이

❶ 8명의 학생이 원형으로 둘러앉는 경우의 수 구하기

8명의 학생이 원형으로 둘러앉는 경우의 수는
$(8-1)!=7!=5040$

❷ 회전시켰을 때 겹쳐지지 않는 자리의 수 구하기

그런데 정사각형 모양의 탁자에 둘러앉는 경우는 원형으로 둘러앉는 한 가지 경우에 대하여 오른쪽 그림과 같이 2가지의 서로 다른 경우가 있다.

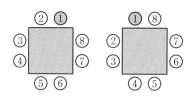

❸ 곱의 법칙을 이용하여 경우의 수 구하기

따라서 구하는 경우의 수는
$5040 \times 2 = 10080$

🖹 10080

다른 풀이

8명의 학생이 일렬로 앉는 경우의 수는 $8!=40320$

그런데 8명의 학생이 정사각형 모양의 탁자에 둘러앉는 경우는 일렬로 앉는 경우에 대하여 다음 그림과 같이 같은 경우가 4개씩 있으므로 구하는 경우의 수는

$$\frac{40320}{4}=10080$$

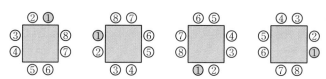

해법 여러 가지 모양의 탁자에 둘러앉는 경우의 수는
➡ (원순열의 수) × (회전시켰을 때 겹쳐지지 않는 자리의 수)

| 정답과 해설 3쪽 |

02-1 6명의 학생이 다음 그림과 같은 탁자에 둘러앉는 경우의 수를 구하시오.

(단, 회전하여 일치하는 것은 같은 것으로 본다.)

(1) 정삼각형 모양

(2) 직사각형 모양

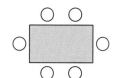

대표 유형 **03** 도형에 색칠하는 경우의 수 – 원순열

↻ 유형 해결의 법칙 11쪽 유형 03

> 오른쪽 그림과 같이 서로 합동인 정삼각형으로 이루어진 4개의 영역을 서로 다른
> 4가지 색을 모두 사용하여 칠하는 경우의 수를 구하시오.
> (단, 각 영역에는 한 가지 색만 칠하고, 회전하여 일치하는 것은 같은 것으로 본다.)

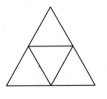

풀이

❶ 가운데 영역에 칠하는 경우의 수 구하기	오른쪽 그림의 가운데 영역 ①을 칠하는 경우의 수는 4이다.

❷ 나머지 영역에 칠하는 경우의 수 구하기

또, 나머지 영역 ②, ③, ④를 칠하는 경우의 수는 가운데 영역 ①에 칠한 색을 제외한 나머지 3가지 색을 원형으로 배열하는 원순열의 수와 같으므로

$(3-1)!=2!=2$

❸ 곱의 법칙을 이용하여 경우의 수 구하기

따라서 구하는 경우의 수는

$4 \times 2 = 8$

冒 8

> **해법** 도형에 색칠하는 경우의 수 구하기 – 원순열
> ❶ 기준이 될 수 있는 영역(가장 많은 영역에 인접한 영역, 입체도형의 밑면 등)에 색을 칠하는 경우의 수를 구한다.
> ❷ 원순열을 이용하여 나머지 영역에 색을 칠하는 경우의 수를 구한 후 ❶의 경우의 수를 곱한다.

| 정답과 해설 3쪽 |

03-1 오른쪽 그림과 같이 중심이 같은 두 원 사이를 4등분한 모양의 도형이 있다. 이 도형의 5개의 영역을 서로 다른 5가지 색을 모두 사용하여 칠하는 경우의 수를 구하시오.
(단, 각 영역에는 한 가지 색만 칠하고, 회전하여 일치하는 것은 같은 것으로 본다.)

03-2 오른쪽 그림과 같은 정사면체의 각 면을 빨강, 노랑, 파랑, 보라의 4가지 색을 모두 사용하여 칠하는 경우의 수를 구하시오.
(단, 각 면에는 한 가지 색만 칠하고, 회전하여 일치하는 것은 같은 것으로 본다.)

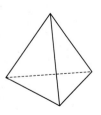

대표 유형 04 중복순열의 수

↻ 유형 해결의 법칙 11쪽 유형 04

2개의 기호 ♤, ●로 중복을 허용하여 일렬로 나열한 신호를 만들려고 한다. 기호를 3개 이상 5개 이하로 사용하여 만들 수 있는 서로 다른 신호의 개수를 구하시오.

풀이

❶ 기호를 3개 사용하여 만들 수 있는 신호의 개수 구하기

기호를 3개 사용하여 만들 수 있는 신호의 개수는
$$_2\Pi_3 = 2^3 = 8$$

❷ 기호를 4개 사용하여 만들 수 있는 신호의 개수 구하기

기호를 4개 사용하여 만들 수 있는 신호의 개수는
$$_2\Pi_4 = 2^4 = 16$$

❸ 기호를 5개 사용하여 만들 수 있는 신호의 개수 구하기

기호를 5개 사용하여 만들 수 있는 신호의 개수는
$$_2\Pi_5 = 2^5 = 32$$

❹ 합의 법칙을 이용하여 신호의 개수 구하기

따라서 구하는 신호의 개수는
$$8 + 16 + 32 = 56$$

🔲 56

> **해법** 서로 다른 n개에서 중복을 허용하여 r개를 택하여 일렬로 나열하는 중복순열의 수는
> $$\Rightarrow {}_n\Pi_r = n^r$$

| 정답과 해설 4쪽 |

04-1 A중학교 학생들은 4개의 고등학교 중에서 한 학교에 배정되고, B중학교 학생들은 3개의 고등학교 중에서 한 학교에 배정된다고 한다. A중학교 학생 3명과 B중학교 학생 3명이 고등학교에 배정되는 경우의 수를 구하시오.

04-2 3명의 학생이 4개의 동아리 A, B, C, D에 가입하려고 한다. 학생 1명당 2개의 동아리에 가입한다고 할 때, 3명의 학생이 동아리에 가입하는 경우의 수를 구하시오. (단, 동아리를 가입하는 순서는 고려하지 않는다.)

대표 유형 05 중복순열을 이용한 자연수의 개수 ↻ 유형 해결의 법칙 12쪽 유형 05

5개의 숫자 0, 1, 2, 3, 4로 중복을 허용하여 네 자리 자연수를 만들 때, 다음을 구하시오.

(1) 네 자리 자연수의 개수

(2) 3000보다 크거나 같은 자연수의 개수

풀이 (1)

❶ 천의 자리에 올 수 있는 숫자의 개수 구하기

천의 자리에는 0을 제외한 1, 2, 3, 4가 올 수 있으므로 그 경우의 수는 4이다.

> 천의 자리에는 0이 올 수 없어.

❷ 나머지 자리를 만드는 경우의 수 구하기

백의 자리, 십의 자리, 일의 자리에는 각각 0, 1, 2, 3, 4가 중복하여 올 수 있으므로 그 경우의 수는 $_5\Pi_3 = 5^3 = 125$

❸ 네 자리 자연수의 개수 구하기

따라서 구하는 네 자리 자연수의 개수는
$4 \times 125 = 500$

(2)

❶ 천의 자리에 올 수 있는 숫자의 개수 구하기

천의 자리에는 3, 4가 올 수 있으므로 그 경우의 수는 2이다.

> 3000보다 크거나 같은 자연수는 3□□□ 또는 4□□□ 꼴이야.

❷ 나머지 자리를 만드는 경우의 수 구하기

백의 자리, 십의 자리, 일의 자리에는 각각 0, 1, 2, 3, 4가 중복하여 올 수 있으므로 그 경우의 수는 $_5\Pi_3 = 5^3 = 125$

❸ 3000보다 크거나 같은 자연수의 개수 구하기

따라서 구하는 자연수의 개수는
$2 \times 125 = 250$

🔑 (1) 500 (2) 250

해법 자연수 m, n ($n \le 9$)에 대하여 0, 1, 2, $\cdots$, n의 ($n+1$)개의 숫자에서 중복을 허용하여 만들 수 있는 m자리 자연수의 개수는 ➡ $n \times {}_{n+1}\Pi_{m-1} = n(n+1)^{m-1}$

| 정답과 해설 4쪽 |

05-1 4개의 숫자 1, 2, 3, 4로 중복을 허용하여 세 자리 자연수를 만들 때, 짝수의 개수를 구하시오.

05-2 5개의 숫자 0, 1, 2, 3, 4로 중복을 허용하여 세 자리 자연수를 만들 때, 다음을 구하시오.

(1) 세 자리 자연수의 개수

(2) 200보다 큰 자연수의 개수

대표 유형 **06** **함수의 개수 – 중복순열**

↻ 유형 해결의 법칙 12쪽 유형 06

두 집합 $X=\{a, b, c\}$, $Y=\{1, 2, 3, 4\}$에 대하여 다음을 구하시오.

(1) X에서 Y로의 함수의 개수

(2) X에서 Y로의 일대일함수의 개수

풀이 (1) ❶ X의 원소에 각각 대응할 수 있는 Y의 원소의 개수 구하기

집합 X의 원소 a에 대응할 수 있는 집합 Y의 원소는 1, 2, 3, 4의 4개이고, 집합 X의 다른 원소 b, c에 대응할 수 있는 Y의 원소도 각각 1, 2, 3, 4의 4개씩이다.

> 함수는 정의역의 각 원소에 공역의 같은 원소가 대응해도 돼.

❷ X에서 Y로의 함수의 개수 구하기

따라서 구하는 함수의 개수는 집합 Y의 원소 1, 2, 3, 4의 4개에서 중복을 허용하여 3개를 택하는 중복순열의 수와 같으므로 ${}_4\Pi_3 = 4^3 = 64$

(2) ❶ X의 원소에 각각 대응할 수 있는 Y의 원소의 개수 구하기

집합 X의 원소 a에 대응할 수 있는 집합 Y의 원소는 1, 2, 3, 4의 4개이고, 집합 X의 다른 원소 b, c에 대응할 수 있는 Y의 원소는 각각 3개, 2개이다.

> 일대일함수는 정의역의 각 원소에 공역의 서로 다른 원소가 대응해.

❷ X에서 Y로의 일대일함수의 개수 구하기

따라서 구하는 일대일함수의 개수는 집합 Y의 원소 1, 2, 3, 4의 4개에서 서로 다른 3개를 택하는 순열의 수와 같으므로 ${}_4P_3 = 24$

답 (1) 64 (2) 24

해법 두 집합 $X=\{x_1, x_2, x_3, \cdots, x_m\}$, $Y=\{y_1, y_2, y_3, \cdots, y_n\}$에 대하여
❶ X에서 Y로의 함수의 개수 ➡ ${}_n\Pi_m = n^m$
❷ X에서 Y로의 일대일함수의 개수 ➡ ${}_nP_m$ (단, $n \geq m$)

| 정답과 해설 4쪽 |

06-1 두 집합 $X=\{a, b, c, d\}$, $Y=\{1, 2, 3, 4\}$에 대하여 다음을 구하시오.

(1) X에서 Y로의 함수의 개수

(2) X에서 Y로의 일대일함수의 개수

06-2 두 집합 $X=\{a, b, c\}$, $Y=\{1, 2, 3, 4, 5\}$에 대하여 X에서 Y로의 함수 f 중에서 $f(a)=1$을 만족시키는 함수의 개수를 구하시오.

대표 유형 **07** **같은 것이 있는 순열의 수**

↻ 유형 해결의 법칙 13쪽 유형 07

> 7개의 문자 a, a, a, b, b, c, c를 일렬로 나열할 때, 다음을 구하시오.
>
> (1) 양 끝에 b가 오도록 나열하는 경우의 수
>
> (2) 3개의 a가 모두 이웃하도록 나열하는 경우의 수

풀이 (1) b□□□□□b와 같이 양 끝에 b를 고정하고 5개의 □ 안에 a, a, a, c, c를 일렬로 나열하면 되므로 구하는 경우의 수는

$$\frac{5!}{3!2!} = 10$$

(2) 3개의 a를 한 문자 A로 생각하면 A, b, b, c, c를 일렬로 나열하면 되므로 구하는 경우의 수는

$$\frac{5!}{2!2!} = 30$$

답 (1) 10 (2) 30

해법 ❶ 양 끝에 오는 것이 정해져 있는 순열은

➡ 양 끝에 오는 것을 제외한 나머지를 나열한다.

❷ 이웃하는 것이 있는 순열은

➡ 이웃하는 것을 하나로 생각하여 나열한다.

| 정답과 해설 5쪽 |

07-1 football에 있는 8개의 문자를 일렬로 나열할 때, 다음을 구하시오.

(1) 양 끝에 o가 오도록 나열하는 경우의 수

(2) 모음끼리 이웃하도록 나열하는 경우의 수

07-2 8개의 문자 a, a, a, b, b, c, c, c를 일렬로 나열할 때, 맨 앞에는 a가 오고 맨 뒤에는 c가 오지 않는 경우의 수를 구하시오.

대표 유형 순서가 정해진 순열의 수 　　　　　　　　　　　　🔁 유형 해결의 법칙 14쪽 유형 08

다음을 구하시오.

(1) winter에 있는 6개의 문자를 일렬로 나열할 때, t, e, r는 이 순서대로 나열하는 경우의 수

(2) 7개의 숫자 1, 1, 1, 2, 2, 3, 4를 일렬로 나열할 때, 3이 4보다 앞에 오도록 나열하는 경우의 수

풀이 (1) t, e, r를 모두 A로 놓고 t, e, r는 이 순서대로 나열하는 경우의 수 구하기

t, e, r의 순서가 정해져 있으므로 t, e, r를 모두 A로 생각하여 6개의 문자 w, i, n, A, A, A를 일렬로 나열한 후, 첫 번째 A는 t, 두 번째 A는 e, 세 번째 A는 r로 바꾸면 된다.

따라서 구하는 경우의 수는

$$\frac{6!}{3!}=120$$

(2) 3, 4를 모두 A로 놓고 3이 4보다 앞에 오도록 나열하는 경우의 수 구하기

3, 4의 순서가 정해져 있으므로 3, 4를 모두 A로 생각하여 7개의 숫자 1, 1, 1, 2, 2, A, A를 일렬로 나열한 후, 첫 번째 A는 3, 두 번째 A는 4로 바꾸면 된다.

따라서 구하는 경우의 수는

$$\frac{7!}{3!2!2!}=210$$

📋 (1) 120　(2) 210

해법 서로 다른 n개를 일렬로 나열할 때, 특정한 $r\ (0<r\le n)$개의 순서가 정해져 있는 경우에는

➡ 순서가 정해진 r개를 같은 것으로 보고 같은 것이 있는 순열의 수를 이용한다.

| 정답과 해설 5쪽 |

 다음을 구하시오.

(1) 6개의 숫자 1, 1, 2, 3, 4, 5를 일렬로 나열할 때, 3, 4, 5를 크기가 큰 순서대로 나열하는 경우의 수

(2) 5개의 문자 a, b, c, d, e를 일렬로 나열할 때, a가 b보다 앞에 오고, d가 e보다 앞에 오도록 나열하는 경우의 수

대표 유형 09 최단 거리로 가는 경우의 수

↪ 유형 해결의 법칙 14쪽 유형 09

오른쪽 그림과 같이 A지점에서 B지점으로 가는 도로망이 있다. 다음을 구하시오.

(1) A지점에서 B지점까지 최단 거리로 가는 경우의 수
(2) A지점에서 C지점을 거쳐 B지점까지 최단 거리로 가는 경우의 수

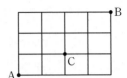

풀이 (1)

❶ 구하는 경우의 수가 같은 것이 있는 순열의 수와 같음을 알기

A지점에서 B지점까지 최단 거리로 가려면 오른쪽으로 4번, 위쪽으로 3번 이동해야 한다.

오른쪽으로 한 칸 이동하는 것을 a, 위쪽으로 한 칸 이동하는 것을 b라 하면 A지점에서 B지점까지 최단 거리로 가는 경우의 수는 a, a, a, a, b, b, b를 일렬로 나열하는 경우의 수와 같다.

❷ A지점에서 B지점까지 최단 거리로 가는 경우의 수 구하기

따라서 구하는 경우의 수는

$$\frac{7!}{4!3!} = 35$$

(2)

❶ A지점에서 C지점까지 최단 거리로 가는 경우의 수 구하기

A지점에서 C지점까지 최단 거리로 가는 경우의 수는

$$\frac{3!}{2!} = 3$$

❷ C지점에서 B지점까지 최단 거리로 가는 경우의 수 구하기

C지점에서 B지점까지 최단 거리로 가는 경우의 수는

$$\frac{4!}{2!2!} = 6$$

❸ A지점에서 C지점을 거쳐 B지점까지 최단 거리로 가는 경우의 수 구하기

따라서 구하는 경우의 수는

$3 \times 6 = 18$

🔖 (1) 35 (2) 18

> **해법** 바둑판 모양의 도로망에서 최단 거리로 가는 경우의 수는
> ➡ 같은 것이 있는 순열의 수를 이용한다.

| 정답과 해설 5쪽 |

09-1 오른쪽 그림과 같이 A지점에서 B지점으로 가는 도로망이 있다. 다음을 구하시오.

(1) A지점에서 B지점까지 최단 거리로 가는 경우의 수

(2) A지점에서 C지점과 D지점을 거쳐 B지점까지 최단 거리로 가는 경우의 수

2 중복조합

개념 01 조합

1 조합

서로 다른 n개에서 순서를 생각하지 않고 r $(r \leq n)$개를 택하는 것을 n개에서 r개를 택하는 조합이라 하고, 이 조합의 수를 기호로 $_nC_r$와 같이 나타낸다.

서로 다른 ──→ $_nC_r$ ←── 택하는
것의 개수   것의 개수

참고 순열은 순서를 생각하여 일렬로 나열한 것이고, 조합은 순서를 생각하지 않고 그 일부를 뽑은 것이다.

2 조합의 수

(1) 서로 다른 n개에서 r개를 택하는 조합의 수는

$$_nC_r = \frac{_nP_r}{r!} = \frac{n!}{r!(n-r)!} \ (\text{단}, \ 0 \leq r \leq n)$$

(2) $_nC_n = 1, \ _nC_0 = 1$

(3) $_nC_r = _nC_{n-r} \ (\text{단}, \ 0 \leq r \leq n)$

예

다음 경우의 수를 구해 보자.

(1) 6명의 학생 중에서 4명의 대표를 뽑는 경우의 수	(2) 4가지의 악기 꽹과리, 징, 장구, 북 중에서 2가지 악기를 고르는 경우의 수
(i) 서로 다른 것의 개수 ➡ 6 (ii) 택하는 것의 개수 ➡ 4 따라서 구하는 경우의 수는 $_6C_4 = _6C_2 = \dfrac{6 \times 5}{2 \times 1} = 15$	(i) 서로 다른 것의 개수 ➡ 4 (ii) 택하는 것의 개수 ➡ 2 따라서 구하는 경우의 수는 $_4C_2 = \dfrac{4 \times 3}{2 \times 1} = 6$

Lecture

서로 다른 n개에서 r개를 택하는 조합의 수는

➡ $_nC_r = \dfrac{_nP_r}{r!} = \dfrac{n!}{r!(n-r)!} \ (\text{단}, \ 0 \leq r \leq n)$

| 정답과 해설 5쪽 |

개념 확인 1 다음을 구하시오.

(1) 정육각형의 꼭짓점에서 어느 세 꼭짓점을 이어 만들 수 있는 삼각형의 개수

(2) 남학생 8명, 여학생 6명 중에서 남학생 3명, 여학생 2명을 임원으로 선출하는 경우의 수

개념 **02** 중복조합

1 중복조합

서로 다른 n개에서 중복을 허용하여 r개를 택하는 조합을 n개에서 r개를 택하는 중복조합이라 하고, 이 중복조합의 수를 기호로 $_n\mathrm{H}_r$와 같이 나타낸다.

$$_n\mathrm{H}_r$$
서로 다른 ── 것의 개수 ── 택하는 것의 개수

2 중복조합의 수

서로 다른 n개에서 r개를 택하는 중복조합의 수는

$$_n\mathrm{H}_r = {}_{n+r-1}\mathrm{C}_r$$

참고 $_n\mathrm{C}_r$에서는 $r \le n$이어야 하지만 $_n\mathrm{H}_r$에서는 중복하여 택할 수 있으므로 $r > n$일 수도 있다.

설명

3개의 문자 a, b, c 중에서 중복을 허용하여 4개를 택하는 경우는 다음과 같이 15가지이다.

$aaaa$, $aaab$, $aaac$, $aabb$, $aabc$, $aacc$, $abbb$, $abbc$, $abcc$, $accc$, $bbbb$, $bbbc$, $bbcc$, $bccc$, $cccc$

이 15가지 경우를 문자를 나타내는 ● 4개와 문자 사이의 경계를 나타내는 ▌2개를 이용하여 나타내면 오른쪽과 같다.

즉, 3개의 문자 a, b, c 중에서 중복을 허용하여 4개를 택하는 중복조합의 수 $_3\mathrm{H}_4$는 4개의 ●와 2개의 ▌를 모두 일렬로 나열하는 같은 것이 있는 순열의 수와 같으므로 $_3\mathrm{H}_4 = \dfrac{6!}{4!\,2!} = 15$

일반적으로 중복조합의 수 $_n\mathrm{H}_r$는 r개의 ●와 $(n-1)$개의 ▌를 모두 일렬로 나열하는 같은 것이 있는 순열의 수와 같다.

또, 이 수는 $(n-1+r)$개의 자리에서 ●를 놓을 r개의 자리를 택하는 조합의 수와 같으므로

$$_n\mathrm{H}_r = \frac{\{(n-1)+r\}!}{(n-1)!\,r!} = {}_{n-1+r}\mathrm{C}_r = {}_{n+r-1}\mathrm{C}_r$$

중복조합	●와 ▌로 나타내기
$aaaa$	● ● ● ● ▌ ▌
$aaab$	● ● ● ▌ ● ▌
$aaac$	● ● ● ▌ ▌ ●
$aabb$	● ● ▌ ● ● ▌
$aabc$	● ● ▌ ● ▌ ●
$aacc$	● ● ▌ ▌ ● ●
$abbb$	● ▌ ● ● ● ▌
$abbc$	● ▌ ● ● ▌ ●
$abcc$	● ▌ ● ▌ ● ●
$accc$	● ▌ ▌ ● ● ●
$bbbb$	▌ ● ● ● ● ▌
$bbbc$	▌ ● ● ● ▌ ●
$bbcc$	▌ ● ● ▌ ● ●
$bccc$	▌ ● ▌ ● ● ●
$cccc$	▌ ▌ ● ● ● ●

경계 경계
● ▌ ● ● ▌ ●
a b b c

 Lecture

서로 다른 n개에서 r개를 택하는 중복조합의 수는

➡ $_n\mathrm{H}_r = {}_{n+r-1}\mathrm{C}_r$

| 정답과 해설 5쪽 |

개념 확인 2 다음 값을 구하시오.

(1) $_2\mathrm{H}_4$　　　　(2) $_5\mathrm{H}_3$　　　　(3) $_3\mathrm{H}_8$　　　　(4) $_3\mathrm{H}_3$

개념 확인 3 사과, 배, 귤, 감 4종류의 과일 중에서 2개를 사는 경우의 수를 구하시오.

(단, 4종류의 과일은 각각 2개 이상이고 같은 종류의 과일은 서로 구별하지 않는다.)

원리 알아보기 순열, 중복순열, 조합, 중복조합의 비교

순열, 중복순열, 조합, 중복조합을 정리하면 다음과 같다.

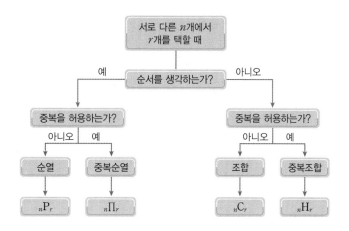

예를 들어, 서로 다른 3개의 문자 a, b, c 중에서 2개를 택할 때

경우	택한 예	경우의 수
(1) 순서를 생각하고 서로 다른 2개의 문자를 택하는 경우	ab, ac, ba, bc, ca, cb	순열 ➡ $_3P_2=6$
(2) 순서를 생각하고 중복을 허용하여 2개의 문자를 택하는 경우	aa, ab, ac, ba, bb, bc, ca, cb, cc	중복순열 ➡ $_3\Pi_2=9$
(3) 순서를 생각하지 않고 서로 다른 2개의 문자를 택하는 경우	ab, ac, bc	조합 ➡ $_3C_2=3$
(4) 순서를 생각하지 않고 중복을 허용하여 2개의 문자를 택하는 경우	aa, ab, ac, bb, bc, cc	중복조합 ➡ $_3H_2=6$

참고 (1) 순열의 수 ➡ $_nP_r=\dfrac{n!}{(n-r)!}$

(2) 중복순열의 수 ➡ $_n\Pi_r=n^r$

(3) 조합의 수 ➡ $_nC_r=\dfrac{_nP_r}{r!}=\dfrac{n!}{r!(n-r)!}$

(4) 중복조합의 수 ➡ $_nH_r=_{n+r-1}C_r$

Lecture

서로 다른 n개에서 r개를 택할 때

❶ 순서 ○, 중복 × ➡ 순열 $_nP_r$

❷ 순서 ○, 중복 ○ ➡ 중복순열 $_n\Pi_r$

❸ 순서 ×, 중복 × ➡ 조합 $_nC_r$

❹ 순서 ×, 중복 ○ ➡ 중복조합 $_nH_r$

개념 check

1-1 다음을 구하시오.

(1) 4곡의 음악 파일 중에서 USB에 저장할 3곡을 선택하는 경우의 수

(2) 1학년 학생 5명, 2학년 학생 7명 중에서 각 학년의 대표를 2명씩 선출하는 경우의 수

[연구] (1) 구하는 경우의 수는 서로 다른 4개에서 3개를 택하는 조합의 수와 같으므로

$$\square C_3 = \square$$

(2) 1학년 학생 5명 중에서 2명을 선출하는 경우의 수는

$$_5 C_\square = \square$$

2학년 학생 7명 중에서 2명을 선출하는 경우의 수는

$$_7 C_2 = \square$$

따라서 구하는 경우의 수는

$$\square \times \square = \square$$

스스로 check

1-2 다음을 구하시오.

(1) 어항 속에 있는 5마리의 물고기 중에서 다른 어항으로 옮길 2마리를 고르는 경우의 수

(2) 1부터 9까지의 자연수가 각각 하나씩 적힌 9개의 공이 들어 있는 주머니에서 3개의 공을 동시에 꺼낼 때, 4 이하의 자연수가 적힌 공을 적어도 1개 꺼내는 경우의 수

2-1 다음을 구하시오.

(1) 장미, 백합, 국화, 튤립 4종류의 꽃 중에서 3송이를 골라 포장하는 경우의 수
(단, 4종류의 꽃은 각각 3송이 이상이고 같은 종류의 꽃은 서로 구별하지 않는다.)

(2) 사과 10개를 서로 다른 5개의 접시에 나누어 담는 경우의 수
(단, 빈 접시가 있을 수도 있다.)

[연구] (1) 구하는 경우의 수는 서로 다른 4개에서 3개를 택하는 중복조합의 수와 같으므로

$$\square H_3 = \square_{+3-1} C_3 = \square C_3 = \square$$

(2) 구하는 경우의 수는 서로 다른 5개에서 10개를 택하는 중복조합의 수와 같으므로

$$\square H_{10} = \square_{+10-1} C_{10} = \square C_{10} = \square C_4 = \square$$

2-2 다음을 구하시오.

(1) 같은 종류의 사탕 6개를 3명의 학생에게 나누어 주는 경우의 수
(단, 사탕을 받지 못하는 학생이 있을 수도 있다.)

(2) 3명의 후보가 출마한 선거에서 7명의 유권자가 1명의 후보에게 각각 투표할 때, 무기명으로 투표하는 경우의 수
(단, 무효표나 기권은 없다.)

대표 유형 01 중복조합의 수

↪ 유형 해결의 법칙 15쪽 유형 10

딸기 맛, 바나나 맛, 포도 맛, 오렌지 맛의 4종류의 사탕 중에서 10개를 사려고 할 때, 다음을 구하시오.

(단, 4종류의 사탕은 각각 10개 이상이고 같은 종류의 사탕은 서로 구별하지 않는다.)

(1) 각 종류의 사탕이 적어도 1개씩은 포함되도록 사는 경우의 수

(2) 바나나 맛 사탕은 2개 이상, 포도 맛 사탕은 3개 이상 사는 경우의 수

풀이 (1) ❶ 먼저 각 종류의 사탕을 1개씩 산 후, 나머지 사탕을 사면 됨을 알기

각 종류의 사탕을 적어도 1개씩은 사야 하므로 먼저 각 종류의 사탕을 1개씩 산 후, 딸기 맛, 바나나 맛, 포도 맛, 오렌지 맛 사탕 중에서 중복을 허용하여 6개의 사탕을 사면 된다.
       ↳ 서로 다른 4개에서 6개를 택하는 중복조합

❷ 경우의 수 구하기

따라서 구하는 경우의 수는
$$_4H_6 = {}_{4+6-1}C_6 = {}_9C_6 = {}_9C_3 = 84$$

(2) ❶ 먼저 바나나 맛 사탕 2개, 포도 맛 사탕 3개를 산 후, 나머지 사탕을 사면 됨을 알기

바나나 맛 사탕은 2개 이상, 포도 맛 사탕은 3개 이상 사야 하므로 먼저 바나나 맛 사탕 2개, 포도 맛 사탕 3개를 산 후, 딸기 맛, 바나나 맛, 포도 맛, 오렌지 맛 사탕 중에서 중복을 허용하여 5개의 사탕을 사면 된다.
       ↳ 서로 다른 4개에서 5개를 택하는 중복조합

❷ 경우의 수 구하기

따라서 구하는 경우의 수는
$$_4H_5 = {}_{4+5-1}C_5 = {}_8C_5 = {}_8C_3 = 56$$

답 (1) 84 (2) 56

> 해법   서로 다른 n종류에서 중복을 허용하여 r개를 뽑을 때, 각 종류가 적어도 1개씩 포함되도록 뽑는 경우의 수는
> ➡ 먼저 n종류에서 각각 1개씩 뽑은 후, 서로 다른 n개에서 $(r-n)$개를 뽑는 중복조합의 수를 이용하여 구한다.

| 정답과 해설 6쪽 |

01-1 소설책, 시집, 위인전의 3종류의 책 중에서 7권을 사려고 한다. 각 종류의 책이 적어도 1권씩은 포함되도록 사는 경우의 수를 구하시오. (단, 3종류의 책은 각각 7권 이상이고 같은 종류의 책은 서로 구별하지 않는다.)

01-2 같은 종류의 공 12개를 서로 다른 두 상자 A, B에 나누어 담으려고 한다. 상자 A에는 3개 이상, 상자 B에는 2개 이상 공을 담는 경우의 수를 구하시오.

대표 유형 **방정식, 부등식의 해의 개수 − 중복조합**

↻ 유형 해결의 법칙 16쪽 유형 11

> 방정식 $x+y+z=10$에 대하여 다음을 구하시오.
>
> (1) 음이 아닌 정수해의 개수
>
> (2) 양의 정수해의 개수

풀이 (1) 구하는 해의 개수는 3개의 문자 x, y, z 중에서 10개를 택하는 중복조합의 수와 같으므로

$$_3H_{10} = {}_{3+10-1}C_{10} = {}_{12}C_{10} = {}_{12}C_2 = 66$$

> 방정식 $x+y+z=10$의 음이 아닌 정수해 중에서 $x=1$, $y=2$, $z=7$은 x를 1개, y를 2개, z를 7개 택하는 것으로 생각할 수 있어.

(2) x, y, z가 양의 정수이므로 x, y, z는 $x \geq 1$, $y \geq 1$, $z \geq 1$인 정수이다.

즉, $x-1 \geq 0$, $y-1 \geq 0$, $z-1 \geq 0$이므로 $x-1$, $y-1$, $z-1$은 모두 음이 아닌 정수이다.

$x-1=x'$, $y-1=y'$, $z-1=z'$(x', y', z'은 음이 아닌 정수)으로 놓으면

$x=x'+1$, $y=y'+1$, $z=z'+1$이므로 주어진 방정식은

$(x'+1)+(y'+1)+(z'+1)=10$ ∴ $x'+y'+z'=7$

따라서 구하는 해의 개수는 방정식 $x'+y'+z'=7$의 음이 아닌 정수해의 개수와 같으므로

$$_3H_7 = {}_{3+7-1}C_7 = {}_9C_7 = {}_9C_2 = 36$$

> x, y, z가 양의 정수이므로 x, y, z가 이미 하나씩 배정된 것으로 생각해.

[답] (1) 66 (2) 36

> **해법** 방정식 $x_1+x_2+x_3+\cdots+x_m=n$(m, n은 자연수)에 대하여
>
> ❶ 음이 아닌 정수해의 개수 ➡ 서로 다른 m개에서 n개를 택하는 중복조합의 수
>
> $$\Rightarrow {}_mH_n = {}_{m+n-1}C_n$$
>
> ❷ 양의 정수해의 개수 ➡ 서로 다른 m개에서 $(n-m)$개를 택하는 중복조합의 수
>
> $$\Rightarrow {}_mH_{n-m} = {}_{n-1}C_{n-m} = {}_{n-1}C_{m-1} \text{ (단, } n \geq m)$$

| 정답과 해설 6쪽 |

02-1 방정식 $x+y+z=7$에 대하여 다음을 구하시오.

(1) 음이 아닌 정수해의 개수

(2) 양의 정수해의 개수

02-2 부등식 $3 \leq x+y+z \leq 5$를 만족시키는 음이 아닌 정수해의 개수를 구하시오.

대표 유형 03 함수의 개수 – 중복조합

🔄 유형 해결의 법칙 16쪽 유형 12

> 두 집합 $X=\{1, 2, 3\}$, $Y=\{1, 2, 3, 4, 5\}$에 대하여 다음 조건을 만족시키는 함수 $f : X \longrightarrow Y$의 개수
> 를 구하시오. (단, $x_1 \in X$, $x_2 \in X$)
>
> (1) $x_1 < x_2$이면 $f(x_1) < f(x_2)$
>
> (2) $x_1 < x_2$이면 $f(x_1) \leq f(x_2)$

풀이 (1) 주어진 조건을 만족시키려면 공역 Y의 원소 1, 2, 3, 4, 5 중에서 3개를 택한 후, 작은 수부터 차례로 정의역
X의 원소 1, 2, 3에 대응시키면 된다.

즉, 구하는 함수 f의 개수는 공역의 원소 5개 중에서 3개를 택하는 조합의 수와 같으므로

$_5C_3 = {}_5C_2 = 10$

(2) 주어진 조건을 만족시키려면 공역 Y의 원소 1, 2, 3, 4, 5 중에서 중복을 허용하여 3개를 택한 후, 작은 수부터 차
례로 정의역 X의 원소 1, 2, 3에 대응시키면 된다.

즉, 구하는 함수 f의 개수는 공역의 원소 5개 중에서 3개를 택하는 중복조합의 수와 같으므로

$_5H_3 = {}_{5+3-1}C_3 = {}_7C_3 = 35$

답 (1) 10 (2) 35

> **해법** 두 집합 $X=\{x_1, x_2, x_3, \cdots, x_m\}$, $Y=\{y_1, y_2, y_3, \cdots, y_n\}$에 대하여 함수 $f : X \longrightarrow Y$ 중에서
> ❶ $x_i < x_j$이면 $f(x_i) < f(x_j)$를 만족시키는 함수 f의 개수 ➡ $_nC_m$ (단, $n \geq m$)
> ❷ $x_i < x_j$이면 $f(x_i) \leq f(x_j)$를 만족시키는 함수 f의 개수 ➡ $_nH_m$

| 정답과 해설 7쪽 |

03-1 두 집합 $X=\{1, 2, 3\}$, $Y=\{2, 3, 4, 5\}$에 대하여 다음 조건을 만족시키는 함수 $f : X \longrightarrow Y$의 개수를 구하시오.

(1) $f(1) < f(2) < f(3)$

(2) $f(1) \leq f(2) \leq f(3)$

3 이항정리

개념 01 이항정리

자연수 n에 대하여 $(a+b)^n$을 전개하면 다음과 같고, 이것을 이항정리라 한다.
$$(a+b)^n={}_nC_0 a^n+{}_nC_1 a^{n-1}b+{}_nC_2 a^{n-2}b^2+\cdots+{}_nC_r a^{n-r}b^r+\cdots+{}_nC_n b^n$$
이때, 전개식의 각 항의 계수 ${}_nC_0,\ {}_nC_1,\ {}_nC_2,\ \cdots,\ {}_nC_r,\ \cdots,\ {}_nC_n$을 이항계수라 하고,
${}_nC_r a^{n-r}b^r$을 $(a+b)^n$의 전개식의 일반항이라 한다.

> ${}_nC_r={}_nC_{n-r}$이므로 $(a+b)^n$의 전개식에서 $a^{n-r}b^r$과 $a^r b^{n-r}$의 계수는 서로 같아.

참고 $a^0=1,\ b^0=1$로 정한다. (단, $a\neq0,\ b\neq0$)

설명
조합을 이용하여 $(a+b)^3$의 전개식을 구해 보자.
$(a+b)^3=(a+b)(a+b)(a+b)$의 전개식에서 a^2b는
오른쪽 그림과 같이 3개의 인수 $(a+b)$ 중 2개에서 a를
택하고, 남은 1개에서 b를 택하여 곱한 경우이다.
즉, a^2b의 계수는 3개의 인수 중에서 b를 택할 인수 1개
를 뽑는 조합의 수인 ${}_3C_1$과 같다.
같은 방법으로 생각하면 $a^3,\ ab^2,\ b^3$의 계수는 각각 ${}_3C_0$,
${}_3C_2,\ {}_3C_3$이 됨을 알 수 있다.
따라서 $(a+b)^3$의 전개식은 다음과 같이 나타낼 수 있다.
$$(a+b)^3={}_3C_0 a^3+{}_3C_1 a^2b+{}_3C_2 ab^2+{}_3C_3 b^3$$

$(a+b)$	$(a+b)$	$(a+b)$	
↓	↓	↓	
a	a	b	$\Rightarrow a^2b$
a	b	a	$\Rightarrow a^2b$
b	a	a	$\Rightarrow a^2b$

${}_3C_1$

> $(a+b)^n$의 전개식은 n개의 인수 $(a+b)$ 중에서 각각 a 또는 b를 하나씩 택하여 곱한 항을 모두 더한 거야.

예
이항정리를 이용하여 $(x-2y)^4$을 전개해 보자.

$(a+b)^n$	a	b	전개식
$(x-2y)^4$	x	$-2y$	${}_4C_0 x^4+{}_4C_1 x^3(-2y)+{}_4C_2 x^2(-2y)^2 \\ \qquad +{}_4C_3 x(-2y)^3+{}_4C_4(-2y)^4 \\ =x^4-8x^3y+24x^2y^2-32xy^3+16y^4$

Lecture

이항계수
$$(a+b)^n={}_nC_0 a^n+{}_nC_1 a^{n-1}b+\cdots+{}_nC_r a^{n-r}b^r+\cdots+{}_nC_n b^n$$
→ 일반항

| 정답과 해설 7쪽 |

개념 확인 1 이항정리를 이용하여 다음 식을 전개하시오.

(1) $(2x+y)^3$

(2) $(x-y)^4$

개념 **02** 파스칼의 삼각형

$n=1, 2, 3, \cdots$일 때, $(a+b)^n$의 전개식에서 이항계수를 다음과 같이 삼각형 모양으로 배열한 것을 파스칼의 삼각형이라 한다.

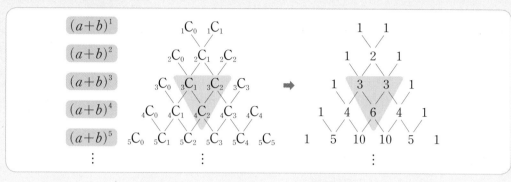

설명 파스칼의 삼각형에서 다음과 같은 조합의 수의 성질을 확인할 수 있다.

(1) 각 단계의 수는 그 위 단계의 이웃하는 두 수의 합과 같다.

$\Rightarrow {}_n C_r = {}_{n-1} C_{r-1} + {}_{n-1} C_r$

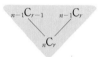

(2) 각 단계의 수의 배열은 좌우 대칭이다.

$\Rightarrow {}_n C_r = {}_n C_{n-r}$

예 파스칼의 삼각형을 이용하여 $(a+b)^4$을 전개하면

$$(a+b)^4 = 1 \times a^4 + 4a^3 b + 6a^2 b^2 + 4ab^3 + 1 \times b^4$$
$$= a^4 + 4a^3 b + 6a^2 b^2 + 4ab^3 + b^4$$

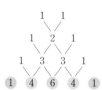

Lecture **파스칼의 삼각형에서 알 수 있는 성질**

❶ ${}_n C_r = {}_{n-1} C_{r-1} + {}_{n-1} C_r$ (단, $1 \le r < n$)

❷ ${}_n C_r = {}_n C_{n-r}$

| 정답과 해설 7쪽 |

개념 확인 2 파스칼의 삼각형을 이용하여 다음 식을 전개하시오.

(1) $(2x+1)^5$

(2) $(x+y)^6$

개념 03 이항계수의 성질

이항정리를 이용하여 $(1+x)^n$을 전개하면

$$(1+x)^n={}_nC_0+{}_nC_1x+{}_nC_2x^2+\cdots+{}_nC_nx^n$$

이 전개식을 이용하면 다음과 같은 이항계수의 성질을 알 수 있다.

(1) ${}_nC_0+{}_nC_1+{}_nC_2+\cdots+{}_nC_n=2^n$

(2) ${}_nC_0-{}_nC_1+{}_nC_2-\cdots+(-1)^n{}_nC_n=0$

(3) ${}_nC_0+{}_nC_2+{}_nC_4+\cdots+{}_nC_{n-1}={}_nC_1+{}_nC_3+{}_nC_5+\cdots+{}_nC_n=2^{n-1}$ (단, n은 1보다 큰 홀수)

(4) ${}_nC_0+{}_nC_2+{}_nC_4+\cdots+{}_nC_n={}_nC_1+{}_nC_3+{}_nC_5+\cdots+{}_nC_{n-1}=2^{n-1}$ (단, n은 짝수)

설명

$(1+x)^n={}_nC_0+{}_nC_1x+{}_nC_2x^2+\cdots+{}_nC_nx^n$에서

(1) 양변에 $x=1$을 대입하면

$$(1+1)^n={}_nC_0+{}_nC_1+{}_nC_2+\cdots+{}_nC_n$$

$$\therefore\ {}_nC_0+{}_nC_1+{}_nC_2+\cdots+{}_nC_n=2^n \qquad \cdots\cdots\ \text{㉠}$$

(2) 양변에 $x=-1$을 대입하면

$$(1-1)^n={}_nC_0-{}_nC_1+{}_nC_2-\cdots+(-1)^n{}_nC_n$$

$$\therefore\ {}_nC_0-{}_nC_1+{}_nC_2-\cdots+(-1)^n{}_nC_n=0 \qquad \cdots\cdots\ \text{㉡}$$

(3) n이 1보다 큰 홀수일 때, ㉠+㉡을 하면

$$2({}_nC_0+{}_nC_2+{}_nC_4+\cdots+{}_nC_{n-1})=2^n$$

$$\therefore\ {}_nC_0+{}_nC_2+{}_nC_4+\cdots+{}_nC_{n-1}=2^{n-1}$$

㉠−㉡을 하면

$$2({}_nC_1+{}_nC_3+{}_nC_5+\cdots+{}_nC_n)=2^n$$

$$\therefore\ {}_nC_1+{}_nC_3+{}_nC_5+\cdots+{}_nC_n=2^{n-1}$$

(4) n이 짝수일 때, ㉠+㉡을 하면

$$2({}_nC_0+{}_nC_2+{}_nC_4+\cdots+{}_nC_n)=2^n$$

$$\therefore\ {}_nC_0+{}_nC_2+{}_nC_4+\cdots+{}_nC_n=2^{n-1}$$

㉠−㉡을 하면

$$2({}_nC_1+{}_nC_3+{}_nC_5+\cdots+{}_nC_{n-1})=2^n$$

$$\therefore\ {}_nC_1+{}_nC_3+{}_nC_5+\cdots+{}_nC_{n-1}=2^{n-1}$$

Lecture

이항계수의 성질

➡ $(1+x)^n={}_nC_0+{}_nC_1x+{}_nC_2x^2+\cdots+{}_nC_nx^n$을 이용

| 정답과 해설 7쪽 |

개념 확인 3 다음 식의 값을 구하시오.

(1) ${}_5C_0+{}_5C_1+{}_5C_2+{}_5C_3+{}_5C_4+{}_5C_5$

(2) ${}_5C_0-{}_5C_1+{}_5C_2-{}_5C_3+{}_5C_4-{}_5C_5$

(3) ${}_5C_0+{}_5C_2+{}_5C_4$

(4) ${}_6C_1+{}_6C_3+{}_6C_5$

개념 check

1-1 다음을 구하시오.

(1) $(2x-3)^4$의 전개식에서 x^2의 계수

(2) $\left(x+\dfrac{3}{x}\right)^6$의 전개식에서 상수항

연구 (1) $(2x-3)^4$의 전개식의 일반항은

$$_4C_r(2x)^{\boxed{}}(-3)^r={}_4C_r\,2^{4-r}(-3)^r x^{4-r}$$

x^2항은 $\boxed{}=2$에서 $r=2$일 때이므로 구하는

x^2의 계수는

$$_4C_2\times 2^2\times(-3)^2=\boxed{}$$

(2) $\left(x+\dfrac{3}{x}\right)^6$의 전개식의 일반항은

$$_6C_r\,x^{6-r}\left(\dfrac{3}{x}\right)^r={}_6C_r\,3^r\,\dfrac{x^{6-r}}{x^r}$$

상수항은 $6-r=\boxed{}$에서 $r=\boxed{}$일 때이므로

구하는 상수항은

$$_6C_3\times 3^3=\boxed{}$$

스스로 check

1-2 다음을 구하시오.

(1) $(2x+1)^6$의 전개식에서 x^3의 계수

(2) $\left(x+\dfrac{1}{x^3}\right)^4$의 전개식에서 $\dfrac{1}{x^4}$의 계수

2-1 다음 식의 값을 구하시오.

(1) $_6C_1+{}_6C_2+{}_6C_3+{}_6C_4+{}_6C_5+{}_6C_6$

(2) $_{21}C_0+{}_{21}C_1+{}_{21}C_2+\cdots+{}_{21}C_{10}$

연구 (1) $_6C_0+{}_6C_1+{}_6C_2+{}_6C_3+{}_6C_4+{}_6C_5+{}_6C_6$

$$=2^{\boxed{}}=\boxed{}$$

이므로

$_6C_1+{}_6C_2+{}_6C_3+{}_6C_4+{}_6C_5+{}_6C_6$

$$=\boxed{}-1=\boxed{}$$

(2) $_{21}C_0+{}_{21}C_1+{}_{21}C_2+\cdots+{}_{21}C_{10}$

$$=_{21}C_{21}+{}_{21}C_{20}+{}_{21}C_{19}+\cdots+{}_{21}C_{11}$$

이때, $_{21}C_0+{}_{21}C_1+{}_{21}C_2+\cdots+{}_{21}C_{21}=2^{\boxed{}}$

이므로

$$_{21}C_0+{}_{21}C_1+{}_{21}C_2+\cdots+{}_{21}C_{10}=\dfrac{1}{2}\times 2^{\boxed{}}=2^{\boxed{}}$$

2-2 다음 식의 값을 구하시오.

(1) $_{10}C_1-{}_{10}C_2+{}_{10}C_3-{}_{10}C_4+\cdots+{}_{10}C_9$

(2) $_{11}C_{11}+{}_{11}C_{10}+{}_{11}C_9+{}_{11}C_8+{}_{11}C_7+{}_{11}C_6$

대표 유형 01 $(a+b)^p(c+d)^q$의 전개식 ◑ 유형 해결의 법칙 20쪽 유형 14

다음을 구하시오.

(1) $(2+x)^3(1+2x)^4$의 전개식에서 x^2의 계수

(2) $(x^2-2)\left(x-\dfrac{2}{x}\right)^6$의 전개식에서 x^4의 계수

풀이 (1)

❶ $(2+x)^3(1+2x)^4$의 전개식의 일반항 구하기

$(2+x)^3$의 전개식의 일반항은 $_3C_r 2^{3-r}x^r$

$(1+2x)^4$의 전개식의 일반항은 $_4C_s(2x)^s=_4C_s 2^s x^s$

따라서 $(2+x)^3(1+2x)^4$의 전개식의 일반항은

$_3C_r 2^{3-r}x^r\times_4C_s 2^s x^s=_3C_r{}_4C_s 2^{3-r+s}x^{r+s}$

❷ x^2의 계수 구하기

x^2항은 $r+s=2$일 때이고 r, s는 각각 $0\le r\le 3$, $0\le s\le 4$인 정수이므로

(i) $r=0$, $s=2$일 때, $_3C_0\times_4C_2\times 2^{3-0+2}=192$

(ii) $r=1$, $s=1$일 때, $_3C_1\times_4C_1\times 2^{3-1+1}=96$

(iii) $r=2$, $s=0$일 때, $_3C_2\times_4C_0\times 2^{3-2+0}=6$

(i), (ii), (iii)에서 x^2의 계수는 $192+96+6=294$

(2)

❶ $\left(x-\dfrac{2}{x}\right)^6$의 전개식의 일반항 구하기

$\left(x-\dfrac{2}{x}\right)^6$의 전개식의 일반항은

$_6C_r x^{6-r}\left(-\dfrac{2}{x}\right)^r=_6C_r(-2)^r\dfrac{x^{6-r}}{x^r}$ ······㉠

❷ x^4의 계수 구하기

이때, $(x^2-2)\left(x-\dfrac{2}{x}\right)^6$의 전개식에서 x^4항은 x^2과 ㉠의 x^2항, -2와 ㉠의 x^4항이 곱해질 때 나타난다.

(i) ㉠에서 x^2항은 $6-r-r=2$, 즉 $r=2$일 때이므로 $_6C_2\times(-2)^2\times x^2=60x^2$

(ii) ㉠에서 x^4항은 $6-r-r=4$, 즉 $r=1$일 때이므로 $_6C_1\times(-2)\times x^4=-12x^4$

따라서 주어진 식의 전개식에서 x^4항은 $x^2\times 60x^2+(-2)\times(-12x^4)=84x^4$이므로 x^4의 계수는 84이다.

답 (1) 294 (2) 84

해법 p, q가 자연수일 때, $(a+b)^p(c+d)^q$의 전개식의 일반항은

➡ $(a+b)^p$과 $(c+d)^q$의 전개식의 일반항을 각각 구하여 곱한다.

| 정답과 해설 8쪽 |

01-1 다음을 구하시오.

(1) $(1+2x)^4(1-x)^6$의 전개식에서 x^2의 계수

(2) $(x-1)\left(x-\dfrac{1}{x}\right)^4$의 전개식에서 상수항

대표 유형 **02** **파스칼의 삼각형**

↻ 유형 해결의 법칙 21쪽 유형 15

다음 식의 값을 구하시오.

(1) $_2C_0 + _3C_1 + _4C_2 + \cdots + _{10}C_8$

(2) $_3C_3 + _4C_3 + _5C_3 + \cdots + _8C_3$

풀이

(1) $_2C_0 + _3C_1 + _4C_2 + \cdots + _{10}C_8 \overset{\;\;\overset{\longrightarrow\; _2C_0 = _3C_0 = 1}{}}{=} \underline{_3C_0} + _3C_1 + _4C_2 + \cdots + _{10}C_8$

$= _4C_1 + _4C_2 + \cdots + _{10}C_8$

$= _5C_2 + \cdots + _{10}C_8$

$\vdots$

$= _{10}C_7 + _{10}C_8$

$= _{11}C_8 = _{11}C_3 = 165$

(2) $_3C_3 + _4C_3 + _5C_3 + \cdots + _8C_3 = \underline{_4C_4} + _4C_3 + _5C_3 + \cdots + _8C_3$

$\overset{_3C_3 = _4C_4 = 1}{} = _5C_4 + _5C_3 + \cdots + _8C_3$

$= _6C_4 + \cdots + _8C_3$

$\vdots$

$= _8C_4 + _8C_3$

$= _9C_4 = 126$

> $_{n-1}C_{r-1} + _{n-1}C_r = _nC_r$
> 임을 이용해!

답 (1) 165 (2) 126

다른 풀이

(1) 오른쪽 그림과 같이 파스칼의 삼각형에서 $_2C_0$부터 오른쪽 아래의 대각선 방향으로 각 항들을 더하여 $_{10}C_8$까지 더한 값은 $_{10}C_8$의 왼쪽 아래에 있는 $_{11}C_8$과 그 값이 같다.

따라서 구하는 값은

$_{11}C_8 = _{11}C_3 = 165$

$_2C_0 \quad _2C_1 \quad _2C_2$

$_3C_0 \quad _3C_1 \quad _3C_2 \quad _3C_3$

$_4C_0 \quad _4C_1 \quad _4C_2 \quad _4C_3 \quad _4C_4$

$_5C_0 \quad _5C_1 \quad _5C_2 \quad _5C_3 \quad _5C_4 \quad _5C_5$

$\vdots$

$_{10}C_0 \quad _{10}C_1 \quad _{10}C_2 \quad \cdots \quad _{10}C_8 \quad _{10}C_9 \quad _{10}C_{10}$

$_{11}C_0 \quad _{11}C_1 \quad _{11}C_2 \quad _{11}C_3 \quad \cdots \quad _{11}C_8 \quad _{11}C_9 \quad _{11}C_{10} \quad _{11}C_{11}$

해법 $_{n-1}C_{r-1} \quad _{n-1}C_r$
$_nC_r$

➡ $_{n-1}C_{r-1} + _{n-1}C_r = _nC_r$ (단, $1 \le r < n$)

➡ 파스칼의 삼각형에서 각 단계의 수는 그 위 단계의 이웃하는 두 수의 합과 같다.

| 정답과 해설 8쪽 |

02-1 다음 식의 값을 구하시오.

(1) $_1C_0 + _2C_1 + _3C_2 + \cdots + _{20}C_{19}$

(2) $_3C_2 + _4C_2 + _5C_2 + \cdots + _9C_2$

↻ 유형 해결의 법칙 21쪽 유형 16

대표 유형 **03** 이항계수의 성질

다음을 구하시오.

(1) $_{2n}C_0 + {}_{2n}C_2 + {}_{2n}C_4 + \cdots + {}_{2n}C_{2n} = 512$를 만족시키는 자연수 n의 값

(2) 부등식 $500 < {}_nC_1 + {}_nC_2 + {}_nC_3 + \cdots + {}_nC_n < 1000$을 만족시키는 자연수 n의 값

풀이 (1) 이항계수의 성질 이용하기

$_{2n}C_0 + {}_{2n}C_2 + {}_{2n}C_4 + \cdots + {}_{2n}C_{2n} = 2^{2n-1}$이므로

$2^{2n-1} = 512 = 2^9$

따라서 $2n-1 = 9$이므로 $n = 5$

(2) ❶ 이항계수의 성질 이용하기

$_nC_0 + {}_nC_1 + {}_nC_2 + {}_nC_3 + \cdots + {}_nC_n = 2^n$이므로

$_nC_1 + {}_nC_2 + {}_nC_3 + \cdots + {}_nC_n = 2^n - 1$

❷ n의 값 구하기

따라서 주어진 부등식은

$500 < 2^n - 1 < 1000,\ 501 < 2^n < 1001$

이때, $2^8 = 256$, $2^9 = 512$, $2^{10} = 1024$이므로

$n = 9$

🖺 (1) 5 (2) 9

해법 ❶ $_nC_0 + {}_nC_1 + {}_nC_2 + \cdots + {}_nC_n = 2^n$

❷ $_nC_0 - {}_nC_1 + {}_nC_2 - \cdots + (-1)^n {}_nC_n = 0$

❸ $_nC_0 + {}_nC_2 + {}_nC_4 + \cdots + {}_nC_{n-1} = {}_nC_1 + {}_nC_3 + {}_nC_5 + \cdots + {}_nC_n = 2^{n-1}$ (단, n은 1보다 큰 홀수)

❹ $_nC_0 + {}_nC_2 + {}_nC_4 + \cdots + {}_nC_n = {}_nC_1 + {}_nC_3 + {}_nC_5 + \cdots + {}_nC_{n-1} = 2^{n-1}$ (단, n은 짝수)

| 정답과 해설 8쪽 |

03-1 다음을 구하시오.

(1) $_{2n}C_1 + {}_{2n}C_3 + {}_{2n}C_5 + \cdots + {}_{2n}C_{2n-1} = 128$을 만족시키는 자연수 n의 값

(2) 부등식 $1000 < {}_nC_1 + {}_nC_2 + {}_nC_3 + \cdots + {}_nC_n < 2000$을 만족시키는 자연수 n의 값

유형 확인

1-1 부모를 포함한 5명의 가족이 원탁에 둘러앉는 경우의 수를 a, 부모가 이웃하게 원탁에 둘러앉는 경우의 수를 b라 할 때, $a-b$의 값을 구하시오.

한번 더 확인

1-2 현아, 혜림, 지원이를 포함한 8명의 동아리 회원이 원탁에 둘러앉을 때, 현아와 혜림이 사이에 지원이만 앉는 경우의 수를 구하시오.

2-1 오른쪽 그림과 같은 정오각형 모양의 탁자에 10명의 학생이 둘러앉는 경우의 수는? (단, 회전하여 일치하는 것은 같은 것으로 본다.)

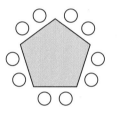

① $9!$ ② $9! \times 2$ ③ $9! \times 5$
④ $10!$ ⑤ $10! \times 2$

2-2 오른쪽 그림과 같은 정육각형 모양의 탁자에 12명의 학생이 둘러앉는 경우의 수는? (단, 회전하여 일치하는 것은 같은 것으로 본다.)

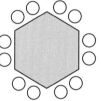

① $6! \times 6!$ ② $11!$ ③ $11! \times 2$
④ $12!$ ⑤ $12! \times 2$

3-1 3명의 후보 A, B, C가 출마한 선거에서 6명의 유권자가 1명의 후보에게 기명으로 투표할 때, A가 2표를 얻는 경우의 수를 구하시오.

3-2 빨간색 깃발과 흰색 깃발이 각각 1개씩 있다. 이 깃발들을 n번 들어 올려서 200개 이상의 서로 다른 신호를 만들려고 할 때, n의 최솟값을 구하시오. (단, 깃발은 1번 이상 들어 올려야 하고, 2개의 깃발을 동시에 들어 올리지 않는다.)

유형 확인

4-1 5개의 숫자 1, 2, 3, 4, 5로 중복을 허용하여 만들 수 있는 세 자리 자연수 중에서 반드시 3이 포함되는 것의 개수를 구하시오.

한번 더 확인

4-2 6개의 숫자 0, 1, 2, 3, 4, 5로 중복을 허용하여 네 자리 자연수를 만들 때, 3100보다 작은 자연수의 개수를 구하시오.

5-1 7개의 문자 a, a, b, c, c, d, e를 일렬로 나열할 때, b가 d보다 앞에 오도록 나열하는 경우의 수를 구하시오.

5-2 키가 서로 다른 남학생 3명과 키가 서로 다른 여학생 3명이 일렬로 설 때, 남학생들은 키가 큰 학생부터 작은 학생 순으로, 여학생은 키가 작은 학생부터 큰 학생 순으로 서는 경우의 수를 구하시오.

6-1 오른쪽 그림과 같은 도로망이 있다. A지점에서 출발하여 B지점을 거치지 않고 C지점까지 최단 거리로 가는 경우의 수를 구하시오.

6-2 창의력

오른쪽 그림과 같은 도로망이 있다. A지점에서 B지점까지 최단 거리로 가는 경우의 수를 구하시오.

7-1 똑같은 흰 공 6개와 똑같은 검은 공 4개를 세 주머니 A, B, C에 넣는 경우의 수를 구하시오.
(단, 빈 주머니가 있을 수도 있다.)

7-2 사과 3개, 배 4개, 귤 5개가 있다. 이 과일을 서로 다른 두 상자 A, B에 나누어 담는 경우의 수를 구하시오. (단, 같은 종류의 과일은 서로 구별하지 않고 빈 상자가 있을 수도 있다.)

8-1 방정식 $x+y+z=9$를 만족시키는 음이 아닌 정수해의 개수를 a, 양의 정수해의 개수를 b라 할 때, $a-b$의 값을 구하시오.

8-2 부등식 $x+y+z+w\leq3$을 만족시키는 음이 아닌 정수해의 개수를 구하시오.

9-1 두 집합
$$X=\{1, 2, 3, 4\},\ Y=\{1, 2, 3, 4, 5, 6, 7\}$$
에 대하여 함수 $f:X\longrightarrow Y$ 중에서 $x_1<x_2$이면 $f(x_1)>f(x_2)$를 만족시키는 함수 f의 개수를 a, $x_1<x_2$이면 $f(x_1)\leq f(x_2)$를 만족시키는 함수 f의 개수를 b라 할 때, $a+b$의 값을 구하시오.
(단, $x_1\in X$, $x_2\in X$)

9-2 두 집합
$$X=\{1, 2, 3, 4, 5\},\ Y=\{4, 5, 6, 7, 8, 9\}$$
에 대하여 함수 $f:X\longrightarrow Y$ 중에서 다음 조건을 모두 만족시키는 함수 f의 개수를 구하시오.

(개) $f(2)=6$
(내) 집합 X의 임의의 두 원소 x_1, x_2에 대하여 $x_1<x_2$이면 $f(x_1)\leq f(x_2)$이다.

10-1 $(x-a)^2\left(x+\dfrac{2}{x}\right)^4$의 전개식에서 상수항이 128일 때, 양수 a의 값을 구하시오.

10-2 $(x^2-2)^4\left(x+\dfrac{a}{x}\right)^2$의 전개식에서 x^2의 계수가 -24일 때, 정수 a의 값을 구하시오.

11-1 $_nC_1+_nC_2+_nC_3+\cdots+_nC_n=127$을 만족시키는 자연수 n의 값을 구하시오.

11-2 $\dfrac{_{16}C_0+_{16}C_2+_{16}C_4+\cdots+_{16}C_{16}}{_{13}C_0+_{13}C_1+_{13}C_2+\cdots+_{13}C_6}=2^n$을 만족시키는 자연수 n의 값을 구하시오.

2 확률의 뜻과 활용

단원 학습목표

이 단원에서는 확률의 뜻과 성질에 대해서 배울 거야.
확률은 일상생활에서도 많이 쓰는 용어지?

네! 그래서 더 기대가 되네요.

그래! 앞 단원에서 배운 여러 가지 순열과 조합을 잘 기억하면서
공부하면 어렵지 않게 배울 수 있을 거야.

개념 & 유형 map

1 확률의 뜻

개념 01 시행과 사건

1 시행과 사건

(1) **시행**: 같은 조건에서 반복할 수 있고, 그 결과가 우연에 의하여 정해지는 실험이나 관찰

(2) **표본공간**: 어떤 시행에서 일어날 수 있는 모든 결과의 집합

(3) **사건**: 표본공간의 부분집합

(4) **근원사건**: 표본공간 S의 부분집합 중에서 한 개의 원소로 이루어진 사건

(5) **전사건**: 어떤 시행에서 반드시 일어나는 사건 → 표본공간과 같다.

(6) **공사건**: 어떤 시행에서 절대로 일어나지 않는 사건 → 공집합 $\varnothing$으로 나타낸다.

참고 표본공간(Sample space)은 보통 S로 나타내고 공집합이 아닌 경우만 생각한다.

2 배반사건과 여사건

표본공간이 S인 두 사건 A, B에 대하여

(1) **합사건**: A 또는 B가 일어나는 사건 ➡ $A \cup B$

(2) **곱사건**: A와 B가 동시에 일어나는 사건 ➡ $A \cap B$

(3) **배반사건**: A와 B가 동시에 일어나지 않을 때, 즉 $A \cap B = \varnothing$일 때, A와 B는 서로 배반이라 하고, 이 두 사건을 서로 배반사건이라 한다.

(4) **여사건**: A가 일어나지 않는 사건 ➡ A^C

참고 $A \cap A^C = \varnothing$이므로 A와 그 여사건 A^C는 서로 배반사건이다.

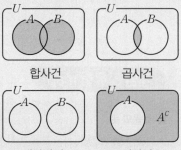

합사건　곱사건

배반사건　여사건

[예]

한 개의 주사위를 던지는 시행에서 표본공간을 S, 홀수의 눈이 나오는 사건을 A, 4의 눈이 나오는 사건을 B라 하면

(1) $S = \{1, 2, 3, 4, 5, 6\}$

(2) $A = \{1, 3, 5\}$, $B = \{4\}$

(3) 근원사건: $\{1\}, \{2\}, \{3\}, \{4\}, \{5\}, \{6\}$

(4) 합사건: $A \cup B = \{1, 3, 4, 5\}$

(5) 곱사건: $A \cap B = \varnothing$
→ A와 B는 서로 배반사건

(6) 여사건: $A^C = \{2, 4, 6\}$, $B^C = \{1, 2, 3, 5, 6\}$

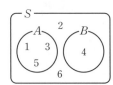

Lecture

❶ 두 사건 A, B가 서로 배반사건 ➡ $A \cap B = \varnothing$

❷ 사건 A의 여사건 ➡ A^C

| 정답과 해설 12쪽 |

[개념 확인 1] 한 개의 주사위를 던지는 시행에서 소수의 눈이 나오는 사건을 A, 4의 약수의 눈이 나오는 사건을 B라 할 때, 다음을 구하시오.

(1) $A \cup B$　　　　　　　　　　　(2) $A \cap B$

(3) A^C　　　　　　　　　　　　　(4) $A^C \cup B^C$

개념 **02** 수학적 확률

1 확률

어떤 시행에서 사건 A가 일어날 가능성을 수로 나타낸 것을 사건 A가 일어날 확률이라 하고, 이 것을 기호로 $\mathrm{P}(A)$와 같이 나타낸다.

2 수학적 확률

표본공간이 S인 어떤 시행에서 각 근원사건이 일어날 가능성이 모두 같은 정도로 기대될 때, 사건 A가 일어날 확률 $\mathrm{P}(A)$는

$$\mathrm{P}(A) = \frac{n(A)}{n(S)} = \frac{(\text{사건 } A\text{가 일어나는 경우의 수})}{(\text{모든 경우의 수})}$$

사건 A의 원소의 개수 → $n(A)$
표본공간 S의 원소의 개수 → $n(S)$

로 정의하고, 이것을 사건 A가 일어날 수학적 확률이라 한다.

참고 특별한 언급이 없으면 어떤 시행에서 각 결과가 일어날 가능성은 모두 같은 정도로 기대된다고 생각한다.

예 한 개의 주사위를 두 번 던지는 시행에서 표본공간을 S라 할 때, 다음 사건 A가 일어날 확률 $\mathrm{P}(A)$를 구해 보자.

사건 A	$n(S)$	$n(A)$	$\mathrm{P}(A)$
(1) 두 눈의 수가 같은 사건	$6 \times 6 = 36$	$A = \{(1, 1), (2, 2), \cdots, (6, 6)\}$에서 $n(A) = 6$	$\dfrac{6}{36} = \dfrac{1}{6}$
(2) 두 눈의 수의 합이 9 인 사건	$6 \times 6 = 36$	$A = \{(3, 6), (4, 5), (5, 4), (6, 3)\}$ 에서 $n(A) = 4$	$\dfrac{4}{36} = \dfrac{1}{9}$

Lecture 표본공간이 S인 사건 A가 일어날 수학적 확률은

➡ $\mathrm{P}(A) = \dfrac{n(A)}{n(S)}$

| 정답과 해설 12쪽 |

개념 확인 2 주머니 속에 1부터 15까지의 자연수가 각각 하나씩 적힌 15개의 공이 들어 있다. 이 주머니에서 임의로 1개의 공을 꺼낼 때, 다음을 구하시오.

(1) 3의 배수가 적힌 공이 나올 확률

(2) 소수가 적힌 공이 나올 확률

개념 **03** 통계적 확률

일정한 조건에서 같은 시행을 n번 반복하였을 때, 사건 A가 일어난 횟수 r_n에 대하여 시행 횟수 n이 커짐에 따라 상대도수 $\dfrac{r_n}{n}$이 일정한 값 p에 가까워지면 이 값 p를 사건 A가 일어날 통계적 확률이라 한다.

참고 (1) 실제로 통계적 확률을 구할 때, n의 값을 한없이 크게 할 수는 없으므로 n이 충분히 클 때의 $\dfrac{r_n}{n}$을 통계적 확률 p로 생각한다.

(2) 어떤 사건 A가 일어날 수학적 확률이 p일 때, 시행 횟수를 충분히 크게 하면 사건 A가 일어나는 상대도수는 수학적 확률 p에 가까워짐이 알려져 있다.

예 (1) 한 개의 윷짝을 던지는 시행을 400번 반복하였을 때, 평평한 면이 250번 나왔다.

이 윷짝을 1번 던질 때, 평평한 면이 나올 확률은

$$\frac{(\text{평평한 면이 나온 횟수})}{(\text{윷짝을 던진 횟수})} = \frac{250}{400} = \frac{5}{8}$$

(2) 오른쪽 표는 두 양궁 선수 A, B가 화살을 쏜 횟수와 10점을 맞힌 횟수를 나타낸 것이다. 두 선수 A, B 가 각각 화살을 한 번씩 쏠 때, 10점을 맞힐 확률은

	화살을 쏜 횟수	10점을 맞힌 횟수
A	280	80
B	150	12

A $\Rightarrow \dfrac{(\text{10점을 맞힌 횟수})}{(\text{화살을 쏜 횟수})} = \dfrac{80}{280} = \dfrac{2}{7}$

B $\Rightarrow \dfrac{(\text{10점을 맞힌 횟수})}{(\text{화살을 쏜 횟수})} = \dfrac{12}{150} = \dfrac{2}{25}$

Lecture 사건 A가 n번 중에서 r번 꼴로 일어날 때, 사건 A가 일어날 통계적 확률은

$$\Rightarrow \mathrm{P}(A) = \frac{r}{n}$$

| 정답과 해설 12쪽 |

개념 확인 3 오른쪽 표는 어느 지역에 거주하는 학생 200명을 대상으로 일주일 동안의 독서 시간을 조사하여 나타낸 것이다. 이 학생들 중에서 임의로 한 명을 택할 때, 일주일 동안의 독서 시간이 6시간 이상일 확률을 구하시오.

독서 시간(시간)	학생 수(명)
$0^{\text{이상}} \sim 2^{\text{미만}}$	20
2 ~ 4	43
4 ~ 6	62
6 ~ 8	47
8 ~ 10	28
합계	200

기하적 확률

길이, 넓이, 시간 등 연속적으로 변하여 경우의 수를 셀 수 없는 경우에는 길이, 넓이, 시간 등의 비율로 확률을 구한다.

예를 들어, 오른쪽 그림과 같이 수직선 위에 네 점 $A(0)$, $B(14)$, $C(8)$, $D(11)$이 있을 때, 선분 AB 위의 임의의 점 P가 선분 CD 위에 있을 확률을 구해 보자.

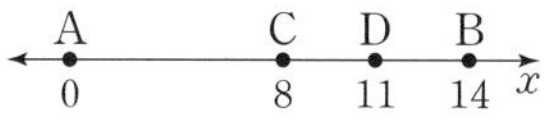

표본공간을 S라 하면 S는 선분 AB 위에 있는 모든 점에 대응하는 실수의 집합이므로

$S = \{x \mid 0 \le x \le 14\}$

임의의 점 P가 선분 CD 위에 있는 사건을 A라 하면

$A = \{x \mid 8 \le x \le 11\}$ ⟶ 선분 CD 위에 있는 모든 점에 대응하는 실수의 집합

이때, 두 집합 S, A는 무수히 많은 수로 이루어져 있으므로 그 원소의 개수를 셀 수 없다. 이 경우에는 $n(S)$, $n(A)$ 대신 각각의 집합이 나타내는 길이를 이용하여 확률 $P(A)$를 다음과 같이 구한다.

$$P(A) = \frac{(\text{선분 CD의 길이})}{(\text{선분 AB의 길이})} = \frac{3}{14}$$

이와 같이 연속적인 변량을 크기로 갖는 표본공간의 영역 S 안에서 각각의 점을 택할 가능성이 같은 정도로 기대될 때, 영역 S에 포함되어 있는 영역 A에 대하여 영역 S에서 임의로 택한 점이 영역 A에 속할 확률 $P(A)$는

$$P(A) = \frac{(\text{영역 } A\text{의 크기})}{(\text{영역 } S\text{의 크기})}$$

로 정의하고, 이것을 사건 A가 일어날 기하적 확률이라 한다.

> **Lecture** 길이, 넓이, 시간 등에 대한 확률
> ➡ 기하적 확률 이용
> ➡ $P(A) = \dfrac{(\text{사건 } A\text{가 일어나는 영역의 크기})}{(\text{전체 영역의 크기})}$

개념 확인 오른쪽 그림과 같이 반지름의 길이가 각각 3, 5이고 중심이 같은 두 원으로 이루어진 과녁에 화살을 한 번 쏠 때, 화살이 색칠한 부분을 맞힐 확률을 구하시오.

(단, 화살은 경계선에 맞지 않고 과녁을 벗어나지 않는다.)

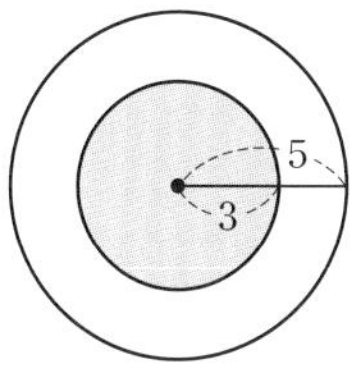

풀이 구하는 확률은

$$\frac{(\text{색칠한 부분의 넓이})}{(\text{전체 과녁의 넓이})} = \frac{\pi \times 3^2}{\pi \times 5^2} = \frac{9}{25}$$

개념 04 확률의 기본 성질

표본공간이 S인 어떤 시행에서

(1) 임의의 사건 A에 대하여 $0 \le \mathrm{P}(A) \le 1$

(2) 반드시 일어나는 사건 S에 대하여 $\mathrm{P}(S)=1$
   └→ 전사건

(3) 절대로 일어나지 않는 사건 $\varnothing$에 대하여 $\mathrm{P}(\varnothing)=0$
   └→ 공사건

설명

(1) 어떤 시행에서 임의의 사건 A는 표본공간 S의 부분집합이므로
   └→ $\varnothing \subset A \subset S$

$$0 \le n(A) \le n(S)$$

위 부등식의 각 변을 $n(S)$로 나누면

$$0 \le \frac{n(A)}{n(S)} \le 1$$

이때, $\dfrac{n(A)}{n(S)}=\mathrm{P}(A)$이므로

$$0 \le \mathrm{P}(A) \le 1$$

(2) 반드시 일어나는 사건 S에 대하여

$$\mathrm{P}(S)=\frac{n(S)}{n(S)}=1$$

(3) 절대로 일어나지 않는 사건 $\varnothing$에 대하여

$$\mathrm{P}(\varnothing)=\frac{n(\varnothing)}{n(S)}=0$$

> 확률이 1이면 반드시 일어나는 사건이고, 확률이 0이면 절대로 일어나지 않는 사건이야.

예

서로 다른 두 개의 주사위를 동시에 던질 때

(1) 두 눈의 수의 합이 12 이하일 확률 ➡ 1

(2) 두 눈의 수의 곱이 0일 확률 ➡ 0

Lecture

❶ 사건 A가 반드시 일어나면 ➡ $\mathrm{P}(A)=1$

❷ 사건 B가 절대로 일어나지 않으면 ➡ $\mathrm{P}(B)=0$

| 정답과 해설 12쪽 |

개념 확인 4 흰 공 1개와 파란 공 3개가 들어 있는 주머니에서 임의로 3개의 공을 동시에 꺼낼 때, 다음을 구하시오.

(1) 파란 공이 3개 이하 나올 확률

(2) 흰 공이 3개 나올 확률

개념 check

1-1 서로 다른 두 개의 주사위를 동시에 던질 때, 나오는 두 눈의 수의 합이 4의 배수일 확률을 구하시오.

연구 서로 다른 두 개의 주사위를 동시에 던질 때, 일어날 수 있는 모든 경우의 수는 $6 \times \boxed{} = \boxed{}$

(i) 두 눈의 수의 합이 4인 경우
 $(1, 3), (2, 2), (3, 1)$의 3가지

(ii) 두 눈의 수의 합이 8인 경우
 $(2, 6), (3, 5), (4, 4), (5, 3), (6, 2)$의 5가지

(iii) 두 눈의 수의 합이 12인 경우
 $(6, 6)$의 1가지

(i), (ii), (iii)에서 두 눈의 수의 합이 4의 배수인 경우의 수는

$3 + 5 + 1 = 9$

따라서 구하는 확률은 $\dfrac{9}{\boxed{}} = \boxed{}$

스스로 check

1-2 서로 다른 두 개의 주사위를 동시에 던질 때, 나오는 두 눈의 수의 차가 3일 확률을 구하시오.

2-1 파란 구슬 6개, 빨간 구슬 5개, 흰 구슬 n개가 들어 있는 주머니에서 임의로 1개의 구슬을 꺼내어 확인하고 다시 넣는 시행을 1000번 반복했더니 그중에서 흰 구슬이 450번 나왔다. 이때, n의 값을 구하시오.

연구 $(6+5+n)$개의 구슬 중에서 1개를 꺼낼 때, 흰 구슬이 나올 확률은

$\dfrac{n}{6+5+n} = \dfrac{n}{n+11}$

이때, 흰 구슬이 나올 통계적 확률은

$\dfrac{\boxed{}}{1000} = \boxed{}$

즉, $\dfrac{n}{n+11} = \boxed{}$이므로

$\boxed{}\,n = 99$ ∴ $n = \boxed{}$

2-2 야구에서 타율은 $\dfrac{(\text{안타의 개수})}{(\text{타수})}$의 값을 소수점 아래 넷째 자리에서 반올림하여 나타낸다. 어느 프로 야구 선수의 지난 시즌까지의 통산 타율이 0.304였다. 이 선수가 이번 시즌에 500타수를 기록한다고 할 때, 예상되는 안타의 개수를 구하시오.

대표 유형 01 순열을 이용하는 확률 ↻ 유형 해결의 법칙 35쪽 유형 03

다음을 구하시오.

(1) 남학생 2명과 여학생 3명이 일렬로 설 때, 남학생 2명이 이웃하게 설 확률

(2) 남학생 4명과 여학생 2명이 일렬로 설 때, 여학생 2명이 이웃하지 않게 설 확률

풀이 (1)

❶ 5명의 학생이 일렬로 서는 경우의 수 구하기

5명의 학생이 일렬로 서는 경우의 수는

$5! = 120$

❷ 남학생 2명이 이웃하게 서는 경우의 수 구하기

남학생 2명을 한 사람으로 생각하여 4명이 일렬로 서는 경우의 수는 $4! = 24$이고, 남학생 2명이 자리를 바꾸는 경우의 수는 $2! = 2$이므로 남학생 2명이 이웃하게 서는 경우의 수는

$24 \times 2 = 48$

> 이웃하는 경우는 이웃하는 것을 하나로 묶어서 생각해.

❸ 남학생 2명이 이웃하게 설 확률 구하기

따라서 구하는 확률은 $\dfrac{48}{120} = \dfrac{2}{5}$

(2)

❶ 6명의 학생이 일렬로 서는 경우의 수 구하기

6명의 학생이 일렬로 서는 경우의 수는

$6! = 720$

❷ 여학생 2명이 이웃하지 않게 서는 경우의 수 구하기

남학생 4명이 일렬로 서는 경우의 수는 $4! = 24$이고, 남학생의 사이사이와 양 끝의 5곳 중 2곳에 여학생 2명이 서는 경우의 수는 $_5P_2 = 20$이므로 여학생 2명이 이웃하지 않게 서는 경우의 수는

$24 \times 20 = 480$

ⓥ남ⓥ남ⓥ남ⓥ남ⓥ

❸ 여학생 2명이 이웃하지 않게 설 확률 구하기

따라서 구하는 확률은 $\dfrac{480}{720} = \dfrac{2}{3}$

🔲 (1) $\dfrac{2}{5}$ (2) $\dfrac{2}{3}$

> **해법** 서로 다른 n개에서 r개를 택하는 순열의 수는
>
> ➡ $_nP_r = \dfrac{n!}{(n-r)!}$ (단, $0 \le r \le n$)

| 정답과 해설 13쪽 |

01-1 서로 다른 수학문제집 2권과 국어문제집 7권을 책꽂이에 나란히 꽂을 때, 수학문제집 2권을 이웃하게 꽂을 확률을 구하시오.

01-2 남학생 3명과 여학생 2명이 수행평가 발표를 하려고 한다. 제비뽑기로 발표 순서를 정할 때, 첫 번째 발표자와 마지막 발표자가 모두 남학생일 확률을 구하시오.

대표 유형 **02** **원순열을 이용하는 확률**

↻ 유형 해결의 법칙 35쪽 유형 04

다음을 구하시오.

(1) 반장과 부반장을 포함한 7명의 학생이 원탁에 둘러앉을 때, 반장과 부반장이 이웃하게 앉을 확률

(2) 선생님 2명과 학생 3명이 원탁에 둘러앉을 때, 선생님 사이에 1명의 학생이 앉을 확률

2 | 확률의 뜻과 활용

풀이 (1)

❶ 7명의 학생이 원탁에 둘러앉는 경우의 수 구하기

7명의 학생이 원탁에 둘러앉는 경우의 수는
$(7-1)!=6!=720$

❷ 반장과 부반장이 이웃하게 앉는 경우의 수 구하기

반장과 부반장을 한 사람으로 생각하여 6명이 원탁에 둘러앉는 경우의 수는
$(6-1)!=5!=120$이고, 반장과 부반장이 자리를 바꾸어 앉는 경우의 수는 $2!=2$이므로 반장과 부반장이 이웃하게 앉는 경우의 수는 $120 \times 2 = 240$

❸ 반장과 부반장이 이웃하게 앉을 확률 구하기

따라서 구하는 확률은 $\dfrac{240}{720} = \dfrac{1}{3}$

(2)

❶ 5명이 원탁에 둘러앉는 경우의 수 구하기

5명이 원탁에 둘러앉는 경우의 수는
$(5-1)!=4!=24$

❷ 선생님 사이에 1명의 학생이 앉는 경우의 수 구하기

선생님 사이에 앉을 1명의 학생을 정하는 경우의 수는 3이다.
이때, 선생님 2명과 그 사이에 앉을 1명의 학생을 한 사람으로 생각하여 3명이 원탁에 둘러앉는 경우의 수는 $(3-1)!=2!=2$이고, 선생님 2명이 자리를 바꾸어 앉는 경우의 수는 $2!=2$이므로 선생님 사이에 1명의 학생이 앉는 경우의 수는
$3 \times 2 \times 2 = 12$

❸ 선생님 사이에 1명의 학생이 앉을 확률 구하기

따라서 구하는 확률은 $\dfrac{12}{24} = \dfrac{1}{2}$

답 (1) $\dfrac{1}{3}$ (2) $\dfrac{1}{2}$

> **해법** 서로 다른 n개를 원형으로 배열하는 원순열의 수는
> $$\Rightarrow \frac{n!}{n} = (n-1)!$$

| 정답과 해설 13쪽 |

02-1 남학생 4명과 여학생 4명이 원탁에 둘러앉을 때, 남학생과 여학생이 교대로 앉을 확률을 구하시오.

02-2 3쌍의 부부가 원탁에 둘러앉을 때, 부부끼리 이웃하게 앉을 확률을 구하시오.

대표 유형 (03) 중복순열을 이용하는 확률

○ 유형 해결의 법칙 36쪽 유형 05

4개의 숫자 0, 1, 2, 3으로 중복을 허용하여 세 자리 자연수를 만들 때, 1을 포함하지 않을 확률을 구하시오.

풀이

❶ 세 자리 자연수의 개수 구하기

4개의 숫자 0, 1, 2, 3으로 중복을 허용하여 만들 수 있는 세 자리 자연수의 개수는

$$3 \times {}_4\Pi_2 = 3 \times 4^2 = 48$$

❷ 1을 포함하지 않는 세 자리 자연수의 개수 구하기

1이 포함되지 않으려면 백의 자리에는 0, 1을 제외한 2개의 숫자가 올 수 있고, 십의 자리, 일의 자리에는 각각 1을 제외한 3개의 숫자가 중복하여 올 수 있으므로 1을 포함하지 않는 세 자리 자연수의 개수는

$$2 \times {}_3\Pi_2 = 2 \times 3^2 = 18$$

❸ 세 자리 자연수를 만들 때, 1을 포함하지 않을 확률 구하기

따라서 구하는 확률은

$$\frac{18}{48} = \frac{3}{8}$$

답 $\dfrac{3}{8}$

해법 서로 다른 n개에서 r개를 택하는 중복순열의 수는
➡ ${}_n\Pi_r = n^r$

| 정답과 해설 13쪽 |

03-1 5개의 숫자 1, 2, 3, 4, 5로 중복을 허용하여 네 자리 자연수를 만들 때, 이 자연수가 짝수일 확률을 구하시오.

03-2 3명의 여행자가 3개의 숙소 A, B, C 중에서 임의로 한 곳을 택할 때, 3명의 여행자가 서로 다른 숙소를 택할 확률을 구하시오.

대표 유형 04 **같은 것이 있는 순열을 이용하는 확률**

유형 해결의 법칙 36쪽 유형 06

오른쪽 그림과 같은 도로망이 있다. A지점에서 B지점까지 최단 거리로 갈 때, C지점을 거쳐서 갈 확률을 구하시오.

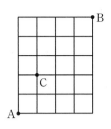

2

확률의 뜻과 활용

풀이

❶ A지점에서 B지점까지 최단 거리로 가는 경우의 수 구하기

A지점에서 B지점까지 최단 거리로 가는 경우의 수는

$$\frac{9!}{4!5!}=126$$

❷ A지점에서 C지점을 거쳐 B지점까지 최단 거리로 가는 경우의 수 구하기

A지점에서 C지점까지 최단 거리로 가는 경우의 수는 $\frac{3!}{2!}=3$이고,

C지점에서 B지점까지 최단 거리로 가는 경우의 수는 $\frac{6!}{3!3!}=20$이므로

A지점에서 C지점을 거쳐 B지점까지 최단 거리로 가는 경우의 수는

$3\times20=60$

❸ C지점을 거쳐서 갈 확률 구하기

따라서 구하는 확률은

$$\frac{60}{126}=\frac{10}{21}$$

답 $\dfrac{10}{21}$

해법 n개 중에서 같은 것이 각각 p개, q개, $\cdots$, r개씩 있을 때, n개를 일렬로 나열하는 순열의 수는

➡ $\dfrac{n!}{p!q!\,\cdots\,r!}$ (단, $p+q+\cdots+r=n$)

| 정답과 해설 14쪽 |

04-1 6개의 문자 P, R, E, T, T, Y를 일렬로 나열할 때, 맨 앞에 P가 올 확률을 구하시오.

04-2 7개의 문자 A, B, I, L, I, T, Y를 일렬로 나열할 때, 모음끼리 이웃할 확률을 구하시오.

대표 유형 **05** 조합을 이용하는 확률

↻ 유형 해결의 법칙 37쪽 유형 07

> 4개의 당첨 제비가 포함된 7개의 제비 중에서 임의로 3개의 제비를 동시에 뽑을 때, 다음을 구하시오.
>
> (1) 3개 모두 당첨 제비가 나올 확률
>
> (2) 당첨 제비가 1개 나올 확률
>
> (3) 당첨 제비가 2개 나올 확률

풀이

| 7개의 제비 중에서 3개를 뽑는 경우의 수 구하기 | 7개의 제비 중에서 3개를 뽑는 경우의 수는
$_7C_3 = 35$ |

> 제비를 뽑는 순서는 생각하지 않으므로 조합을 이용해!

(1)

| ① 3개 모두 당첨 제비가 나오는 경우의 수 구하기 | 당첨 제비 4개 중에서 3개를 뽑는 경우의 수는
$_4C_3 = 4$ |
| ② 3개 모두 당첨 제비가 나올 확률 구하기 | 따라서 구하는 확률은 $\dfrac{4}{35}$ |

(2)

| ① 당첨 제비가 1개 나오는 경우의 수 구하기 | 당첨 제비 4개 중에서 1개, 당첨 제비가 아닌 제비 3개 중에서 2개를 뽑는 경우의 수는
$_4C_1 \times _3C_2 = 4 \times 3 = 12$ |
| ② 당첨 제비가 1개 나올 확률 구하기 | 따라서 구하는 확률은 $\dfrac{12}{35}$ |

(3)

| ① 당첨 제비가 2개 나오는 경우의 수 구하기 | 당첨 제비 4개 중에서 2개, 당첨 제비가 아닌 제비 3개 중에서 1개를 뽑는 경우의 수는
$_4C_2 \times _3C_1 = 6 \times 3 = 18$ |
| ② 당첨 제비가 2개 나올 확률 구하기 | 따라서 구하는 확률은 $\dfrac{18}{35}$ |

📖 (1) $\dfrac{4}{35}$ (2) $\dfrac{12}{35}$ (3) $\dfrac{18}{35}$

> **해법** 서로 다른 n개에서 r개를 택하는 조합의 수는
>
> $\Rightarrow {}_nC_r = \dfrac{{}_nP_r}{r!} = \dfrac{n!}{r!(n-r)!}$ (단, $0 \le r \le n$)

| 정답과 해설 14쪽 |

05-1 전원이 꺼져 있는 7개의 휴대폰이 있다. 이 중 4개는 정상적으로 전원이 켜지지만 3개는 배터리가 방전되어 전원이 켜지지 않는다고 한다. 이 7개의 휴대폰 중에서 임의로 2개의 휴대폰을 택하여 전원을 켰을 때, 모두 전원이 켜질 확률을 구하시오.

05-2 흰 공 3개, 검은 공 2개, 빨간 공 5개가 들어 있는 주머니에서 임의로 4개의 공을 동시에 꺼낼 때, 흰 공 2개, 빨간 공 2개가 나올 확률을 구하시오.

대표 유형 06 확률의 기본 성질

유형 해결의 법칙 39쪽 유형 11

표본공간을 S, 공사건을 $\varnothing$이라 할 때, 임의의 두 사건 A, B에 대하여 다음 **보기** 중 옳은 것만을 있는 대로 고르시오.

보기

ㄱ. $\mathrm{P}(S)+\mathrm{P}(\varnothing)=1$

ㄴ. $\mathrm{P}(A\cup A^C)=1$

ㄷ. $1\le\mathrm{P}(S)+\mathrm{P}(A)+\mathrm{P}(B)\le2$

ㄹ. $A\subset B$이면 $\mathrm{P}(A)\le\mathrm{P}(B)$

풀이 ㄱ. $\mathrm{P}(S)=1$, $\mathrm{P}(\varnothing)=0$이므로

$\mathrm{P}(S)+\mathrm{P}(\varnothing)=1$

ㄴ. $A\cup A^C=S$이므로

$\mathrm{P}(A\cup A^C)=\mathrm{P}(S)=1$

ㄷ. $0\le\mathrm{P}(A)\le1$, $0\le\mathrm{P}(B)\le1$이므로

$0\le\mathrm{P}(A)+\mathrm{P}(B)\le2$

이때, $\mathrm{P}(S)=1$이므로

$1\le\mathrm{P}(S)+\mathrm{P}(A)+\mathrm{P}(B)\le3$

ㄹ. $A\subset B$이면 $n(A)\le n(B)$

위 부등식의 각 변을 $n(S)$로 나누면

$\dfrac{n(A)}{n(S)}\le\dfrac{n(B)}{n(S)}$

이때, $\dfrac{n(A)}{n(S)}=\mathrm{P}(A)$, $\dfrac{n(B)}{n(S)}=\mathrm{P}(B)$이므로

$\mathrm{P}(A)\le\mathrm{P}(B)$

따라서 옳은 것은 ㄱ, ㄴ, ㄹ이다.

> 표본공간 S는 전사건이므로 반드시 일어나는 사건이고, 공사건 $\varnothing$은 절대로 일어나지 않는 사건이야.

답 ㄱ, ㄴ, ㄹ

해법
❶ 임의의 사건 A가 일어날 확률은 ➡ $0\le\mathrm{P}(A)\le1$
❷ 전사건 S가 일어날 확률은 ➡ $\mathrm{P}(S)=1$
❸ 공사건 $\varnothing$이 일어날 확률은 ➡ $\mathrm{P}(\varnothing)=0$

| 정답과 해설 14쪽 |

06-1 표본공간이 S인 임의의 두 사건 A, B에 대하여 다음 **보기** 중 옳은 것만을 있는 대로 고르시오.

보기

ㄱ. $0\le\mathrm{P}(A)+\mathrm{P}(B)\le2$

ㄴ. $\mathrm{P}(S)\le\mathrm{P}(A)+\mathrm{P}(B)$

ㄷ. $0\le\mathrm{P}(A\cup B)\le1$

2 확률의 덧셈정리

개념 **01** 확률의 덧셈정리

표본공간이 S인 두 사건 A, B에 대하여 사건 A 또는 사건 B가 일어날 확률은

$$P(A \cup B) = P(A) + P(B) - P(A \cap B)$$

특히, 두 사건 A, B가 서로 배반사건이면

$$P(A \cup B) = P(A) + P(B) \quad \longrightarrow \text{동시에 일어나지 않는 사건}$$

참고 확률의 덧셈정리는 세 사건에 대해서도 성립한다.

　(1) 세 사건 A, B, C에 대하여

$$P(A \cup B \cup C) = P(A) + P(B) + P(C) - P(A \cap B) - P(B \cap C) - P(C \cap A) + P(A \cap B \cap C)$$

　(2) 세 사건 A, B, C가 서로 배반사건이면

$$P(A \cup B \cup C) = P(A) + P(B) + P(C)$$

설명 　표본공간이 S인 두 사건 A, B에 대하여

(1) $n(A \cup B) = n(A) + n(B) - n(A \cap B)$이므로 양변을 $n(S)$로 나누면

$$\frac{n(A \cup B)}{n(S)} = \frac{n(A)}{n(S)} + \frac{n(B)}{n(S)} - \frac{n(A \cap B)}{n(S)}$$

$$\therefore P(A \cup B) = P(A) + P(B) - P(A \cap B)$$

(2) 두 사건 A, B가 서로 배반사건이면 $A \cap B = \varnothing$이므로 $P(A \cap B) = 0$이다.

$$\therefore P(A \cup B) = P(A) + P(B)$$

예 　(1) 두 사건 A, B에 대하여 $P(A) = \dfrac{1}{2}$, $P(B) = \dfrac{2}{5}$, $P(A \cap B) = \dfrac{1}{10}$이면

$$P(A \cup B) = P(A) + P(B) - P(A \cap B) = \frac{1}{2} + \frac{2}{5} - \frac{1}{10} = \frac{4}{5}$$

(2) 두 사건 A, B가 서로 배반사건이고 $P(A) = \dfrac{2}{3}$, $P(B) = \dfrac{1}{6}$이면

$$P(A \cup B) = P(A) + P(B) = \frac{2}{3} + \frac{1}{6} = \frac{5}{6}$$

> **Lecture** 확률의 덧셈정리
>
> $$P(A \cup B) = P(A) + P(B) - P(A \cap B)$$

| 정답과 해설 14쪽 |

개념 확인 1 　다음을 구하시오.

(1) 두 사건 A, B에 대하여 $P(A) = \dfrac{1}{2}$, $P(B) = \dfrac{5}{12}$, $P(A \cup B) = \dfrac{2}{3}$일 때, $P(A \cap B)$

(2) 두 사건 A, B가 서로 배반사건이고 $P(A) = \dfrac{1}{7}$, $P(A \cup B) = \dfrac{3}{7}$일 때, $P(B)$

개념 **02** 여사건의 확률

표본공간이 S인 사건 A의 여사건 A^C의 확률은
$$\mathrm{P}(A^C)=1-\mathrm{P}(A)$$

참고 '적어도 ~인 사건', '~ 이상인 사건', '~ 이하인 사건'의 확률을 구할 때는 여사건의 확률을 이용하면 편리하다.

설명 표본공간이 S인 사건 A에 대하여 $A\cap A^C=\varnothing$이므로
두 사건 A, A^C는 서로 배반사건이다.
$$\therefore \underline{\mathrm{P}(A\cup A^C)=\mathrm{P}(A)+\mathrm{P}(A^C)}$$
$\qquad\qquad\qquad\qquad\qquad$ → 확률의 덧셈정리
이때, $\mathrm{P}(A\cup A^C)=\mathrm{P}(S)=1$이므로
$$1=\mathrm{P}(A)+\mathrm{P}(A^C)$$
$$\therefore \mathrm{P}(A^C)=1-\mathrm{P}(A)$$

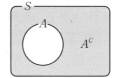

예 사건 A가 일어날 확률이 $\dfrac{1}{5}$이면 사건 A의 여사건 A^C가 일어날 확률은
$$\mathrm{P}(A^C)=1-\mathrm{P}(A)=1-\frac{1}{5}=\frac{4}{5}$$

Lecture 사건 A의 여사건 A^C의 확률은
➡ $\mathrm{P}(A^C)=1-\mathrm{P}(A)$

| 정답과 해설 14쪽 |

개념 확인 2 사건 A에 대하여 $\mathrm{P}(A^C)=\dfrac{3}{8}$일 때, $\mathrm{P}(A)$를 구하시오.

개념 확인 3 두 사건 A, B에 대하여
$$\mathrm{P}(A)=\frac{1}{3},\ \mathrm{P}(A\cap B)=\frac{1}{12},\ \mathrm{P}(A\cup B)=\frac{1}{2}$$
일 때, $\mathrm{P}(B^C)$를 구하시오.

개념 check

1-1 두 사건 A, B에 대하여

$$P(A\cap B)=\frac{1}{3}P(A)=\frac{1}{2}P(B)$$

일 때, $\dfrac{P(A\cup B)}{P(A\cap B)}$를 구하시오.

(단, $P(A\cap B)\neq 0$)

연구 $P(A\cap B)=\dfrac{1}{3}P(A)=\dfrac{1}{2}P(B)$에서

$P(B)=\boxed{}P(A)$이므로

$P(A\cup B)=P(A)+P(B)-P(A\cap B)$

$\qquad\qquad =P(A)+\boxed{}P(A)-\dfrac{1}{3}P(A)$

$\qquad\qquad =\boxed{}P(A)$

$\therefore \dfrac{P(A\cup B)}{P(A\cap B)}=\dfrac{\boxed{}P(A)}{\dfrac{1}{3}P(A)}=\boxed{}$

스스로 check

1-2 표본공간 S의 두 사건 A, B에 대하여 다음을 구하시오.

(1) $A\cup B=S$, $P(A)=\dfrac{14}{15}$, $P(A\cap B)=\dfrac{1}{5}$ 일 때, $P(B)$

(2) 두 사건 A, B가 서로 배반사건이고 $A\cup B=S$, $P(B)=5P(A)$일 때, $P(B)$

2-1 두 사건 A, B에 대하여

$$P(A)=\frac{5}{12},\ P(B^C)=\frac{3}{4},\ P(A\cup B)=\frac{7}{12}$$

일 때, $P(A\cap B)$를 구하시오.

연구 $P(B^C)=1-P(B)=\dfrac{3}{4}$이므로

$P(B)=\boxed{}$

이때, $P(A\cup B)=P(A)+P(B)-P(A\cap B)$이므로

$\dfrac{7}{12}=\dfrac{5}{12}+\boxed{}-P(A\cap B)$

$\therefore P(A\cap B)=\boxed{}$

2-2 두 사건 A, B에 대하여 다음을 구하시오.

(1) $P(A)=\dfrac{1}{3}$, $P(B)=\dfrac{3}{5}$, $P(A\cap B)=\dfrac{1}{15}$ 일 때, $P(A^C\cap B^C)$

(2) $P(A)=\dfrac{2}{3}$, $P(B)=\dfrac{5}{6}$, $P(A\cup B)=1$일 때, $P(A^C\cup B^C)$

대표 유형 01 확률의 덧셈정리 – 배반사건이 아닌 경우

↪ 유형 해결의 법칙 40쪽 유형 13

주머니 속에 1부터 20까지의 자연수가 각각 하나씩 적힌 공 20개가 들어 있다. 이 주머니에서 임의로 1개의 공을 꺼낼 때, 3의 배수 또는 4의 배수가 적힌 공이 나올 확률을 구하시오.

풀이

❶ 3의 배수가 적힌 공이 나오는 사건을 A, 4의 배수가 적힌 공이 나오는 사건을 B라 하고 $P(A)$, $P(B)$, $P(A \cap B)$ 구하기

3의 배수가 적힌 공이 나오는 사건을 A, 4의 배수가 적힌 공이 나오는 사건을 B라 하면

$$P(A) = \frac{6}{20} = \frac{3}{10}, \quad P(B) = \frac{5}{20} = \frac{1}{4}, \quad P(A \cap B) = \frac{1}{20}$$

↳ {3, 6, 9, 12, 15, 18} ↳ {4, 8, 12, 16, 20} ↳ {12}

$A \cap B$는 3과 4의 최소공배수인 12의 배수가 적힌 공이 나오는 사건이야!

❷ 3의 배수 또는 4의 배수가 적힌 공이 나올 확률 구하기

따라서 구하는 확률은

$$P(A \cup B) = P(A) + P(B) - P(A \cap B)$$
$$= \frac{3}{10} + \frac{1}{4} - \frac{1}{20} = \frac{1}{2}$$

답 $\frac{1}{2}$

> **해법** 두 사건 A, B에 대하여 A 또는 B가 일어날 확률은
> ➡ $P(A \cup B) = P(A) + P(B) - P(A \cap B)$

2 확률의 뜻과 활용

| 정답과 해설 15쪽 |

01-1 어느 마을에서 사과를 생산하는 농가는 전체의 $\frac{1}{2}$, 배를 생산하는 농가는 전체의 $\frac{2}{3}$ 이고, 사과와 배를 모두 생산하는 농가는 전체의 $\frac{1}{4}$ 이다. 이 마을에서 임의로 한 농가를 골랐을 때, 사과 또는 배를 생산하는 농가일 확률을 구하시오.

01-2 1부터 15까지의 자연수가 각각 하나씩 적힌 15장의 카드가 있다. 이 중에서 임의로 2장의 카드를 동시에 택할 때, 모두 짝수이거나 모두 3의 배수가 적힌 카드를 택할 확률을 구하시오.

대표 유형 02 확률의 덧셈정리 – 배반사건인 경우

유형 해결의 법칙 40쪽 유형 14

사과 맛 사탕 3개, 포도 맛 사탕 7개가 들어 있는 봉지에서 임의로 2개의 사탕을 동시에 꺼낼 때, 2개 모두 같은 맛의 사탕이 나올 확률을 구하시오.

풀이

❶ 2개 모두 사과 맛 사탕이 나오는 사건을 A, 2개 모두 포도 맛 사탕이 나오는 사건을 B라 하고 $P(A)$, $P(B)$ 구하기

2개 모두 사과 맛 사탕이 나오는 사건을 A, 2개 모두 포도 맛 사탕이 나오는 사건을 B라 하면
$$P(A) = \frac{_3C_2}{_{10}C_2} = \frac{1}{15}, \quad P(B) = \frac{_7C_2}{_{10}C_2} = \frac{7}{15}$$

> 같은 맛의 사탕이 나오는 경우는 모두 사과 맛이 나오거나 모두 포도 맛이 나오는 경우야.

❷ 2개 모두 같은 맛의 사탕이 나올 확률 구하기

이때, 두 사건 A, B는 서로 배반사건이므로 구하는 확률은
$$P(A \cup B) = P(A) + P(B)$$
$$= \frac{1}{15} + \frac{7}{15} = \frac{8}{15}$$

> 두 사건 A, B는 동시에 일어나지 않으므로 서로 배반사건이야.

답 $\dfrac{8}{15}$

> 해법 두 사건 A, B가 서로 배반사건이면 A 또는 B가 일어날 확률은
> $$\Rightarrow P(A \cup B) = P(A) + P(B)$$

| 정답과 해설 16쪽 |

02-1 축구 선수 4명과 농구 선수 6명으로 이루어진 친목 모임에서 총무 2명을 뽑을 때, 2명 모두 같은 종목의 운동선수가 뽑힐 확률을 구하시오.

02-2 노란 공 6개, 파란 공 4개가 들어 있는 상자에서 임의로 4개의 공을 동시에 꺼낼 때, 노란 공이 홀수 개 나올 확률을 구하시오.

대표 유형 **여사건의 확률 – '적어도'라는 표현이 있는 경우** ↻ 유형 해결의 법칙 41쪽 유형 15

> 3개의 불량품을 포함한 10개의 제품이 들어 있는 상자에서 임의로 3개의 제품을 동시에 꺼낼 때, 적어도 1개는 불량품이 나올 확률을 구하시오.

풀이

❶ 적어도 1개는 불량품이 나오는 사건을 A라 하고 $\mathrm{P}(A^C)$ 구하기

적어도 1개는 불량품이 나오는 사건을 A라 하면 A^C는 모두 불량품이 아닌 제품이 나오는 사건이므로

$$\mathrm{P}(A^C)=\frac{_7\mathrm{C}_3}{_{10}\mathrm{C}_3}=\frac{7}{24}$$

❷ 적어도 1개는 불량품이 나올 확률 구하기

따라서 구하는 확률은

$$\mathrm{P}(A)=1-\mathrm{P}(A^C)=1-\frac{7}{24}=\frac{17}{24}$$

답 $\dfrac{17}{24}$

해법 '적어도'라는 표현이 있는 경우의 확률은
➡ $\mathrm{P}(A)=1-\mathrm{P}(A^C)$를 이용한다.

| 정답과 해설 16쪽 |

03-1 남학생 3명과 여학생 4명 중에서 2명의 청소 당번을 뽑을 때, 적어도 1명은 여학생이 뽑힐 확률을 구하시오.

03-2 7개의 문자 P, R, O, M, I, S, E를 일렬로 나열할 때, 적어도 한쪽 끝에 모음이 올 확률을 구하시오.

대표 유형 04 여사건의 확률 – '아닌', '이상', '이하'라는 표현이 있는 경우   ○ 유형 해결의 법칙 41쪽 유형 16

> 서로 다른 5개의 동전을 동시에 던질 때, 뒷면이 2개 이상 나올 확률을 구하시오.

풀이

❶ 뒷면이 2개 이상 나오는 사건을 A라 하고 $\mathrm{P}(A^C)$ 구하기

뒷면이 2개 이상 나오는 사건을 A라 하면 A^C는 뒷면이 1개 나오거나 모두 앞면이 나오는 사건이다.

(ⅰ) 뒷면이 1개 나올 확률은 $\dfrac{{}_5\mathrm{C}_1}{2^5}=\dfrac{5}{32}$

(ⅱ) 모두 앞면이 나올 확률은 $\dfrac{{}_5\mathrm{C}_5}{2^5}=\dfrac{1}{32}$

(ⅰ), (ⅱ)에서 $\mathrm{P}(A^C)=\dfrac{5}{32}+\dfrac{1}{32}=\dfrac{3}{16}$

❷ 뒷면이 2개 이상 나올 확률 구하기

따라서 구하는 확률은

$$\mathrm{P}(A)=1-\mathrm{P}(A^C)=1-\dfrac{3}{16}=\dfrac{13}{16}$$

답 $\dfrac{13}{16}$

해법 '아닌', '이상', '이하'라는 표현이 있는 경우의 확률은
➡ $\mathrm{P}(A)=1-\mathrm{P}(A^C)$를 이용한다.

| 정답과 해설 16쪽 |

04-1 서로 다른 두 개의 주사위를 동시에 던질 때, 나오는 두 눈의 수의 합이 10 이하일 확률을 구하시오.

04-2 1부터 50까지의 자연수가 각각 하나씩 적힌 50장의 카드 중에서 임의로 한 장을 뽑을 때, 카드에 적힌 수가 2의 배수도 아니고 3의 배수도 아닐 확률을 구하시오.

유형 확인

1-1 1부터 10까지의 자연수가 각각 하나씩 적힌 10개의 공이 들어 있는 상자에서 임의로 1개의 공을 꺼낼 때, 공에 적힌 수가 3의 배수인 사건을 A, 4의 배수인 사건을 B, 홀수인 사건을 C라 하자. 다음 **보기** 중 서로 배반사건인 것만을 있는 대로 고르시오.

┤보기├
ㄱ. A와 B ㄴ. A와 C ㄷ. B와 C

한번 더 확인

1-2 한 개의 동전을 두 번 던지는 시행에서 앞면이 적어도 한 번 나오는 사건을 A, 앞면이 한 번만 나오는 사건을 B, 두 번 모두 앞면이 나오는 사건을 C, 두 번 모두 앞면 또는 뒷면이 나오는 사건을 D라 할 때, 다음 중 서로 배반사건인 것은?

① A와 B ② A와 C ③ A와 D
④ B와 C ⑤ C와 D

2-1 6개의 숫자 1, 2, 3, 4, 5, 6 중에서 서로 다른 4개의 숫자를 택하여 네 자리 자연수를 만들 때, 3500보다 클 확률을 구하시오.

2-2 5개의 숫자 1, 2, 3, 4, 5 중에서 서로 다른 3개의 숫자를 택하여 세 자리 자연수를 만들 때, 320보다 작을 확률을 구하시오.

3-1 중학생 4명과 고등학생 3명이 원탁에 둘러앉을 때, 고등학생끼리 이웃하게 앉을 확률을 구하시오.

3-2 성우와 세미 커플을 포함한 4쌍의 커플이 원탁에 둘러앉아 식사를 하려고 한다. 성우와 세미가 마주 보고 앉을 확률을 구하시오.

4-1 3명의 학생이 음악 동아리, 축구 동아리, 농구 동아리, 컴퓨터 동아리 중에서 각각 한 곳에 가입하려고 한다. 이때, 3명이 서로 다른 동아리에 가입할 확률을 구하시오.

4-2 두 집합 $A=\{1, 2, 3\}$, $B=\{4, 5, 6\}$에 대하여 A에서 B로의 함수 f를 만들 때, f가 일대일대응일 확률을 구하시오.

정답과 해설 18쪽

유형 확인

5-1 8개의 문자 F, I, G, H, T, I, N, G를 일렬로 나열할 때, 양 끝에 F와 H가 올 확률을 구하시오.

한번 더 확인

창의·융합

5-2 두 집합 $X=\{1, 2, 3\}$, $Y=\{4, 5\}$에 대하여 X에서 Y로의 함수 f를 만들 때, 함수 f가 $f(1)+f(2)+f(3)=13$을 만족시킬 확률을 구하시오.

6-1 당첨 제비가 n개 포함되어 있는 20개의 제비 중에서 임의로 2개의 제비를 동시에 뽑을 때, 2개 모두 당첨 제비가 나올 확률이 $\dfrac{1}{19}$이다. 이때, n의 값을 구하시오.

6-2 10명의 학생 중에서 2명의 발표자를 뽑을 때, 2명 모두 남학생일 확률이 $\dfrac{1}{3}$이다. 이때, 남학생의 수를 구하시오.

7-1 어느 회사의 입사 시험에 A가 합격할 확률이 0.7, A 또는 B가 합격할 확률이 0.9, A와 B가 모두 합격할 확률이 0.4일 때, B가 합격할 확률을 구하시오.

7-2 1부터 12까지의 자연수가 각각 하나씩 적힌 12장의 카드가 들어 있는 주머니에서 임의로 3장의 카드를 동시에 꺼낼 때, 3 또는 7이 적힌 카드가 나올 확률을 구하시오.

8-1 1부터 13까지의 자연수 중에서 임의로 2개를 동시에 택할 때, 두 수의 합이 짝수일 확률을 구하시오.

8-2 6개의 문자 F, R, I, E, N, D를 일렬로 나열할 때, N이 맨 앞에 오거나 맨 뒤에 올 확률을 구하시오.

9-1 100원짜리 동전 5개, 10원짜리 동전 3개가 들어 있는 주머니에서 임의로 5개의 동전을 동시에 꺼낼 때, 100원짜리 동전이 10원짜리 동전보다 많이 나올 확률을 구하시오.

9-2 흰 공 3개, 노란 공 4개, 검은 공 6개가 들어 있는 상자에서 임의로 3개의 공을 동시에 꺼낼 때, 모두 같은 색의 공이 나올 확률을 구하시오.

2 확률의 뜻과 활용

10-1 장미 3송이, 튤립 n송이가 꽂혀 있는 꽃병에서 임의로 2송이를 동시에 꺼낼 때, 적어도 1송이는 튤립이 나올 확률이 $\frac{7}{10}$이다. 이때, n의 값을 구하시오.

10-2 흰 바둑돌 9개, 검은 바둑돌 n개가 들어 있는 주머니에서 임의로 2개의 바둑돌을 동시에 꺼낼 때, 적어도 1개는 검은 바둑돌이 나올 확률이 $\frac{5}{11}$이다. 이때, n의 값을 구하시오.

11-1 다음 그림과 같은 도로망이 있다. A지점에서 B지점까지 최단 거리로 갈 때, P지점과 Q지점을 이은 빨간색 구간을 지나지 않을 확률을 구하시오.

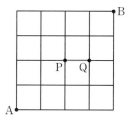

11-2 $-2, 0, 2, 4, 6$의 숫자가 각각 하나씩 적힌 5개의 공이 들어 있는 상자에서 임의로 2개의 공을 동시에 꺼낼 때, 공에 적힌 숫자의 합이 0 이상일 확률을 구하시오.

3 조건부확률

이 단원에서는 조건부확률에 대해 배우고, 이를 이용해 확률의
곱셈정리도 배운단다. 사건의 독립과 종속, 독립시행의 확률 등
중요한 용어와 개념들을 배우게 되니까 긴장해!

앗! 너무 어려울까봐 걱정돼요.

너무 겁먹을 건 없어. 지금까지 배운 개념만 정확히 이해하면 잘
따라올 수 있을 거야.

개념 & 유형 map

1. 조건부확률

개념 01	조건부확률	유형 01	조건부확률
개념 02	확률의 곱셈정리	유형 02	확률의 곱셈정리
		유형 03	확률의 곱셈정리와 조건부확률

2. 사건의 독립과 종속

개념 01	사건의 독립과 종속	유형 01	사건의 독립과 종속의 판정
개념 02	독립사건의 곱셈정리	유형 02	독립사건의 확률
개념 03	독립시행의 확률	유형 03	독립시행의 확률

1 조건부확률

개념 01 조건부확률

(1) 표본공간이 S인 두 사건 A, B에 대하여 확률이 0이 아닌 사건 A가 일어났을 때, 사건 B가 일어날 확률을 사건 A가 일어났을 때의 사건 B의 조건부확률이라 하고, 기호로 $\mathrm{P}(B|A)$와 같이 나타낸다.

(2) 사건 A가 일어났을 때의 사건 B의 조건부확률은

$$\mathrm{P}(B|A)=\frac{\mathrm{P}(A\cap B)}{\mathrm{P}(A)} \ (\text{단, } \mathrm{P}(A)>0)$$

설명

$\mathrm{P}(A\cap B)$	$\mathrm{P}(B|A)$
표본공간 S에서 사건 $A\cap B$가 일어날 확률	사건 A를 새로운 표본공간으로 생각하고 표본공간 A에서 사건 $A\cap B$가 일어날 확률
$\mathrm{P}(A\cap B)=\dfrac{n(A\cap B)}{n(S)}$	$\mathrm{P}(B|A)=\dfrac{n(A\cap B)}{n(A)}$

예

한 개의 주사위를 던질 때, 3 이하의 눈이 나오는 사건을 A, 3 이상의 눈이 나오는 사건을 B라 하자. 이때, $\mathrm{P}(B|A)$, $\mathrm{P}(A|B)$를 각각 구해 보자.

$$A=\{1, 2, 3\} \Rightarrow \mathrm{P}(A)=\frac{3}{6}=\frac{1}{2}$$

$$B=\{3, 4, 5, 6\} \Rightarrow \mathrm{P}(B)=\frac{4}{6}=\frac{2}{3}$$

$$A\cap B=\{3\} \Rightarrow \mathrm{P}(A\cap B)=\frac{1}{6}$$

$$\mathrm{P}(B|A)=\frac{\mathrm{P}(A\cap B)}{\mathrm{P}(A)}=\frac{\frac{1}{6}}{\frac{1}{2}}=\frac{1}{3}$$

$$\mathrm{P}(A|B)=\frac{\mathrm{P}(A\cap B)}{\mathrm{P}(B)}=\frac{\frac{1}{6}}{\frac{2}{3}}=\frac{1}{4}$$

Lecture

사건 A가 일어났을 때의 사건 B의 조건부확률은

$$\Rightarrow \mathrm{P}(B|A)=\frac{\mathrm{P}(A\cap B)}{\mathrm{P}(A)}$$

| 정답과 해설 20쪽 |

개념 확인 1 두 사건 A, B에 대하여 $\mathrm{P}(A)=0.4$, $\mathrm{P}(B)=0.8$, $\mathrm{P}(A\cap B)=0.2$일 때, 다음을 구하시오.

(1) $\mathrm{P}(B|A)$ (2) $\mathrm{P}(A|B)$

개념 02 확률의 곱셈정리

두 사건 A, B에 대하여 A, B가 동시에 일어날 확률은

$$\mathrm{P}(A \cap B) = \mathrm{P}(A)\mathrm{P}(B|A) = \mathrm{P}(B)\mathrm{P}(A|B) \ (단, \mathrm{P}(A) > 0, \mathrm{P}(B) > 0)$$

참고 $\mathrm{P}(A) > 0$, $\mathrm{P}(B) > 0$인 두 사건 A, B에 대하여

$$\mathrm{P}(B|A) = \frac{\mathrm{P}(A \cap B)}{\mathrm{P}(A)}, \mathrm{P}(A|B) = \frac{\mathrm{P}(A \cap B)}{\mathrm{P}(B)}이므로$$

$$\mathrm{P}(A \cap B) = \mathrm{P}(A)\mathrm{P}(B|A) = \mathrm{P}(B)\mathrm{P}(A|B)$$

예   흰 공 5개, 검은 공 3개가 들어 있는 주머니에서 임의로 한 개씩 두 번 공을 꺼낼 때, 2개 모두 흰 공이 나올 확률을 구해 보자. (단, 꺼낸 공은 다시 넣지 않는다.)

첫 번째에 흰 공이 나오는 사건을 A, 두 번째에 흰 공이 나오는 사건을 B라 하면

첫 번째에 흰 공이 나올 확률은

➡ $\mathrm{P}(A) = \dfrac{5}{8}$

첫 번째에 흰 공이 나왔을 때, 두 번째에도 흰 공이 나올 확률은

➡ $\mathrm{P}(B|A) = \dfrac{4}{7}$ ┈┈➤ 흰 공을 하나 꺼냈으므로 주머니에는 흰 공 4개와 검은 공 3개가 남아 있다.

따라서 2개 모두 흰 공이 나올 확률은

➡ $\mathrm{P}(A \cap B) = \mathrm{P}(A)\mathrm{P}(B|A) = \dfrac{5}{8} \times \dfrac{4}{7} = \dfrac{5}{14}$

Lecture

확률의 곱셈정리

$$\mathrm{P}(A \cap B) = \mathrm{P}(A)\mathrm{P}(B|A) = \mathrm{P}(B)\mathrm{P}(A|B) \ (단, \mathrm{P}(A) > 0, \mathrm{P}(B) > 0)$$

3 조건부확률

| 정답과 해설 20쪽 |

개념 확인 2   두 사건 A, B에 대하여 $\mathrm{P}(A) = \dfrac{3}{5}$, $\mathrm{P}(B|A) = \dfrac{2}{3}$일 때, $\mathrm{P}(A \cap B)$를 구하시오.

개념 확인 3   두 사건 A, B에 대하여 $\mathrm{P}(A) = \dfrac{1}{4}$, $\mathrm{P}(B) = \dfrac{1}{3}$, $\mathrm{P}(B|A) = \dfrac{1}{3}$일 때, 다음을 구하시오.

(1) $\mathrm{P}(A \cap B)$ (2) $\mathrm{P}(A|B)$

개념 check

1-1 두 사건 A, B에 대하여

$$P(A) = \frac{2}{5}, \; P(A|B) = \frac{1}{3}, \; P(A \cup B) = \frac{3}{5}$$

일 때, $P(B|A)$를 구하시오.

연구 $P(A|B) = \dfrac{P(A \cap B)}{P(B)} = \dfrac{1}{3}$ 에서

$P(B) = \boxed{} P(A \cap B)$

이때, $P(A \cup B) = P(A) + P(B) - P(A \cap B)$이므로

$\dfrac{3}{5} = \dfrac{2}{5} + \boxed{} P(A \cap B) - P(A \cap B)$

$\dfrac{3}{5} = \dfrac{2}{5} + \boxed{} P(A \cap B)$

$\therefore P(A \cap B) = \boxed{}$

$\therefore P(B|A) = \dfrac{P(A \cap B)}{P(A)} = \dfrac{\boxed{}}{\dfrac{2}{5}} = \boxed{}$

스스로 check

1-2 두 사건 A, B에 대하여 다음을 구하시오.

(1) $P(A) = \dfrac{9}{16}$, $P(B) = \dfrac{1}{4}$, $P(A \cup B) = \dfrac{3}{4}$ 일 때, $P(B|A)$

(2) 두 사건 A, B가 서로 배반사건이고 $P(A) = \dfrac{1}{4}$, $P(B) = \dfrac{2}{5}$ 일 때, $P(A|B^C)$

2-1 흰 구슬 4개, 빨간 구슬 6개가 들어 있는 주머니에서 임의로 구슬을 한 개씩 두 번 꺼낼 때, 첫 번째에 빨간 구슬이 나오는 사건을 A, 두 번째에 빨간 구슬이 나오는 사건을 B라 하자. 이때, $P(A \cap B)$를 구하시오. (단, 꺼낸 구슬은 다시 넣지 않는다.)

연구 첫 번째에 빨간 구슬이 나올 확률은

$P(A) = \boxed{}$

첫 번째에 빨간 구슬이 나왔을 때, 두 번째에도 빨간 구슬이 나올 확률은 $P(B|A) = \boxed{}$

따라서 2개 모두 빨간 구슬이 나올 확률은

$P(A \cap B) = P(A)P(B|A) = \boxed{}$

2-2 상자 안에 들어 있는 10개의 제품 중에서 2개는 불량품이다. 이 상자에서 임의로 제품을 한 개씩 두 번 꺼낼 때, 첫 번째에 정품이 나오는 사건을 A, 두 번째에 불량품이 나오는 사건을 B라 하자. 이때, 다음을 구하시오.

(단, 꺼낸 제품은 다시 넣지 않는다.)

(1) $P(A)$

(2) $P(B|A)$

(3) $P(A \cap B)$

대표 유형 01 조건부확률

↪ 유형 해결의 법칙 50쪽 유형 02

오른쪽 표는 어느 지역 배드민턴 동호회 회원 50명을 대상으로 두 동호회 M, N 중에서 가입한 동호회를 조사하여 나타낸 것이다. 이 중에서 임의로 뽑은 한 명이 여자 회원이었을 때, 그 회원이 M동호회의 회원일 확률을 구하시오.

[단위: 명]

	남자	여자	합계
M동호회	12	8	20
N동호회	18	12	30
합계	30	20	50

풀이

❶ 임의로 뽑은 한 명이 여자 회원인 사건을 A, M동호회의 회원인 사건을 B라 하고 $P(A)$, $P(A \cap B)$ 구하기

임의로 뽑은 한 명이 여자 회원인 사건을 A, M동호회의 회원인 사건을 B라 하면

$$P(A) = \frac{20}{50} = \frac{2}{5}, \quad P(A \cap B) = \frac{8}{50} = \frac{4}{25}$$

❷ 임의로 뽑은 한 명이 여자 회원이었을 때, 그 회원이 M동호회의 회원일 확률 구하기

따라서 구하는 확률은

$$P(B|A) = \frac{P(A \cap B)}{P(A)} = \frac{\frac{4}{25}}{\frac{2}{5}} = \frac{2}{5}$$

답 $\frac{2}{5}$

다른 풀이

$n(A) = 20$, $n(A \cap B) = 8$이므로 구하는 확률은

$$P(B|A) = \frac{n(A \cap B)}{n(A)} = \frac{8}{20} = \frac{2}{5}$$

	남자	여자	합계
M동호회	12	8	20
N동호회	18	12	30
합계	30	20	50

여자 회원 20명을 표본공간으로 생각할 때, 그중에서 M동호회의 회원이 8명이야.

해법 사건 A가 일어났을 때 사건 B가 일어날 확률은

➡ 조건부확률 $P(B|A) = \dfrac{P(A \cap B)}{P(A)}$ 를 이용한다.

3 조건부확률

| 정답과 해설 20쪽 |

01-1 한 개의 주사위를 한 번 던져서 홀수의 눈이 나왔을 때, 그 눈의 수가 소수일 확률을 구하시오.

01-2 오른쪽 표는 어느 학급 학생 30명을 대상으로 오늘의 급식 메뉴에 만족하는지 조사하여 나타낸 것이다. 이 중에서 임의로 뽑은 한 명이 오늘의 급식 메뉴에 불만족하다고 답한 학생이었을 때, 그 학생이 여학생일 확률을 구하시오.

[단위: 명]

	남학생	여학생	합계
만족	9	4	13
불만족	5	12	17
합계	14	16	30

대표 유형 **02** 확률의 곱셈정리

유형 해결의 법칙 51쪽 유형 03, 04

사과 맛 젤리 3개와 딸기 맛 젤리 7개가 들어 있는 상자에서 은주, 선영 두 사람이 은주, 선영의 순서로 임의로 한 개씩 젤리를 꺼낼 때, 다음을 구하시오. (단, 꺼낸 젤리는 다시 넣지 않는다.)

(1) 은주와 선영이가 모두 사과 맛 젤리를 꺼낼 확률

(2) 선영이가 사과 맛 젤리를 꺼낼 확률

풀이

| 은주가 사과 맛 젤리를 꺼내는 사건을 A, 선영이가 사과 맛 젤리를 꺼내는 사건을 B로 놓기 | 은주가 사과 맛 젤리를 꺼내는 사건을 A, 선영이가 사과 맛 젤리를 꺼내는 사건을 B라 하자. |

(1) ❶ $P(A)$, $P(B|A)$ 구하기

은주가 사과 맛 젤리를 꺼낼 확률은 $P(A) = \dfrac{3}{10}$

은주가 사과 맛 젤리를 꺼냈을 때, 선영이도 사과 맛 젤리를 꺼낼 확률은 $P(B|A) = \dfrac{2}{9}$

❷ 은주와 선영이가 모두 사과 맛 젤리를 꺼낼 확률 구하기

따라서 구하는 확률은

$$P(A \cap B) = P(A)P(B|A) = \dfrac{3}{10} \times \dfrac{2}{9} = \dfrac{1}{15}$$

(2) ❶ $P(A \cap B)$, $P(A^c \cap B)$ 구하기

(ⅰ) 은주가 사과 맛 젤리를 꺼내고, 선영이도 사과 맛 젤리를 꺼낼 확률은 (1)에서

$$P(A \cap B) = \dfrac{1}{15}$$

(ⅱ) 은주가 딸기 맛 젤리를 꺼내고, 선영이가 사과 맛 젤리를 꺼낼 확률은

$$P(A^c \cap B) = P(A^c)P(B|A^c) = \dfrac{7}{10} \times \dfrac{3}{9} = \dfrac{7}{30}$$

❷ 선영이가 사과 맛 젤리를 꺼낼 확률 구하기

(ⅰ), (ⅱ)에서 구하는 확률은

$$P(B) = P(A \cap B) + P(A^c \cap B) = \dfrac{1}{15} + \dfrac{7}{30} = \dfrac{3}{10}$$

답 (1) $\dfrac{1}{15}$ (2) $\dfrac{3}{10}$

해법 두 사건 A, B에 대하여

❶ 두 사건 A, B가 동시에 일어날 확률은 ➡ $P(A \cap B) = P(A)P(B|A)$

❷ 사건 B가 일어날 확률은 ➡ $P(B) = P(A \cap B) + P(A^c \cap B)$

| 정답과 해설 21쪽 |

02-1 같은 농구팀에 속한 두 선수 A, B가 있다. 선수 B는 선수 A가 경기에 같이 출전하면 자유투를 성공할 확률이 0.8이고, 선수 A가 경기에 같이 출전하지 않으면 자유투를 성공할 확률이 0.6이다. 내일 선수 B가 출전하는 경기에 선수 A가 같이 출전할 확률이 0.4일 때, 선수 B가 내일 자유투를 성공할 확률을 구하시오.

대표 유형 03 확률의 곱셈정리와 조건부확률 ↻ 유형 해결의 법칙 52쪽 유형 05

어느 제과 회사에서는 신제품을 두 공장 A, B에서 생산하는데 두 공장 A, B의 신제품 생산량은 각각 전체 신제품의 30 %, 70 %이고, 두 공장 A, B의 제품 중에서 할인 쿠폰이 들어 있는 신제품의 비율은 각각 5 %, 10 %라 한다. 두 공장에서 생산된 신제품 중 임의로 한 개를 택하여 개봉하였더니 할인 쿠폰이 들어 있었을 때, 그 신제품이 공장 A에서 생산되었을 확률을 구하시오.

풀이

❶ 임의로 택한 신제품이 두 공장 A, B에서 생산된 신제품인 사건을 각각 A, B, 할인 쿠폰이 들어 있는 신제품인 사건을 E라 하고 $P(A \cap E)$, $P(B \cap E)$ 구하기

임의로 택한 신제품이 공장 A에서 생산된 신제품인 사건을 A, 공장 B에서 생산된 신제품인 사건을 B, 할인 쿠폰이 들어 있는 신제품인 사건을 E라 하면

(ⅰ) 임의로 택한 신제품이 공장 A에서 생산되고, 할인 쿠폰이 들어 있는 신제품일 확률은

$$P(A \cap E) = P(A)P(E \mid A) = \frac{30}{100} \times \frac{5}{100} = \frac{3}{200}$$

(ⅱ) 임의로 택한 신제품이 공장 B에서 생산되고, 할인 쿠폰이 들어 있는 신제품일 확률은

$$P(B \cap E) = P(B)P(E \mid B) = \frac{70}{100} \times \frac{10}{100} = \frac{7}{100}$$

❷ $P(E)$ 구하기

(ⅰ), (ⅱ)에서 두 사건 $A \cap E$, $B \cap E$는 서로 배반사건이므로 임의로 택한 신제품이 할인 쿠폰이 들어 있는 신제품일 확률은

$$P(E) = P(A \cap E) + P(B \cap E) = \frac{3}{200} + \frac{7}{100} = \frac{17}{200}$$

❸ 임의로 한 개를 택하여 개봉하였더니 할인 쿠폰이 들어 있었을 때, 그 신제품이 공장 A에서 생산되었을 확률 구하기

따라서 구하는 확률은

$$P(A \mid E) = \frac{P(A \cap E)}{P(E)} = \frac{\dfrac{3}{200}}{\dfrac{17}{200}} = \frac{3}{17}$$

답 $\dfrac{3}{17}$

해법 사건 E가 일어났을 때의 사건 A의 조건부확률은

$$\Rightarrow P(A \mid E) = \frac{P(A \cap E)}{P(E)} = \frac{P(A \cap E)}{P(A \cap E) + P(A^c \cap E)}$$

| 정답과 해설 21쪽 |

03-1 주머니 A에는 흰 공 3개, 검은 공 2개가 들어 있고, 주머니 B에는 흰 공 2개, 검은 공 3개가 들어 있다. 두 주머니 A, B 중 임의로 하나를 택하여 임의로 2개의 공을 동시에 꺼냈더니 모두 흰 공이었을 때, 그 공 2개가 주머니 B에서 나왔을 확률을 구하시오.

3 조건부확률

2 사건의 독립과 종속

| **개념** 파헤치기 |

① 독립

두 사건 A, B에 대하여 한 사건이 일어나는 것이 다른 사건이 일어날 확률에 영향을 주지 않을 때, 즉

$$P(B|A)=P(B) \text{ 또는 } P(A|B)=P(A)$$

일 때, 두 사건 A, B는 서로 독립이라 한다.

② 종속

두 사건 A, B가 서로 독립이 아닐 때, 즉

$$P(B|A)\neq P(B) \text{ 또는 } P(A|B)\neq P(A)$$

일 때, 두 사건 A, B는 서로 종속이라 한다.

예

빨간 공 3개와 녹색 공 2개가 들어 있는 주머니에서 임의로 공을 한 개씩 두 번 꺼낼 때, 첫 번째에 빨간 공이 나오는 사건을 A, 두 번째에 빨간 공이 나오는 사건을 B라 하자. 이때, 꺼낸 공을 다시 넣는 경우와 다시 넣지 않는 경우에서 각각 $P(B|A)$와 $P(B)$의 관계를 비교하면 다음과 같다.

꺼낸 공을 다시 넣는 경우	꺼낸 공을 다시 넣지 않는 경우
	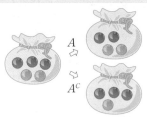
사건 B가 일어날 확률은 사건 A에 영향을 받지 않으므로	사건 B가 일어날 확률은 사건 A에 영향을 받으므로
$P(B\|A)=\dfrac{3}{5}$, $P(B)=\dfrac{3}{5}$	$P(B\|A)=\dfrac{2}{4}=\dfrac{1}{2}$
$\Rightarrow P(B\|A)=P(B)$	$P(B)=\dfrac{3}{5}\times\dfrac{2}{4}+\dfrac{2}{5}\times\dfrac{3}{4}=\dfrac{3}{5}$
$\Rightarrow$ 두 사건 A와 B는 서로 독립	$\Rightarrow P(B\|A)\neq P(B)$ $\quad\rightarrow P(A\cap B)+P(A^c\cap B)$
	$\Rightarrow$ 두 사건 A와 B는 서로 종속

Lecture

두 사건 A, B에 대하여
① 사건 A가 사건 B가 일어날 확률에 영향을 주지 않으면 ➡ 독립
② 사건 A가 사건 B가 일어날 확률에 영향을 주면 ➡ 종속

| 정답과 해설 21쪽 |

개념 확인 1 두 사건 A, B가 서로 독립이고 $P(A)=\dfrac{1}{2}$, $P(B)=\dfrac{1}{3}$일 때, 다음을 구하시오.

(1) $P(B|A)$　　　　　　　　　　　　　　　(2) $P(A|B)$

두 사건 A, B가 서로 독립이기 위한 필요충분조건은

$$\mathrm{P}(A \cap B) = \mathrm{P}(A)\mathrm{P}(B) \ (\text{단, } \mathrm{P}(A) > 0, \mathrm{P}(B) > 0)$$

참고 **배반사건과 독립사건의 비교**

(1) 두 사건 A, B가 서로 배반사건이면 ➡ $\mathrm{P}(A \cap B) = 0$

(2) 두 사건 A, B가 서로 독립사건이면 ➡ $\mathrm{P}(A \cap B) = \mathrm{P}(A)\mathrm{P}(B)$

설명 $\mathrm{P}(A) > 0$, $\mathrm{P}(B) > 0$인 두 사건 A, B가 서로 독립이면 $\mathrm{P}(B|A) = \mathrm{P}(B)$이므로

$\underline{\mathrm{P}(A \cap B) = \mathrm{P}(A)\mathrm{P}(B|A)} = \mathrm{P}(A)\mathrm{P}(B)$ ┌➡ 확률의 곱셈정리

역으로 $\mathrm{P}(A) > 0$, $\mathrm{P}(B) > 0$이고, $\mathrm{P}(A \cap B) = \mathrm{P}(A)\mathrm{P}(B)$이면

$$\mathrm{P}(B|A) = \frac{\mathrm{P}(A \cap B)}{\mathrm{P}(A)} = \frac{\mathrm{P}(A)\mathrm{P}(B)}{\mathrm{P}(A)} = \mathrm{P}(B)$$

이므로 두 사건 A, B는 서로 독립이다.

따라서 두 사건 A, B가 서로 독립이기 위한 필요충분조건은

$\mathrm{P}(A \cap B) = \mathrm{P}(A)\mathrm{P}(B)$

예 주사위를 한 번 던질 때, 홀수의 눈이 나오는 사건을 A, 짝수의 눈이 나오는 사건을 B라 하자. 이때, 두 사건 A, B가 서로 독립인지 종속인지 조사해 보자.

(i) $\mathrm{P}(A)$, $\mathrm{P}(B)$, $\mathrm{P}(A \cap B)$ 각각 구하기	(ii) $\mathrm{P}(A \cap B) = \mathrm{P}(A)\mathrm{P}(B)$인지 확인하기

$A = \{1, 3, 5\}$, $B = \{2, 4, 6\}$, $A \cap B = \varnothing$ 이므로

$\mathrm{P}(A) = \dfrac{1}{2}$, $\mathrm{P}(B) = \dfrac{1}{2}$, $\mathrm{P}(A \cap B) = 0$

➡ $\mathrm{P}(A \cap B) = 0$, $\mathrm{P}(A)\mathrm{P}(B) = \dfrac{1}{4}$이므로

$\mathrm{P}(A \cap B) \neq \mathrm{P}(A)\mathrm{P}(B)$

따라서 두 사건 A, B는 서로 종속이다.

Lecture

❶ $\mathrm{P}(A \cap B) = \mathrm{P}(A)\mathrm{P}(B) \iff$ 두 사건 A, B는 서로 **독립**

❷ $\mathrm{P}(A \cap B) \neq \mathrm{P}(A)\mathrm{P}(B) \iff$ 두 사건 A, B는 서로 **종속**

| 정답과 해설 21쪽 |

개념 확인 2 다음을 만족시키는 두 사건 A, B가 서로 독립인지 종속인지 조사하시오.

(1) $\mathrm{P}(A) = \dfrac{1}{3}$, $\mathrm{P}(B) = \dfrac{3}{4}$, $\mathrm{P}(A \cap B) = \dfrac{1}{4}$

(2) $\mathrm{P}(A) = \dfrac{1}{4}$, $\mathrm{P}(B) = \dfrac{1}{5}$, $\mathrm{P}(A \cap B) = \dfrac{1}{12}$

A와 B^C, A^C와 B, A^C와 B^C (단, A, B는 서로 독립)

두 사건 A, B가 서로 독립일 때, A와 B^C, A^C와 B, A^C와 B^C의 관계를 알아보자.

$\rightarrow \mathrm{P}(A \cap B) = \mathrm{P}(A)\mathrm{P}(B)$

(1) 두 사건 A, B가 서로 독립이면 A와 B^C도 서로 독립

$$
\begin{aligned}
\mathrm{P}(A \cap B^C) &= \mathrm{P}(A-B) \\
&= \mathrm{P}(A) - \mathrm{P}(A \cap B) \\
&= \mathrm{P}(A) - \mathrm{P}(A)\mathrm{P}(B) \\
&= \mathrm{P}(A)\{1 - \mathrm{P}(B)\} \\
&= \mathrm{P}(A)\mathrm{P}(B^C)
\end{aligned}
$$

즉, $\mathrm{P}(A \cap B^C) = \mathrm{P}(A)\mathrm{P}(B^C)$이므로 두 사건 A와 B^C는 서로 독립이다.

(2) 두 사건 A, B가 서로 독립이면 A^C와 B도 서로 독립

$$
\begin{aligned}
\mathrm{P}(A^C \cap B) &= \mathrm{P}(B-A) \\
&= \mathrm{P}(B) - \mathrm{P}(A \cap B) \\
&= \mathrm{P}(B) - \mathrm{P}(A)\mathrm{P}(B) \\
&= \mathrm{P}(B)\{1 - \mathrm{P}(A)\} \\
&= \mathrm{P}(A^C)\mathrm{P}(B)
\end{aligned}
$$

즉, $\mathrm{P}(A^C \cap B) = \mathrm{P}(A^C)\mathrm{P}(B)$이므로 두 사건 A^C와 B는 서로 독립이다.

(3) 두 사건 A, B가 서로 독립이면 A^C와 B^C도 서로 독립

$$
\begin{aligned}
\mathrm{P}(A^C \cap B^C) &= \mathrm{P}((A \cup B)^C) \\
&= 1 - \mathrm{P}(A \cup B) \\
&= 1 - \{\mathrm{P}(A) + \mathrm{P}(B) - \mathrm{P}(A \cap B)\} \\
&= 1 - \mathrm{P}(A) - \mathrm{P}(B) + \mathrm{P}(A)\mathrm{P}(B) \\
&= 1 - \mathrm{P}(A) - \mathrm{P}(B)\{1 - \mathrm{P}(A)\} \\
&= \{1 - \mathrm{P}(A)\}\{1 - \mathrm{P}(B)\} \\
&= \mathrm{P}(A^C)\mathrm{P}(B^C)
\end{aligned}
$$

즉, $\mathrm{P}(A^C \cap B^C) = \mathrm{P}(A^C)\mathrm{P}(B^C)$이므로 두 사건 A^C와 B^C는 서로 독립이다.

두 사건 A, B가 서로 독립이면
➡ A와 B^C, A^C와 B, A^C와 B^C도 각각 서로 독립

개념 **03** 독립시행의 확률

① 독립시행

주사위나 동전을 여러 번 던지는 시행과 같이 어떤 동일한 시행을 반복하는 경우 각 시행에서 일어
나는 사건이 서로 독립일 때, 이러한 시행을 독립시행이라 한다.   각 시행의 결과가 다른 시행의 ◀
결과에 아무런 영향을 주지 않는다.

② 독립시행의 확률

1회의 시행에서 사건 A가 일어날 확률이 p일 때, n회의 독립시행에서 사건 A가 r회 일어날 확률은

$$_n C_r\, p^r q^{n-r} \ (\text{단},\ q=1-p,\ r=0,\ 1,\ 2,\ \cdots,\ n)$$
└──▶ 사건 A가 n번 중 r번 일어나는 경우의 수

참고 $p^0=1,\ q^0=1$로 정한다. (단, $p\neq0,\ q\neq0$)

예

한 개의 주사위를 4번 던지는 독립시행에서 1의 눈이 2번 나올 확률을 구해 보자.

한 개의 주사위를 4번 던져 1의 눈이 2번
나오는 경우는 오른쪽 표와 같고, 그 경우
의 수는 $_4 C_2$이다.

이때, 각 시행에서 1의 눈이 나올 확률은
$\dfrac{1}{6}$, 1의 눈이 나오지 않을 확률은 $\dfrac{5}{6}$이고,
각 사건은 서로 독립이므로 각 경우의 확
률은 모두 $\left(\dfrac{1}{6}\right)^2\times\left(\dfrac{5}{6}\right)^2$이다.

또, 1의 눈이 2번 나오는 $_4 C_2$가지 사건은
서로 배반사건이므로 한 개의 주사위를
4번 던지는 독립시행에서 1의 눈이 2번 나올 확률은

첫 번째	두 번째	세 번째	네 번째	확률
●	●	×	×	$\left(\dfrac{1}{6}\right)^2\times\left(\dfrac{5}{6}\right)^2$
●	×	●	×	$\left(\dfrac{1}{6}\right)^2\times\left(\dfrac{5}{6}\right)^2$
●	×	×	●	$\left(\dfrac{1}{6}\right)^2\times\left(\dfrac{5}{6}\right)^2$
×	●	●	×	$\left(\dfrac{1}{6}\right)^2\times\left(\dfrac{5}{6}\right)^2$
×	●	×	●	$\left(\dfrac{1}{6}\right)^2\times\left(\dfrac{5}{6}\right)^2$
×	×	●	●	$\left(\dfrac{1}{6}\right)^2\times\left(\dfrac{5}{6}\right)^2$

$$\left(\dfrac{1}{6}\right)^2\times\left(\dfrac{5}{6}\right)^2+\left(\dfrac{1}{6}\right)^2\times\left(\dfrac{5}{6}\right)^2+\left(\dfrac{1}{6}\right)^2\times\left(\dfrac{5}{6}\right)^2+\left(\dfrac{1}{6}\right)^2\times\left(\dfrac{5}{6}\right)^2+\left(\dfrac{1}{6}\right)^2\times\left(\dfrac{5}{6}\right)^2+\left(\dfrac{1}{6}\right)^2\times\left(\dfrac{5}{6}\right)^2$$
$$=_4 C_2\left(\dfrac{1}{6}\right)^2\left(\dfrac{5}{6}\right)^2$$

Lecture

1회의 시행에서 사건 A가 일어날 확률이 p일 때, n회의 독립시행에서 사건 A가 r회 일어날
확률은

➡ $_n C_r\, p^r (1-p)^{n-r}$ (단, $r=0,\ 1,\ 2,\ \cdots,\ n$)

| 정답과 해설 21쪽 |

개념 확인 **3**   한 개의 동전을 3번 던질 때, 앞면이 2번 나올 확률을 구하시오.

개념 check

1-1 두 사건 A, B가 서로 독립이고

$$P(A)=\frac{3}{5}, P(B)=\frac{1}{3}$$

일 때, 다음을 구하시오.

(1) $P(B \mid A^C)$

(2) $P(A^C \mid B^C)$

(3) $P(A \cap B)$

(4) $P(A \cap B^C)$

연구 (1) $P(B \mid A^C) = P(\boxed{}) = \boxed{}$

(2) $P(A^C \mid B^C) = P(A^C) = 1 - P(\boxed{}) = \boxed{}$

(3) $P(A \cap B) = P(A)P(\boxed{}) = \frac{3}{5} \times \boxed{} = \boxed{}$

(4) $P(A \cap B^C) = P(\boxed{})P(B^C)$

$\qquad = \boxed{}\left(1 - \frac{1}{3}\right) = \boxed{}$

스스로 check

1-2 두 사건 A, B가 서로 독립이고

$$P(A)=\frac{5}{6}, P(B)=\frac{1}{2}$$

일 때, 다음을 구하시오.

(1) $P(B^C \mid A)$

(2) $P(A \mid B^C)$

(3) $P(A^C \cap B)$

(4) $P(A^C \cap B^C)$

2-1 두 사건 A, B가 서로 독립이고

$$P(A)=\frac{2}{3}, P(A \cap B) = P(A) - P(B)$$

일 때, $P(B)$를 구하시오.

연구 두 사건 A, B가 서로 독립이므로

$P(A \cap B) = P(A)P(\boxed{})$

이때, $P(A \cap B) = P(A) - P(B)$이므로

$P(A)P(\boxed{}) = P(A) - P(B)$

$\frac{2}{3}P(\boxed{}) = \frac{2}{3} - P(B)$

$\boxed{}P(B) = \frac{2}{3}$

$\therefore P(B) = \boxed{}$

2-2 두 사건 A, B가 서로 독립일 때, 다음 물음에 답하시오.

(1) $P(A)=\frac{1}{3}$, $P(A \cap B) = \frac{7}{30}$일 때, $P(B^C)$를 구하시오.

(2) $P(B)=\frac{1}{3}$, $P(A \cap B^C) = \frac{1}{9}$일 때, $P(A^C)$를 구하시오.

대표 유형 **01** **사건의 독립과 종속의 판정**

↻ 유형 해결의 법칙 53쪽 유형 06

한 개의 주사위를 한 번 던져서 짝수의 눈이 나오는 사건을 A, 4 이상의 눈이 나오는 사건을 B, 3 또는 5의 눈이 나오는 사건을 C라 할 때, 다음 **보기**에서 서로 독립인 것만을 있는 대로 고르시오.

┤보기├
ㄱ. A와 B ㄴ. A와 C ㄷ. B와 C

풀이 표본공간은 $\{1, 2, 3, 4, 5, 6\}$이고, $A=\{2, 4, 6\}$, $B=\{4, 5, 6\}$, $C=\{3, 5\}$

∴ $A \cap B = \{4, 6\}$, $A \cap C = \varnothing$, $B \cap C = \{5\}$

ㄱ. $P(A)=\dfrac{1}{2}$, $P(B)=\dfrac{1}{2}$, $P(A \cap B)=\dfrac{1}{3}$ 이므로

$P(A \cap B) \neq P(A)P(B)$

따라서 A와 B는 서로 종속이다.

ㄴ. $P(A)=\dfrac{1}{2}$, $P(C)=\dfrac{1}{3}$, $P(A \cap C)=0$이므로

$P(A \cap C) \neq P(A)P(C)$

따라서 A와 C는 서로 종속이다.

ㄷ. $P(B)=\dfrac{1}{2}$, $P(C)=\dfrac{1}{3}$, $P(B \cap C)=\dfrac{1}{6}$ 이므로

$P(B \cap C)=P(B)P(C)$

따라서 B와 C는 서로 독립이다.

따라서 서로 독립인 것은 ㄷ이다.

답 ㄷ

해법 두 사건 A, B에 대하여

❶ $P(A \cap B)=P(A)P(B)$이면 ➡ A, B는 서로 독립

❷ $P(A \cap B) \neq P(A)P(B)$이면 ➡ A, B는 서로 종속

│ 정답과 해설 22쪽 │

01-1 1부터 12까지의 자연수가 각각 하나씩 적힌 12개의 공이 들어 있는 상자에서 임의로 한 개의 공을 꺼낼 때, 꺼낸 공에 적힌 수가 홀수인 사건을 A, 3의 배수인 사건을 B, 11 이상인 사건을 C라 하자. 이때, 다음 **보기**에서 서로 독립인 것만을 있는 대로 고르시오.

┤보기├
ㄱ. A와 B ㄴ. A와 C ㄷ. B와 C

3 조건부확률

대표 유형 **02** **독립사건의 확률**

⟳ 유형 해결의 법칙 54쪽 유형 09

어떤 문제를 민서와 동우가 풀 확률이 각각 $\frac{1}{2}$, $\frac{3}{4}$일 때, 다음을 구하시오.

(1) 민서, 동우가 모두 문제를 풀 확률

(2) 민서는 문제를 풀고 동우는 풀지 못할 확률

(3) 민서, 동우 중 적어도 한 명이 문제를 풀 확률

풀이 민서, 동우가 문제를 푸는 사건을 각각 A, B라 하면 A, B는 서로 독립이다.

(1) 민서, 동우가 모두 문제를 풀 확률은

$$P(A \cap B) = P(A)P(B) = \frac{1}{2} \times \frac{3}{4} = \frac{3}{8}$$

(2) 민서는 문제를 풀고 동우는 풀지 못할 확률은

$$P(A \cap B^C) = P(A)P(B^C) = \frac{1}{2}\left(1 - \frac{3}{4}\right) = \frac{1}{2} \times \frac{1}{4} = \frac{1}{8}$$

(3) 민서, 동우 중 적어도 한 명이 문제를 푸는 사건은 민서, 동우 중 어느 누구도 문제를 풀지 못하는 사건의 여사건이다.

민서, 동우 중 어느 누구도 문제를 풀지 못할 확률은

$$P(A^C \cap B^C) = P(A^C)P(B^C) = \left(1 - \frac{1}{2}\right)\left(1 - \frac{3}{4}\right) = \frac{1}{2} \times \frac{1}{4} = \frac{1}{8}$$

따라서 구하는 확률은

$$1 - P(A^C \cap B^C) = 1 - \frac{1}{8} = \frac{7}{8}$$

📝 (1) $\frac{3}{8}$ (2) $\frac{1}{8}$ (3) $\frac{7}{8}$

다른 풀이 (3) 민서, 동우가 문제를 푸는 사건을 각각 A, B라 하면 A, B는 서로 독립이므로

$$P(A \cap B) = P(A)P(B) = \frac{1}{2} \times \frac{3}{4} = \frac{3}{8}$$

따라서 구하는 확률은

$$P(A \cup B) = P(A) + P(B) - P(A \cap B) = \frac{1}{2} + \frac{3}{4} - \frac{3}{8} = \frac{7}{8}$$

> **해법** 두 사건 A, B가 서로 독립이면
> ➡ A와 B^C, A^C와 B, A^C와 B^C도 각각 서로 독립

| 정답과 해설 22쪽 |

02-1 두 농구 선수 A, B가 자유투를 성공할 확률이 각각 $\frac{3}{4}$, $\frac{5}{6}$이다. 이 선수들이 자유투를 한 번씩 던질 때, 다음을 구하시오.

(1) 두 선수 중 한 명만 자유투를 성공할 확률

(2) 두 선수 중 어느 누구도 자유투를 성공하지 못할 확률

대표 유형 **03** 독립시행의 확률

↻ 유형 해결의 법칙 55쪽 유형 10

어느 양궁 선수가 화살을 한 번 쏘아 과녁에 명중시킬 확률이 $\dfrac{2}{3}$ 라 한다. 이 선수가 화살을 5번 쏘아 4번 이상 명중시킬 확률을 구하시오.

풀이

❶ 4번 명중시킬 확률 구하기

과녁에 명중시킬 확률이 $\dfrac{2}{3}$ 이므로 명중시키지 못할 확률은 $\dfrac{1}{3}$ 이다.

(i) 4번 명중시킬 확률은
$$_5C_4\left(\frac{2}{3}\right)^4\left(\frac{1}{3}\right)^1=\frac{80}{243}$$

❷ 5번 명중시킬 확률 구하기

(ii) 5번 명중시킬 확률은
$$_5C_5\left(\frac{2}{3}\right)^5\left(\frac{1}{3}\right)^0=\frac{32}{243}$$

❸ 4번 이상 명중시킬 확률 구하기

(i), (ii)에서 구하는 확률은
$$\frac{80}{243}+\frac{32}{243}=\frac{112}{243}$$

🗐 $\dfrac{112}{243}$

> **해법** 1회의 시행에서 사건 A가 일어날 확률이 p일 때, n회의 독립시행에서 사건 A가 r회 일어날 확률은
> ➡ $_nC_r\,p^r(1-p)^{n-r}$ (단, $r=0,\ 1,\ 2,\ \cdots,\ n$)

3 | 조건부확률

| 정답과 해설 22쪽 |

03-1 옳으면 ○표, 옳지 않으면 ×표로 답하는 문제가 4개 있다. 임의로 ○, ×를 표기할 때, 문제를 3개 이상 맞힐 확률을 구하시오.

03-2 A반과 B반이 야구 경기를 하는데 한 경기마다 A반이 이길 확률이 $\dfrac{1}{3}$ 이다. 두 경기를 먼저 이기는 반이 우승한다고 할 때, A반이 우승할 확률을 구하시오. (단, 비기는 경우는 없다.)

유형 확인

1-1 남학생 33명, 여학생 27명인 반에서 남학생 15명, 여학생 7명이 수학경시대회에 참가한다. 이 반 학생 중에서 임의로 뽑은 한 명이 수학경시대회에 참가하지 않는 학생이었을 때, 그 학생이 여학생일 확률을 구하시오.

한번 더 확인

1-2 어느 반 학생 40명을 대상으로 두 도서 A, B를 읽은 학생을 조사하였더니 도서 A, B를 읽은 학생이 각각 24명, 16명이고, 도서 A, B 중 어느 것도 읽지 않은 학생이 8명이었다. 이 중에서 임의로 뽑은 한 명이 도서 A를 읽었을 때, 그 학생이 도서 B를 읽지 않았을 확률을 구하시오.

2-1 오른쪽 표는 영화의 두 장르인 액션과 호러에 대한 청소년과 성인의 선호도를 조사한 것이다. 조사 대상자 중에서 임의로 뽑은 한 명이 청소년이었을 때, 그 청소년이 액션 영화를 선호할 확률은 $\frac{1}{6}$ 이다. 이때, x의 값을 구하시오.

[단위: 명]

	청소년	성인
액션	30	$2x$
호러	x	15

2-2 오른쪽 표는 어느 테니스 동아리 회원을 대상으로 두 테니스 라켓 M, N의 선호도를 조사한 것이다. 전체 회원 중에서 임의로 뽑은 한 명이 여자 회원이었을 때, 그 회원이 M라켓을 선호할 확률은 $\frac{1}{6}$ 이다. 이때, x의 값을 구하시오.

[단위: 명]

	남자	여자
M라켓	3	x
N라켓	15	25

3-1 흰 공 3개와 빨간 공 5개가 들어 있는 주머니에서 임의로 공을 한 개씩 두 번 꺼낼 때, 두 번째에 흰 공이 나올 확률을 구하시오.

(단, 꺼낸 공은 다시 넣지 않는다.)

3-2 진호가 지각한 날의 다음 날에 지각할 확률은 $\frac{1}{3}$ 이고, 지각하지 않은 날의 다음 날에 지각할 확률은 $\frac{1}{2}$ 이라 한다. 월요일에 진호가 지각하지 않았을 때, 같은 주 수요일에 진호가 지각할 확률을 구하시오.

4-1 어느 공장에서 같은 제품을 두 기계 A, B에서 생산하는데 두 기계 A, B의 생산량은 각각 전체 제품의 70 %, 30 %이고, 각 기계에 대한 불량률은 2 %, 3 %라 한다. 이 공장에서 만들어진 제품 중에서 임의로 한 개의 제품을 택하였더니 불량품이었을 때, 그 제품이 A기계에서 생산된 제품일 확률을 구하시오.

5-1 수컷이 10년 후까지 생존할 확률이 $\frac{1}{4}$인 동물 한 쌍이 있다. 이 수컷과 암컷 중 적어도 한 마리가 10년 후까지 생존할 확률이 $\frac{3}{4}$일 때, 암컷이 10년 후까지 생존할 확률을 구하시오. (단, 수컷과 암컷은 서로 생존에 영향을 주지 않는다.)

6-1 1부터 10까지의 자연수가 각각 하나씩 적힌 10개의 공이 들어 있는 상자에서 임의로 1개의 공을 꺼낼 때, 소수가 적힌 공이 나오면 1개의 동전을 3번 던지고 소수가 아닌 수가 적힌 공이 나오면 1개의 동전을 4번 던진다. 이때, 동전의 앞면이 3번 나올 확률을 구하시오.

7-1 오른쪽 그림과 같이 한 변의 길이가 1인 정사각형 ABCD가 있다. 점 P는 1개의 동전을 던져서 앞면이 나오면 정사각형의 변을 따라 시계 방향으로 2만큼, 뒷면이 나오면 시계 방향으로 1만큼 움직인다. 1개의 동전을 3번 던질 때, 꼭짓점 A를 출발한 점 P가 다시 꼭짓점 A로 돌아올 확률을 구하시오.

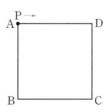

4-2 어떤 감정원이 진품을 진품으로 판정할 확률이 $\frac{8}{9}$, 모조품을 모조품으로 판정할 확률이 $\frac{2}{3}$이다. 진품이 8개, 모조품이 2개 섞여 있는 상자에서 임의로 한 개를 뽑아 감정한 후 진품으로 판정하였을 때, 그 제품이 실제로 진품일 확률을 구하시오.

5-2 세 양궁 선수 A, B, C가 화살을 한 번 쏘아 10점을 맞힐 확률이 각각 $\frac{4}{5}, \frac{3}{4}, \frac{3}{5}$이다. 이 선수들이 과녁을 향해 화살을 한 번씩 쏠 때, 두 선수만 10점을 맞힐 확률을 구하시오.

6-2 어느 탁구 경기의 결승전은 5세트 경기를 해서 먼저 3세트를 이기면 우승을 한다. 실력이 같은 정도로 기대되는 A, B 두 선수가 결승전에서 맞붙게 되었을 때, 4세트에서 우승이 결정될 확률을 구하시오. (단, 비기는 경우는 없다.)

7-2 수직선 위의 원점에 점 A가 있다. 한 개의 주사위를 던져서 6의 약수의 눈이 나오면 점 A를 양의 방향으로 1만큼, 그 이외의 눈이 나오면 점 A를 음의 방향으로 1만큼 움직인다. 주사위를 4번 던질 때, 점 A가 2를 나타내는 점에 있을 확률을 구하시오.

4 확률분포

앞 단원에서는 어떤 시행에 대하여 각 사건의 확률을 구했었지? 이번 단원에서는 이들의 확률을 모아서 분포 상태를 살펴볼 거야. 그리고 표본공간을 수량화한 확률변수의 평균과 분산을 구하는 방법을 배우지.

중학교 때 도수분포표를 이용하여 평균과 분산을 구하는 방법을 배웠어요!

 맞아. 그랬었지? 이번에는 확률을 이용하여 평균과 분산, 표준편차를 다시 정의하는 거란다.

개념 & 유형 map

1. 확률질량함수

개념 01	확률변수와 확률분포
개념 02	이산확률변수와 확률질량함수
개념 03	확률질량함수의 성질

유형 01 확률질량함수의 성질 – $P(X=x_i$ 또는 $X=x_j)$
유형 02 확률분포와 확률

2. 이산확률변수의 기댓값과 표준편차

개념 01 이산확률변수의 기댓값(평균), 분산, 표준편차

유형 01 이산확률변수의 평균, 분산, 표준편차
– 확률분포가 주어진 경우

유형 02 이산확률변수의 평균, 분산, 표준편차
– 확률분포가 주어지지 않은 경우

개념 02 확률변수 $aX+b$의 평균, 분산, 표준편차

유형 03 확률변수 $aX+b$의 평균, 분산, 표준편차

3. 이항분포

개념 01 이항분포

개념 02 이항분포의 평균, 분산, 표준편차

개념 03 큰수의 법칙

유형 01 이항분포와 확률

유형 02 이항분포의 평균, 분산, 표준편차
– 이항분포가 주어진 경우

유형 03 이항분포의 평균, 분산, 표준편차
– 이항분포가 주어지지 않은 경우

유형 04 확률변수의 성질을 이용한 이항분포의 평균, 분산, 표준편차

1 확률질량함수

| 개념 파헤치기 |

개념 01 확률변수와 확률분포

1 확률변수

(1) 어떤 시행에서 표본공간의 각 원소에 하나의 실수를 대응시킨 함수를 확률변수라 한다.

(2) 확률변수 X가 어떤 값 x를 가질 확률을 기호로

$$P(X=x)$$

와 같이 나타낸다.

참고 (1) 확률변수는 표본공간을 정의역으로 하고, 실수 전체의 집합을 공역으로 하는 함수인 동시에 변수의 역할도 한다.

(2) 확률변수는 보통 알파벳 대문자 X, Y, Z 등으로 나타내고, 확률변수가 가지는 값은 소문자 x, y, z 등으로 나타낸다.

2 확률분포

확률변수 X의 값과 그 값을 가질 확률 사이의 대응 관계를 확률변수 X의 확률분포라 한다.

예 한 개의 동전을 두 번 던지는 시행에서 앞면이 나오는 횟수를 X라 할 때, X가 가질 수 있는 값과 그 값을 가질 확률을 구해 보자.

표본공간 S	$S=\{(H, H), (H, T), (T, H), (T, T)\}$ (단, H는 동전의 앞면, T는 동전의 뒷면이다.)
앞면이 나오는 횟수	$(H, H): 2, (H, T): 1, (T, H): 1, (T, T): 0$
확률변수 X가 가질 수 있는 값	$0, 1, 2$

따라서 X는 0, 1, 2 중 한 값을 가질 수 있는 변수이고, X가 0, 1, 2의 값을 가질 확률을 각각 기호로 나타내면

$$P(X=0)=\frac{1}{4}, P(X=1)=\frac{1}{2}, P(X=2)=\frac{1}{4}$$

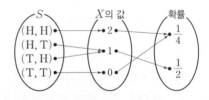

Lecture 확률변수

➡ 표본공간의 각 원소에 하나의 실수를 대응시킨 함수

| 정답과 해설 26쪽 |

개념 확인 1 흰 공 3개와 빨간 공 4개가 들어 있는 주머니에서 임의로 2개의 공을 동시에 꺼낼 때, 나오는 빨간 공의 개수를 확률변수 X라 하자. 이때, X가 가질 수 있는 값을 모두 구하시오.

개념 **02** 이산확률변수와 확률질량함수

❶ 이산확률변수

확률변수 X가 가질 수 있는 값이 유한개이거나 무한히 많더라도 자연수와 같이 셀 수 있을 때, 그 확률변수를 이산확률변수라 한다.

❷ 확률질량함수

(1) 이산확률변수 X가 가질 수 있는 값이 $x_1, x_2, x_3, \cdots, x_n$이고 X가 이들 값을 가질 확률이 각각 $p_1, p_2, p_3, \cdots, p_n$일 때, 이산확률변수 X의 확률분포는

$$\mathrm{P}(X=x_i)=p_i \ (i=1, 2, 3, \cdots, n)$$

와 같이 나타낼 수 있다. 이때, 이 관계식을 이산확률변수 X의 확률질량함수라 한다.

(2) 이산확률변수 X의 확률분포를 표와 그래프로 나타내면 다음과 같다.

X	x_1	x_2	x_3	$\cdots$	x_n	합계
$\mathrm{P}(X=x_i)$	p_1	p_2	p_3	$\cdots$	p_n	1

확률의 총합은 항상 1이다.

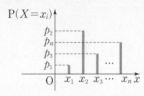

| 예 |

확률변수 X	흰 공 2개와 검은 공 3개가 들어 있는 주머니에서 임의로 2개의 공을 동시에 꺼낼 때, 나오는 흰 공의 개수 X

↓

X의 확률질량함수	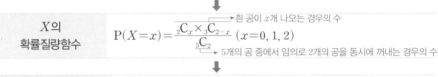

→ 흰 공이 x개 나오는 경우의 수

$$\mathrm{P}(X=x)=\frac{{}_2\mathrm{C}_x \times {}_3\mathrm{C}_{2-x}}{{}_5\mathrm{C}_2} \ (x=0, 1, 2)$$

→ 5개의 공 중에서 임의로 2개의 공을 동시에 꺼내는 경우의 수

↓

X가 각 값을 가질 확률	$\mathrm{P}(X=0)=\dfrac{{}_2\mathrm{C}_0 \times {}_3\mathrm{C}_2}{{}_5\mathrm{C}_2}=\dfrac{3}{10}, \ \mathrm{P}(X=1)=\dfrac{{}_2\mathrm{C}_1 \times {}_3\mathrm{C}_1}{{}_5\mathrm{C}_2}=\dfrac{3}{5},$ $\mathrm{P}(X=2)=\dfrac{{}_2\mathrm{C}_2 \times {}_3\mathrm{C}_0}{{}_5\mathrm{C}_2}=\dfrac{1}{10}$

↓

X의 확률분포를 표와 그래프로 나타내기		X	0	1	2	합계	

X	0	1	2	합계
$\mathrm{P}(X=x)$	$\dfrac{3}{10}$	$\dfrac{3}{5}$	$\dfrac{1}{10}$	1

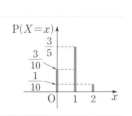

Lecture

이산확률변수 X의 확률분포

➡ X가 가질 수 있는 값과 각 값을 가질 확률을 구한 후 표와 그래프로 나타낸다.

| 정답과 해설 26쪽 |

개념 확인 2 각 면에 1, 2, 2, 3, 3, 3의 숫자가 각각 하나씩 적힌 주사위를 한 번 던지는 시행에서 나오는 숫자를 확률변수 X라 하자. 이때, X의 확률분포를 나타내는 오른쪽 표를 완성하시오.

X	1	2	3	합계
$\mathrm{P}(X=x)$				1

4 확률분포

개념 **03** 확률질량함수의 성질

이산확률변수 X의 확률질량함수

$$P(X=x_i)=p_i \ (i=1, 2, 3, \cdots, n)$$

에 대하여

(1) $0 \leq p_i \leq 1$ ← 확률은 0에서 1까지의 값을 갖는다.

(2) $p_1+p_2+p_3+ \cdots +p_n=1$ ← 확률의 총합은 1이다.

(3) $P(x_i \leq X \leq x_j)=p_i+p_{i+1}+p_{i+2}+ \cdots +p_j$ (단, $j=1, 2, 3, \cdots, n$이고 $i \leq j$)

참고 $P(X=x_i$ 또는 $X=x_j)=P(X=x_i)+P(X=x_j)=p_i+p_j$ (단, $j=1, 2, 3, \cdots, n$이고 $i \neq j$)

> $P(x_i \leq X \leq x_j)$는 X가 x_i 이상 x_j 이하의 값을 가질 확률을 의미해.

예 확률변수 X의 확률분포를 표로 나타내면 다음과 같을 때

X	0	1	2	합계
$P(X=x)$	$\dfrac{1}{5}$	$\dfrac{3}{5}$	$\dfrac{1}{5}$	1

(1) $0 \leq P(X=0) \leq 1,\ 0 \leq P(X=1) \leq 1,\ 0 \leq P(X=2) \leq 1$

(2) $P(X=0)+P(X=1)+P(X=2)=\dfrac{1}{5}+\dfrac{3}{5}+\dfrac{1}{5}=1$

(3) $P(1 \leq X \leq 2)=P(X=1)+P(X=2)=\dfrac{3}{5}+\dfrac{1}{5}=\dfrac{4}{5}$

(4) $P(X=0$ 또는 $X=2)=P(X=0)+P(X=2)=\dfrac{1}{5}+\dfrac{1}{5}=\dfrac{2}{5}$

Lecture

X	x_1	x_2	x_3	$\cdots$	x_n	합계
$P(X=x_i)$	p_1	p_2	p_3	$\cdots$	p_n	1

← $p_1+p_2+p_3+ \cdots +p_n=1$

$0 \leq p_i \leq 1$

| 정답과 해설 26쪽 |

개념 확인 3 확률변수 X의 확률분포를 표로 나타내면 아래와 같을 때, 다음 확률을 구하시오.

X	0	1	2	3	4	합계
$P(X=x)$	0.15	0.3	0.4	0.1	0.05	1

(1) $P(X=4)$

(2) $P(X<2)$

(3) $P(X \geq 3)$

(4) $P(2 \leq X \leq 4)$

개념 check

1-1 한 개의 주사위를 두 번 던지는 시행에서 3의 눈이 나오는 횟수를 확률변수 X라 하자. 다음 물음에 답하시오.

(1) X가 가질 수 있는 값을 모두 구하시오.
(2) X가 (1)의 각 값을 가질 확률을 구하시오.
(3) X의 확률분포를 표로 나타내시오.

[연구] (1) 확률변수 X가 가질 수 있는 값은 0, 1, ☐ 이다.

(2) 한 개의 주사위를 한 번 던질 때, 3의 눈이 나올 확률은 $\dfrac{1}{6}$, 3의 눈이 나오지 않을 확률은 $\dfrac{5}{6}$이므로

$$\mathrm{P}(X=0)=\frac{5}{6}\times\frac{5}{6}=\frac{25}{36}$$

$$\mathrm{P}(X=1)=\frac{1}{6}\times\frac{5}{6}+\boxed{}\times\frac{1}{6}$$

$$=\frac{5}{36}+\boxed{}=\boxed{}$$

$$\mathrm{P}(X=\boxed{})=\frac{1}{6}\times\frac{1}{6}=\frac{1}{36}$$

(3)

X	0	1	☐	합계
$\mathrm{P}(X=x)$	$\dfrac{25}{36}$	☐	$\dfrac{1}{36}$	1

스스로 check

1-2 한 개의 주사위를 두 번 던지는 시행에서 2 이하의 눈이 나오는 횟수를 확률변수 X라 하자. 다음 물음에 답하시오.

(1) X가 가질 수 있는 값을 모두 구하시오.

(2) X가 (1)의 각 값을 가질 확률을 구하시오.

(3) X의 확률분포를 표로 나타내시오.

2-1 확률변수 X의 확률질량함수가

$$\mathrm{P}(X=x)=\frac{x}{k}\ (x=1,\,2,\,3,\,4)$$

일 때, 상수 k의 값을 구하시오. (단, $k\neq 0$)

[연구] 확률의 총합은 ☐ 이므로

$$\mathrm{P}(X=1)+\mathrm{P}(X=2)+\mathrm{P}(X=3)+\mathrm{P}(X=4)=\boxed{}$$

$$\frac{1}{k}+\frac{2}{k}+\frac{3}{k}+\frac{4}{k}=\boxed{}$$

$$\frac{10}{k}=\boxed{}\qquad \therefore\ k=\boxed{}$$

2-2 확률변수 X의 확률질량함수가

$$\mathrm{P}(X=x)=\frac{ax}{3}\ (x=1,\,2,\,3,\,4,\,5,\,6)$$

일 때, 상수 a의 값을 구하시오.

대표 유형 01 확률질량함수의 성질 – $\mathrm{P}(X=x_i$ 또는 $X=x_j)$

유형 해결의 법칙 66쪽 유형 02

확률변수 X의 확률분포를 표로 나타내면 다음과 같을 때, $\mathrm{P}(1 \leq X \leq 2)$를 구하시오. (단, a는 상수)

X	0	1	2	3	합계
$\mathrm{P}(X=x)$	$4a$	$4a$	$\dfrac{1}{4}$	a	1

풀이

❶ 확률의 총합은 1임을 이용하여 상수 a의 값 구하기

확률의 총합은 1이므로 $4a+4a+\dfrac{1}{4}+a=1$

$9a=\dfrac{3}{4}$ $\quad \therefore a=\dfrac{1}{12}$

❷ $\mathrm{P}(1 \leq X \leq 2)$
$=\mathrm{P}(X=1)+\mathrm{P}(X=2)$
임을 이용하여
$\mathrm{P}(1 \leq X \leq 2)$ 구하기

$\therefore \mathrm{P}(1 \leq X \leq 2)=\mathrm{P}(X=1)+\mathrm{P}(X=2)=4a+\dfrac{1}{4}$

$=4 \times \dfrac{1}{12}+\dfrac{1}{4}=\dfrac{1}{3}+\dfrac{1}{4}=\dfrac{7}{12}$

답 $\dfrac{7}{12}$

해법 확률변수 X의 확률질량함수 $\mathrm{P}(X=x_i)(i=1, 2, 3, \cdots, n)$에 대하여
❶ $\mathrm{P}(X=x_i$ 또는 $X=x_j)=\mathrm{P}(X=x_i)+\mathrm{P}(X=x_j)$ (단, $j=1, 2, 3, \cdots, n$이고 $i \neq j$)
❷ $\mathrm{P}(x_i \leq X \leq x_j)=\mathrm{P}(X=x_i)+\mathrm{P}(X=x_{i+1})+ \cdots +\mathrm{P}(X=x_j)$ (단, $j=1, 2, 3, \cdots, n$이고 $i \leq j$)

| 정답과 해설 26쪽 |

01-1 확률변수 X의 확률분포를 표로 나타내면 다음과 같을 때, $\mathrm{P}(X^2-3X+2=0)$을 구하시오. (단, a는 상수)

X	-1	0	1	2	합계
$\mathrm{P}(X=x)$	$\dfrac{1}{4}$	$\dfrac{1}{6}$	a	$\dfrac{1}{12}$	1

01-2 확률변수 X의 확률분포를 표로 나타내면 다음과 같다. $\mathrm{P}(2 \leq X \leq 3)=\dfrac{5}{6}$일 때, $b-a$의 값을 구하시오.

(단, a, b는 상수)

X	1	2	3	합계
$\mathrm{P}(X=x)$	a	$\dfrac{1}{3}$	b	1

대표 유형 02 확률분포와 확률

↪ 유형 해결의 법칙 67쪽 유형 03

한 개의 주사위를 던져서 나오는 눈의 수를 확률변수 X라 할 때, $\mathrm{P}(X^2-4X+3\leq0)$을 구하시오.

풀이

❶ 확률변수 X가 가질 수 있는 값 구하기

확률변수 X가 가질 수 있는 값은 1, 2, 3, 4, 5, 6이다.

❷ X의 확률분포를 표로 나타내기

주사위의 각 눈이 나올 확률은 $\dfrac{1}{6}$로 모두 같으므로 X의 확률분포를 표로 나타내면 다음과 같다.

X	1	2	3	4	5	6	합계
$\mathrm{P}(X=x)$	$\dfrac{1}{6}$	$\dfrac{1}{6}$	$\dfrac{1}{6}$	$\dfrac{1}{6}$	$\dfrac{1}{6}$	$\dfrac{1}{6}$	1

❸ $\mathrm{P}(X^2-4X+3\leq0)$ 구하기

이때, $X^2-4X+3\leq0$에서 $(X-1)(X-3)\leq0$이므로
$1\leq X\leq3$
$$\therefore \mathrm{P}(X^2-4X+3\leq0)=\mathrm{P}(1\leq X\leq3)$$
$$=\mathrm{P}(X=1)+\mathrm{P}(X=2)+\mathrm{P}(X=3)$$
$$=\frac{1}{6}+\frac{1}{6}+\frac{1}{6}=\frac{1}{2}$$

답 $\dfrac{1}{2}$

해법 **확률질량함수가 주어지지 않았을 때 확률을 구하는 방법**
❶ 확률변수 X가 가질 수 있는 값을 모두 찾는다.
❷ X가 각 값을 가질 확률을 구한다.

| 정답과 해설 27쪽 |

02-1 노란 공 2개와 흰 공 2개가 들어 있는 상자에서 임의로 2개의 공을 동시에 꺼낼 때, 나오는 흰 공의 개수를 확률변수 X라 하자. 다음 물음에 답하시오.

(1) 확률변수 X가 가질 수 있는 값을 모두 구하시오.
(2) X의 확률분포를 표로 나타내시오.
(3) 흰 공을 1개 이하로 꺼낼 확률을 구하시오.

02-2 남학생 4명과 여학생 3명 중에서 임의로 대표 3명을 뽑을 때, 뽑힌 남학생의 수를 확률변수 X라 하자. 이때, 남학생이 적어도 2명 뽑힐 확률을 구하시오.

2 이산확률변수의 기댓값과 표준편차

개념 01 이산확률변수의 기댓값(평균), 분산, 표준편차

1 이산확률변수의 기댓값(평균)

이산확률변수 X의 확률분포가 오른쪽 표와 같을 때,

$$x_1 p_1 + x_2 p_2 + x_3 p_3 + \cdots + x_n p_n$$

을 이산확률변수 X의 기댓값 또는 평균이라 하고, 이 것을 기호로 $\mathrm{E}(X)$와 같이 나타낸다.

X	x_1	x_2	x_3	$\cdots$	x_n	합계
$\mathrm{P}(X=x_i)$	p_1	p_2	p_3	$\cdots$	p_n	1

➡ $\mathrm{E}(X) = x_1 p_1 + x_2 p_2 + x_3 p_3 + \cdots + x_n p_n$

2 이산확률변수의 분산과 표준편차

이산확률변수 X의 확률분포가 위의 표와 같고 X의 기댓값 $\mathrm{E}(X)$를 m이라 할 때,

(1) $(X-m)^2$의 기댓값을 확률변수 X의 분산이라 하고, 이것을 기호로 $\mathrm{V}(X)$와 같이 나타낸다.

$X-m$은 편차를 의미한다. ➡ $\mathrm{V}(X) = \mathrm{E}((X-m)^2) = \mathrm{E}(X^2) - \{\mathrm{E}(X)\}^2$

참고 $\mathrm{V}(X) = \mathrm{E}((X-m)^2) = (x_1-m)^2 p_1 + (x_2-m)^2 p_2 + \cdots + (x_n-m)^2 p_n$

$\mathrm{E}(X^2)$ $= (x_1^2 p_1 + x_2^2 p_2 + \cdots + x_n^2 p_n) - 2m(\underline{x_1 p_1 + x_2 p_2 + \cdots + x_n p_n}) + m^2(\underline{p_1 + p_2 + \cdots + p_n})$

$= \mathrm{E}(X^2) - m^2 = \mathrm{E}(X^2) - \{\mathrm{E}(X)\}^2$ ➡ $\mathrm{E}(X)=m$ ➡ 1

(2) 분산 $\mathrm{V}(X)$의 양의 제곱근 $\sqrt{\mathrm{V}(X)}$를 확률변수 X의 표준편차라 하고, 이것을 기호로 $\sigma(X)$와 같이 나타낸다. ➡ $\sigma(X) = \sqrt{\mathrm{V}(X)}$

예

확률변수 X의 확률분포가 오른쪽 표와 같을 때

X	0	1	2	합계
$\mathrm{P}(X=x)$	$\dfrac{3}{10}$	$\dfrac{2}{5}$	$\dfrac{3}{10}$	1

(1) $\mathrm{E}(X) = 0 \times \dfrac{3}{10} + 1 \times \dfrac{2}{5} + 2 \times \dfrac{3}{10} = 1$

(2) $\mathrm{V}(X) = \mathrm{E}((X-m)^2)$을 이용

➡ $\mathrm{V}(X) = (0-1)^2 \times \dfrac{3}{10} + (1-1)^2 \times \dfrac{2}{5} + (2-1)^2 \times \dfrac{3}{10} = \dfrac{3}{5}$

$\mathrm{V}(X) = \mathrm{E}(X^2) - \{\mathrm{E}(X)\}^2$을 이용 ➡ $0^2 \times \dfrac{3}{10} + 1^2 \times \dfrac{2}{5} + 2^2 \times \dfrac{3}{10} - 1^2 = \dfrac{3}{5}$

(3) $\sigma(X) = \sqrt{\dfrac{3}{5}} = \dfrac{\sqrt{15}}{5}$

Lecture

❶ 평균 ➡ $\mathrm{E}(X) = x_1 p_1 + x_2 p_2 + x_3 p_3 + \cdots + x_n p_n$

❷ 분산 ➡ $\mathrm{V}(X) = \mathrm{E}((X-m)^2) = \mathrm{E}(X^2) - \{\mathrm{E}(X)\}^2$ (단, $m = \mathrm{E}(X)$)

| 정답과 해설 27쪽 |

개념 확인 1 확률변수 X의 확률분포를 표로 나타내면 오른쪽과 같을 때, $\mathrm{E}(X)$, $\mathrm{V}(X)$, $\sigma(X)$를 각각 구하시오.

X	10	20	30	합계
$\mathrm{P}(X=x)$	$\dfrac{2}{5}$	$\dfrac{1}{5}$	$\dfrac{2}{5}$	1

개념 **02** 확률변수 $aX+b$의 평균, 분산, 표준편차

92쪽 원리 알아보기

확률변수 X와 두 상수 a, b $(a \neq 0)$에 대하여

(1) 평균: $\mathrm{E}(aX+b) = a\mathrm{E}(X) + b$ → a, b의 영향을 모두 받는다.

(2) 분산: $\mathrm{V}(aX+b) = a^2\mathrm{V}(X)$

(3) 표준편차: $\sigma(aX+b) = |a|\sigma(X)$ → a의 영향만 받는다.

예

→ $\mathrm{E}(X)=5$ → $\mathrm{V}(X)=4, \sigma(X)=2$

확률변수 X의 평균이 5, 분산이 4일 때, 확률변수 Y의 평균, 분산, 표준편차를 구해 보자.

(1) $Y=2X+1$일 때	(2) $Y=-5X-1$일 때
$\mathrm{E}(Y) = \mathrm{E}(2X+1)$ $= 2\mathrm{E}(X)+1$ $= 2 \times 5 + 1 = 11$ $\mathrm{V}(Y) = \mathrm{V}(2X+1)$ $= 2^2\mathrm{V}(X)$ $= 4 \times 4 = 16$ $\sigma(Y) = \sigma(2X+1)$ $= |2|\sigma(X)$ $= 2 \times 2 = 4$	$\mathrm{E}(Y) = \mathrm{E}(-5X-1)$ $= -5\mathrm{E}(X)-1$ $= -5 \times 5 - 1 = -26$ $\mathrm{V}(Y) = \mathrm{V}(-5X-1)$ $= (-5)^2\mathrm{V}(X)$ $= 25 \times 4 = 100$ $\sigma(Y) = \sigma(-5X-1)$ $= |-5|\sigma(X)$ $= 5 \times 2 = 10$

참고 (1)에서 $\sigma(Y) = \sqrt{\mathrm{V}(Y)} = \sqrt{16} = 4$, (2)에서 $\sigma(Y) = \sqrt{\mathrm{V}(Y)} = \sqrt{100} = 10$으로 구해도 된다.

Lecture

확률변수 $aX+b$의 평균, 분산, 표준편차

❶ $\mathrm{E}(aX+b) = a\mathrm{E}(X) + b$

❷ $\mathrm{V}(aX+b) = a^2\mathrm{V}(X)$

❸ $\sigma(aX+b) = |a|\sigma(X)$

| 정답과 해설 27쪽 |

개념 확인 2 확률변수 X에 대하여 $\mathrm{E}(X)=4$일 때, 다음을 구하시오.

(1) $\mathrm{E}(2X+3)$ 　　　　　　　　　(2) $\mathrm{E}(-3X+1)$

개념 확인 3 확률변수 X에 대하여 $\mathrm{V}(X)=9$일 때, 다음을 구하시오.

(1) $\mathrm{V}(2X+3)$ 　　　　　　　　　(2) $\mathrm{V}(-3X+1)$

(3) $\sigma(2X+3)$ 　　　　　　　　　(4) $\sigma(-3X+1)$

4 확률분포

확률변수 $aX+b$의 평균, 분산, 표준편차

확률변수 X의 확률분포를 표로 나타내면 다음과 같을 때, 확률변수 $Y=aX+b$ (a, b는 상수, $a\neq0$)의 평균, 분산, 표준편차에 대하여 알아보자.

X	x_1	x_2	x_3	$\cdots$	x_n	합계
$\mathrm{P}(X=x_i)$	p_1	p_2	p_3	$\cdots$	p_n	1

확률변수 X가 가지는 값 x_i ($i=1, 2, 3, \cdots, n$)에 대하여 $y_i=ax_i+b$라 하면

$$\begin{aligned}\mathrm{P}(Y=y_i)&=\mathrm{P}(aX+b=ax_i+b)\\&=\mathrm{P}(X=x_i)\\&=p_i\end{aligned}$$

이므로 확률변수 Y의 확률분포를 표로 나타내면 다음과 같다.

> $y_i=ax_i+b$라 하면 x_i와 y_i는 일대일대응이므로 $\mathrm{P}(Y=y_i)=\mathrm{P}(X=x_i)$야.

Y	y_1	y_2	y_3	$\cdots$	y_n	합계
$\mathrm{P}(Y=y_i)$	p_1	p_2	p_3	$\cdots$	p_n	1

따라서 $\mathrm{E}(X)=m$이라 하면 확률변수 Y의 평균, 분산, 표준편차는 다음과 같다.

(1) $\begin{aligned}[t]\mathrm{E}(Y)&=y_1p_1+y_2p_2+y_3p_3+\cdots+y_np_n\\&=(ax_1+b)p_1+(ax_2+b)p_2+(ax_3+b)p_3+\cdots+(ax_n+b)p_n\\&=a(\underbrace{x_1p_1+x_2p_2+x_3p_3+\cdots+x_np_n}_{\mathrm{E}(X)})+b(\underbrace{p_1+p_2+p_3+\cdots+p_n}_{1})\\&=a\mathrm{E}(X)+b\end{aligned}$

(2) $\begin{aligned}[t]\mathrm{V}(Y)&=\{y_1-\mathrm{E}(Y)\}^2p_1+\{y_2-\mathrm{E}(Y)\}^2p_2+\{y_3-\mathrm{E}(Y)\}^2p_3+\cdots+\{y_n-\mathrm{E}(Y)\}^2p_n\\&=\{(ax_1+b)-(am+b)\}^2p_1+\{(ax_2+b)-(am+b)\}^2p_2+\{(ax_3+b)-(am+b)\}^2p_3\\&\qquad\qquad+\cdots+\{(ax_n+b)-(am+b)\}^2p_n\\&=a^2\{\underbrace{(x_1-m)^2p_1+(x_2-m)^2p_2+(x_3-m)^2p_3+\cdots+(x_n-m)^2p_n}_{\mathrm{E}((X-m)^2)=\mathrm{V}(X)}\}\\&=a^2\mathrm{V}(X)\end{aligned}$

(3) $\begin{aligned}[t]\sigma(Y)&=\sqrt{\mathrm{V}(Y)}\\&=\sqrt{a^2\mathrm{V}(X)}\\&=|a|\sigma(X)\end{aligned}$

Lecture

확률변수 $aX+b$의 평균, 분산, 표준편차

확률변수 X와 두 상수 a, b ($a\neq0$)에 대하여

❶ 평균 ➡ $\mathrm{E}(aX+b)=a\mathrm{E}(X)+b$

❷ 분산 ➡ $\mathrm{V}(aX+b)=a^2\mathrm{V}(X)$

❸ 표준편차 ➡ $\sigma(aX+b)=|a|\sigma(X)$

개념 check

1-1 확률변수 X의 확률분포를 표로 나타내면 아래와 같을 때, $V(X)$를 다음 두 가지 방법으로 각각 구하시오.

X	1	2	3	합계
$P(X=x)$	$\frac{1}{3}$	$\frac{1}{3}$	$\frac{1}{3}$	1

(1) $V(X)=E((X-m)^2)$을 이용하시오.

(2) $V(X)=E(X^2)-\{E(X)\}^2$을 이용하시오.

연구 $E(X)=1\times\frac{1}{3}+2\times\frac{1}{3}+3\times\frac{1}{3}=2$

(1) $V(X)=(\boxed{}-2)^2\times\frac{1}{3}+(2-2)^2\times\frac{1}{3}$
$$+(3-\boxed{})^2\times\frac{1}{3}$$
$$=\frac{2}{3}$$

(2) $E(X^2)=1^2\times\frac{1}{3}+2^2\times\frac{1}{3}+\boxed{}^2\times\frac{1}{3}=\boxed{}$

이므로

$V(X)=E(X^2)-\{E(X)\}^2=\boxed{}-2^2=\frac{2}{3}$

스스로 check

1-2 확률변수 X의 확률분포를 표로 나타내면 아래와 같을 때, $V(X)$를 다음 두 가지 방법으로 각각 구하시오.

X	0	2	4	6	합계
$P(X=x)$	$\frac{2}{5}$	$\frac{3}{10}$	$\frac{1}{5}$	$\frac{1}{10}$	1

(1) $V(X)=E((X-m)^2)$을 이용하시오.

(2) $V(X)=E(X^2)-\{E(X)\}^2$을 이용하시오.

2-1 확률변수 X의 평균이 12, 표준편차가 2일 때, 확률변수 $Y=-\frac{1}{2}X+4$의 평균, 분산, 표준편차를 각각 구하시오.

연구 $E(X)=12$, $V(X)=\boxed{}$, $\sigma(X)=2$이므로

$E(Y)=E\left(-\frac{1}{2}X+4\right)=-\frac{1}{2}E(X)+\boxed{}$
$$=-\frac{1}{2}\times12+\boxed{}=-2$$

$V(Y)=V\left(-\frac{1}{2}X+4\right)=\left(-\frac{1}{2}\right)^{\boxed{}}V(X)$
$$=\frac{1}{4}\times\boxed{}=1$$

$\sigma(Y)=\sigma\left(-\frac{1}{2}X+4\right)=\left|\boxed{}\right|\sigma(X)$
$$=\boxed{}\times2=1$$

2-2 확률변수 X의 평균이 10, 분산이 16일 때, 다음 확률변수 Y의 평균, 분산, 표준편차를 각각 구하시오.

(1) $Y=X+5$

(2) $Y=-X+1$

(3) $Y=2X-4$

(4) $Y=-2X+3$

대표 유형 **01** 이산확률변수의 평균, 분산, 표준편차 – 확률분포가 주어진 경우

↻ 유형 해결의 법칙 68쪽 유형 04

확률변수 X의 확률분포를 표로 나타내면 다음과 같을 때, $V(X)$를 구하시오. (단, a는 상수)

X	1	2	3	합계
$P(X=x)$	a	$\dfrac{1}{6}$	$\dfrac{1}{3}$	1

풀이

❶ 확률의 총합은 1임을 이용하여 상수 a의 값 구하기

확률의 총합은 1이므로

$$a+\frac{1}{6}+\frac{1}{3}=1 \qquad \therefore a=\frac{1}{2}$$

❷ $V(X)$ 구하기

$$E(X)=1\times\frac{1}{2}+2\times\frac{1}{6}+3\times\frac{1}{3}=\frac{11}{6},$$

$$E(X^2)=1^2\times\frac{1}{2}+2^2\times\frac{1}{6}+3^2\times\frac{1}{3}=\frac{25}{6} \text{ 이므로}$$

$$V(X)=E(X^2)-\{E(X)\}^2=\frac{25}{6}-\left(\frac{11}{6}\right)^2=\frac{29}{36}$$

답 $\dfrac{29}{36}$

해법 확률변수 X의 확률질량함수가 $P(X=x_i)=p_i\,(i=1, 2, 3, \cdots, n)$일 때
❶ 평균: $E(X)=x_1 p_1+x_2 p_2+x_3 p_3+\cdots+x_n p_n$
❷ 분산: $V(X)=E(X^2)-\{E(X)\}^2$
❸ 표준편차: $\sigma(X)=\sqrt{V(X)}$

| 정답과 해설 28쪽 |

01-1 확률변수 X의 확률분포를 표로 나타내면 다음과 같을 때, $E(X)+V(X)$의 값을 구하시오. (단, a는 상수)

X	-1	0	1	합계
$P(X=x)$	$\dfrac{1}{4}$	$\dfrac{1}{2}$	a	1

01-2 확률변수 X의 확률분포를 표로 나타내면 다음과 같다. $E(X)=\dfrac{3}{2}$일 때, $V(X)$를 구하시오. (단, a, b는 상수)

X	0	1	2	3	합계
$P(X=x)$	a	b	$\dfrac{1}{6}$	$\dfrac{1}{3}$	1

대표 유형 **이산확률변수의 평균, 분산, 표준편차 – 확률분포가 주어지지 않은 경우** ↻ 유형 해결의 법칙 68쪽 유형 05

당첨 제비 2개를 포함한 5개의 제비 중 임의로 2개의 제비를 동시에 뽑을 때, 뽑은 당첨 제비의 수를 확률변수 X라 하자. 이때, 확률변수 X의 평균과 분산을 각각 구하시오.

풀이

❶ 확률변수 X가 가질 수 있는 값 구하기

확률변수 X가 가질 수 있는 값은 0, 1, 2이다.

❷ X의 확률분포를 표로 나타내기

X가 각 값을 가질 확률은

$$P(X=0)=\frac{_2C_0 \times _3C_2}{_5C_2}=\frac{3}{10}, \quad P(X=1)=\frac{_2C_1 \times _3C_1}{_5C_2}=\frac{3}{5},$$

$$P(X=2)=\frac{_2C_2 \times _3C_0}{_5C_2}=\frac{1}{10}$$

이므로 X의 확률분포를 표로 나타내면 다음과 같다.

X	0	1	2	합계
$P(X=x)$	$\frac{3}{10}$	$\frac{3}{5}$	$\frac{1}{10}$	1

❸ $E(X)$ 구하기

$$\therefore E(X)=0\times\frac{3}{10}+1\times\frac{3}{5}+2\times\frac{1}{10}=\frac{4}{5}$$

❹ $V(X)$ 구하기

$$V(X)=E(X^2)-\{E(X)\}^2$$
$$=0^2\times\frac{3}{10}+1^2\times\frac{3}{5}+2^2\times\frac{1}{10}-\left(\frac{4}{5}\right)^2=\frac{9}{25}$$

🖹 $E(X)=\dfrac{4}{5}$, $V(X)=\dfrac{9}{25}$

해법 **확률분포가 주어지지 않은 이산확률변수의 평균, 분산, 표준편차**
❶ 확률변수 X가 가질 수 있는 값을 모두 찾고 X가 각 값을 가질 확률을 구한다.
❷ 확률변수 X의 확률분포를 표로 나타낸다.
❸ 확률변수 X의 평균, 분산, 표준편차를 구한다.

4 확률분포

| 정답과 해설 28쪽 |

02-1 흰 공 3개와 검은 공 3개가 들어 있는 주머니에서 임의로 2개의 공을 동시에 꺼낼 때, 나오는 검은 공의 개수를 확률변수 X라 하자. 이때, $V(X)$를 구하시오.

대표 유형 **03** 확률변수 $aX+b$의 평균, 분산, 표준편차

유형 해결의 법칙 69, 70쪽 유형 07, 08

확률변수 X의 확률분포를 표로 나타내면 다음과 같을 때, 확률변수 $Y=2X-5$의 평균, 분산, 표준편차를 각각 구하시오.

X	1	2	3	4	합계
$P(X=x)$	$\dfrac{1}{8}$	$\dfrac{3}{8}$	$\dfrac{3}{8}$	$\dfrac{1}{8}$	1

풀이

① X의 평균, 분산, 표준편차 구하기

확률변수 X의 평균, 분산, 표준편차는
$$E(X)=1\times\frac{1}{8}+2\times\frac{3}{8}+3\times\frac{3}{8}+4\times\frac{1}{8}=\frac{5}{2}$$
$$V(X)=E(X^2)-\{E(X)\}^2$$
$$=1^2\times\frac{1}{8}+2^2\times\frac{3}{8}+3^2\times\frac{3}{8}+4^2\times\frac{1}{8}-\left(\frac{5}{2}\right)^2=\frac{3}{4}$$
$$\sigma(X)=\sqrt{V(X)}=\sqrt{\frac{3}{4}}=\frac{\sqrt{3}}{2}$$

② $Y=2X-5$의 평균, 분산, 표준편차 구하기

$$\therefore E(Y)=E(2X-5)=2E(X)-5=2\times\frac{5}{2}-5=0$$
$$V(Y)=V(2X-5)=2^2V(X)=4\times\frac{3}{4}=3$$
$$\sigma(Y)=\sigma(2X-5)=|2|\sigma(X)=2\times\frac{\sqrt{3}}{2}=\sqrt{3}$$

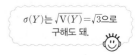
$\sigma(Y)$는 $\sqrt{V(Y)}=\sqrt{3}$으로 구해도 돼.

답 $E(Y)=0$, $V(Y)=3$, $\sigma(Y)=\sqrt{3}$

해법 확률변수 X와 두 상수 a, b ($a\neq 0$)에 대하여
① 평균 ➡ $E(aX+b)=aE(X)+b$
② 분산 ➡ $V(aX+b)=a^2V(X)$
③ 표준편차 ➡ $\sigma(aX+b)=|a|\sigma(X)$

| 정답과 해설 29쪽 |

03-1 확률변수 X의 확률분포를 표로 나타내면 다음과 같을 때, $V(6X+10)$을 구하시오. (단, a는 상수)

X	0	2	4	6	합계
$P(X=x)$	$\dfrac{5}{12}$	$\dfrac{1}{3}$	a	$2a$	1

03-2 서로 다른 2개의 주사위를 동시에 던져서 나오는 눈의 수의 차를 확률변수 X라 할 때, $E(36X)$를 구하시오.

3 이항분포

개념 01 이항분포

1회의 시행에서 사건 A가 일어날 확률이 p일 때, n회의 독립시행에서 사건 A가 일어나는 횟수를 확률변수 X라 하면 확률변수 X의 확률질량함수는

$$\mathrm{P}(X=x)={}_n\mathrm{C}_x p^x q^{n-x} \ (x=0, 1, 2, \cdots, n, q=1-p)$$

이와 같은 확률분포를 이항분포라 하고, 이것을 기호로 $\mathrm{B}(n, p)$와 같이 나타낸다. 이때, 확률변수 X는 이항분포 $\mathrm{B}(n, p)$를 따른다고 한다.

$$\mathrm{B}(\boldsymbol{n}, \boldsymbol{p})$$
시행 횟수 ┘   └ 확률

참고 (1) $x=0$, $x=n$일 때 $p^0=1$, $q^0=1$로 계산한다.

(2) ${}_n\mathrm{C}_x$는 n회의 독립시행에서 사건 A가 x번 일어나는 경우의 수이며, $p^x q^{n-x}$은 각 경우의 확률이다.

예		
확률변수 X	한 개의 주사위를 세 번 던질 때, 2의 눈이 나오는 횟수 X $\llcorner\!\rightarrow n=3$	

X의 확률질량함수

1회의 시행에서 2의 눈이 나올 확률은 $\dfrac{1}{6}$, 나오지 않을 확률은 $\dfrac{5}{6}$이므로 $\left(p=\dfrac{1}{6} \right)$

$$\mathrm{P}(X=x)={}_3\mathrm{C}_x \left(\frac{1}{6} \right)^x \left(\frac{5}{6} \right)^{3-x} (x=0, 1, 2, 3)$$

X가 각 값을 가질 확률

$$\mathrm{P}(X=0)={}_3\mathrm{C}_0 \left(\frac{5}{6} \right)^3, \ \mathrm{P}(X=1)={}_3\mathrm{C}_1 \left(\frac{1}{6} \right)^1 \left(\frac{5}{6} \right)^2,$$

$$\mathrm{P}(X=2)={}_3\mathrm{C}_2 \left(\frac{1}{6} \right)^2 \left(\frac{5}{6} \right)^1, \ \mathrm{P}(X=3)={}_3\mathrm{C}_3 \left(\frac{1}{6} \right)^3$$

X의 확률분포를 표로 나타내기

X	0	1	2	3	합계
$\mathrm{P}(X=x)$	${}_3\mathrm{C}_0 \left(\frac{5}{6} \right)^3$	${}_3\mathrm{C}_1 \left(\frac{1}{6} \right)^1 \left(\frac{5}{6} \right)^2$	${}_3\mathrm{C}_2 \left(\frac{1}{6} \right)^2 \left(\frac{5}{6} \right)^1$	${}_3\mathrm{C}_3 \left(\frac{1}{6} \right)^3$	1

➡ $n=3$, $p=\dfrac{1}{6}$이므로 X는 이항분포 $\mathrm{B}\left(3, \dfrac{1}{6} \right)$을 따른다.

Lecture

독립시행이 주어지면 이항분포를 생각한다.

➡ 시행 횟수가 n, 사건 A가 일어날 확률이 p이면 $\mathrm{B}(n, p)$

| 정답과 해설 29쪽 |

개념 확인 1 다음 확률변수 X의 확률분포를 $\mathrm{B}(n, p)$ 꼴로 나타내시오.

(1) 한 개의 동전을 10번 던질 때, 앞면이 나오는 횟수 X

(2) 한 개의 주사위를 100번 던질 때, 홀수의 눈이 나오는 횟수 X

개념 02 이항분포의 평균, 분산, 표준편차

확률변수 X가 이항분포 $B(n, p)$를 따를 때 (단, $q=1-p$)

(1) 평균: $E(X)=np$

(2) 분산: $V(X)=npq$

(3) 표준편차: $\sigma(X)=\sqrt{npq}$

예

확률변수 X가 이항분포 $B(3, p)$를 따를 때, X의 평균, 분산, 표준편차를 각각 구해 보자.

X의 확률분포를 표로 나타내면 다음과 같다. (단, $q=1-p$)

X	0	1	2	3	합계
$P(X=x)$	q^3	$3pq^2$	$3p^2q$	p^3	1

$$\therefore E(X)=0 \times q^3+1 \times 3pq^2+2 \times 3p^2q+3 \times p^3$$
$$=3p\underbrace{(q+p)^2}_{q+p=1}$$
$$=3p$$

$$V(X)=E(X^2)-\{E(X)\}^2$$
$$=0^2 \times q^3+1^2 \times 3pq^2+2^2 \times 3p^2q+3^2 \times p^3-(3p)^2$$
$$=3p\{\underbrace{(q+p)}_{q+p=1}(q+3p)-3p\}$$
$$=3pq$$

$$\sigma(X)=\sqrt{V(X)}=\sqrt{3pq}$$

Lecture

$$B(\boldsymbol{n}, \boldsymbol{p}) \Rightarrow \begin{cases} E(X)=\boxed{np} \\ V(X)=\boxed{npq} \text{(단, } q=1-p) \\ \sigma(X)=\sqrt{\boxed{npq}} \end{cases}$$

시행 횟수 ┘ └ 확률

| 정답과 해설 29쪽 |

개념 확인 2 확률변수 X가 다음과 같은 이항분포를 따를 때, X의 평균, 분산, 표준편차를 각각 구하시오.

(1) $B\left(100, \dfrac{1}{2}\right)$

(2) $B\left(18, \dfrac{1}{3}\right)$

개념 **03** 큰수의 법칙

어떤 시행에서 사건 A가 일어날 수학적 확률이 p일 때, n회의 독립시행에서 사건 A가 일어나는 횟수를 확률변수 X라 하면 임의의 양수 h에 대하여 n이 커짐에 따라 확률 $\mathrm{P}\left(\left|\dfrac{X}{n}-p\right|<h\right)$는 점점 1에 가까워진다. 이것을 큰수의 법칙이라 한다.

> **참고** 큰수의 법칙에 의하면 시행 횟수가 충분히 클 때, 통계적 확률은 수학적 확률에 가까워짐을 알 수 있다. 따라서 자연 현상이나 사회 현상에서 수학적 확률을 구하기 곤란한 경우 통계적 확률을 대신 사용할 수 있다.

설명

한 개의 주사위를 n회 던지는 시행에서 1의 눈이 나오는 횟수를 확률변수 X라 하면 X는 이항분포 $\mathrm{B}\left(n, \dfrac{1}{6}\right)$을 따른다. 이때, 확률변수 X의 확률질량함수는

$$\mathrm{P}(X=x)={}_n\mathrm{C}_x\left(\dfrac{1}{6}\right)^x\left(\dfrac{5}{6}\right)^{n-x}\ (x=0,\ 1,\ 2,\ \cdots,\ n)$$

$n=10,\ 30,\ 50$일 때, X가 각 값을 가질 확률을 표로 나타내면 오른쪽과 같고 상대도수 $\dfrac{X}{n}$와 $\dfrac{1}{6}$의 차가 0.1보다 작게 될 확률 $\mathrm{P}\left(\left|\dfrac{X}{n}-\dfrac{1}{6}\right|<0.1\right)$을 시행 횟수 n에 따라 표를 이용하여 구하면 다음과 같다.

X \ n	10	30	50
0	0.162	0.004	0.000
1	0.323	0.025	0.001
2	0.291	0.073	0.005
3	0.155	0.137	0.017
4	0.054	0.185	0.040
5	0.013	0.192	0.075
6	0.002	0.160	0.112
7	0.000	0.110	0.140
8		0.063	0.151
9		0.031	0.141
10		0.013	0.116
11		0.005	0.084
12		0.001	0.055
13		0.000	0.032
14			0.017
15			0.008
16			0.004
17			0.001
18			0.001
19			0.000

(i) $n=10$일 때

$$\mathrm{P}\left(\left|\dfrac{X}{10}-\dfrac{1}{6}\right|<0.1\right)$$
$$=\mathrm{P}\left(\dfrac{2}{3}<X<\dfrac{8}{3}\right)$$
$$=\mathrm{P}(X=1)+\mathrm{P}(X=2)$$
$$=0.614$$

(ii) $n=30$일 때

$$\mathrm{P}\left(\left|\dfrac{X}{30}-\dfrac{1}{6}\right|<0.1\right)$$
$$=\mathrm{P}(2<X<8)$$
$$=\mathrm{P}(X=3)+\mathrm{P}(X=4)+\cdots+\mathrm{P}(X=7)$$
$$=0.784$$

(iii) $n=50$일 때

$$\mathrm{P}\left(\left|\dfrac{X}{50}-\dfrac{1}{6}\right|<0.1\right)$$
$$=\mathrm{P}\left(\dfrac{10}{3}<X<\dfrac{40}{3}\right)$$
$$=\mathrm{P}(X=4)+\mathrm{P}(X=5)+\cdots+\mathrm{P}(X=13)$$
$$=0.946$$

이로부터 확률 $\mathrm{P}\left(\left|\dfrac{X}{n}-\dfrac{1}{6}\right|<0.1\right)$은 시행 횟수 n이 커짐에 따라 점점 1에 가까워짐을 알 수 있다. 이러한 결과는 0.1 대신 0.01, 0.001, $\cdots$과 같이 더 작은 값을 대입하여도 마찬가지이다.

따라서 주사위를 던지는 시행 횟수 n이 커질수록 1의 눈이 나올 상대도수 $\dfrac{X}{n}$는 점점 1의 눈이 나올 수학적 확률 $\dfrac{1}{6}$에 가까워짐을 알 수 있다.

4 확률분포

개념 check

1-1 서로 다른 두 개의 동전을 동시에 던지는 시행을 4회 반복할 때, 두 개 모두 앞면이 나오는 횟수를 확률변수 X라 하자. 다음을 구하시오.

(1) X의 확률질량함수

(2) $\mathrm{P}(X=2)$

〔연구〕 (1) 두 개의 동전을 동시에 던지는 시행을 4회 반복하므로 4회의 독립시행이고, 1회의 시행에서 두 개 모두 앞면이 나올 확률은 $\boxed{}$ 이므로 확률변수 X는

이항분포 $\mathrm{B}\!\left(\boxed{},\ \boxed{}\right)$ 을 따른다.

따라서 X의 확률질량함수는

$\mathrm{P}(X=x)={}_{\boxed{}}\mathrm{C}_x\!\left(\boxed{}\right)^{x}\!\left(\boxed{}\right)^{\boxed{}-x}$

$(x=0,\ 1,\ 2,\ 3,\ 4)$

(2) $\mathrm{P}(X=2)={}_4\mathrm{C}_{\boxed{}}\!\left(\boxed{}\right)^{2}\!\left(\boxed{}\right)^{2}$

$=\boxed{}$

스스로 check

1-2 한 개의 주사위를 4번 던질 때, 5의 눈이 나오는 횟수를 확률변수 X라 하자. 다음을 구하시오.

(1) X의 확률질량함수

(2) $\mathrm{P}(X=1)$

2-1 확률변수 X의 확률질량함수가

$$\mathrm{P}(X=x)={}_3\mathrm{C}_x\!\left(\frac{1}{2}\right)^{x}\!\left(\frac{1}{2}\right)^{3-x}\ (x=0,\ 1,\ 2,\ 3)$$

일 때, X의 평균, 분산, 표준편차를 각각 구하시오.

〔연구〕 확률변수 X는 이항분포 $\mathrm{B}\!\left(\boxed{},\ \frac{1}{2}\right)$ 을 따르므로

$\mathrm{E}(X)=\boxed{}\times\dfrac{1}{2}=\boxed{}$

$\mathrm{V}(X)=\boxed{}\times\dfrac{1}{2}\times\boxed{}=\dfrac{3}{4}$

$\sigma(X)=\sqrt{\mathrm{V}(X)}=\sqrt{\dfrac{3}{4}}=\dfrac{\sqrt{3}}{2}$

2-2 확률변수 X의 확률질량함수가

$$\mathrm{P}(X=x)={}_{10}\mathrm{C}_x\!\left(\frac{1}{3}\right)^{x}\!\left(\frac{2}{3}\right)^{10-x}$$

$(x=0,\ 1,\ 2,\ \cdots,\ 10)$

일 때, 다음을 구하시오.

(1) $\mathrm{E}(X)$

(2) $\mathrm{V}(X)$

(3) $\sigma(X)$

대표 유형 01 이항분포와 확률

↱ 유형 해결의 법칙 70쪽 유형 09

> 한 개의 주사위를 5번 던질 때, 3의 배수의 눈이 나오는 횟수를 확률변수 X라 하자. 이때, $P(X \le 4)$를 구하시오.

풀이

❶ X의 확률분포를 $B(n, p)$ 꼴로 나타내기

한 개의 주사위를 5번 던지므로 5회의 독립시행이고, 1회의 시행에서 3의 배수의 눈이

나올 확률은 $\dfrac{1}{3}$이므로 확률변수 X는 이항분포 $B\left(5, \dfrac{1}{3}\right)$을 따른다.

❷ X의 확률질량함수 구하기

따라서 X의 확률질량함수는

$$P(X=x) = {}_5C_x \left(\dfrac{1}{3}\right)^x \left(\dfrac{2}{3}\right)^{5-x} (x=0, 1, 2, \cdots, 5)$$

❸ $P(X \le 4) = 1 - P(X > 4)$임을 이용하여 $P(X \le 4)$ 구하기

$$\begin{aligned}
\therefore P(X \le 4) &= 1 - P(X > 4) \\
&= 1 - P(X=5) \\
&= 1 - {}_5C_5 \left(\dfrac{1}{3}\right)^5 \\
&= 1 - \dfrac{1}{243} = \dfrac{242}{243}
\end{aligned}$$

🈳 $\dfrac{242}{243}$

> **해법** 확률변수 X가 이항분포 $B(n, p)$를 따를 때, X의 확률질량함수는
> ➡ $P(X=x) = {}_nC_x \, p^x (1-p)^{n-x}$ (단, $x=0, 1, 2, \cdots, n$)

| 정답과 해설 30쪽 |

01-1 확률변수 X가 이항분포 $B\left(6, \dfrac{1}{2}\right)$을 따를 때, $P(X \ge 2)$를 구하시오.

01-2 어느 야구 선수가 한 번 타석에 들어섰을 때, 안타를 칠 확률이 0.3이라 한다. 이 선수가 4번의 타석에서 3번 이상 안타를 칠 확률을 구하시오.

대표 유형 **02** **이항분포의 평균, 분산, 표준편차 – 이항분포가 주어진 경우** 🔁 유형 해결의 법칙 71쪽 유형 10, 11

이항분포 $B(n, p)$를 따르는 확률변수 X의 평균이 5, 분산이 $\dfrac{5}{2}$일 때, $P(X=1)$을 구하시오.

풀이

❶ $E(X)=np$,
$V(X)=np(1-p)$임을
이용하여 식 세우기

$E(X)=5$, $V(X)=\dfrac{5}{2}$이므로

$E(X)=np=5$ ······㉠

$V(X)=np(1-p)=\dfrac{5}{2}$ ······㉡

❷ p의 값 구하기

㉠을 ㉡에 대입하면 $5(1-p)=\dfrac{5}{2}$

$1-p=\dfrac{1}{2}$ $\therefore p=\dfrac{1}{2}$

❸ n의 값 구하기

$p=\dfrac{1}{2}$을 ㉠에 대입하면 $\dfrac{1}{2}n=5$ $\therefore n=10$

❹ $P(X=1)$ 구하기

따라서 확률변수 X는 이항분포 $B\left(10, \dfrac{1}{2}\right)$을 따르므로 X의 확률질량함수는

$P(X=x)={}_{10}C_x\left(\dfrac{1}{2}\right)^{x}\left(\dfrac{1}{2}\right)^{10-x}$ $(x=0, 1, 2, \cdots, 10)$

$\therefore P(X=1)={}_{10}C_1\left(\dfrac{1}{2}\right)^{1}\left(\dfrac{1}{2}\right)^{9}=\dfrac{5}{512}$

답 $\dfrac{5}{512}$

해법 확률변수 X가 이항분포 $B(n, p)$를 따를 때
➡ $E(X)=np$, $V(X)=np(1-p)$, $\sigma(X)=\sqrt{np(1-p)}$

| 정답과 해설 30쪽 |

02-1 이항분포 $B\left(n, \dfrac{1}{3}\right)$을 따르는 확률변수 X의 평균이 2일 때, $V(X)$를 구하시오.

02-2 확률변수 X의 확률질량함수가

$P(X=x)={}_{10}C_x\left(\dfrac{1}{5}\right)^{x}\left(\dfrac{4}{5}\right)^{10-x}$ $(x=0, 1, 2, \cdots, 10)$

일 때, $E(X^2)$을 구하시오.

대표 유형 **03** **이항분포의 평균, 분산, 표준편차 – 이항분포가 주어지지 않은 경우** ⟳ 유형 해결의 법칙 72쪽 유형 12

흰 공 4개와 검은 공 4개가 들어 있는 상자에서 임의로 한 개의 공을 꺼내어 색을 확인한 후 다시 넣기를 20번 반복할 때, 흰 공이 나오는 횟수를 확률변수 X라 하자. 이때, $E(X)+V(X)$의 값을 구하시오.

풀이

① X의 확률분포를 $B(n, p)$ 꼴로 나타내기

한 개의 공을 꺼내어 색을 확인한 후 다시 넣기를 20번 반복하므로 20회의 독립시행이고, 1회의 시행에서 흰 공이 나올 확률은 $\dfrac{1}{2}$이므로 확률변수 X는 이항분포 $B\left(20, \dfrac{1}{2}\right)$을 따른다.

② $E(X)$ 구하기

$$E(X)=20\times\dfrac{1}{2}=10$$

③ $V(X)$ 구하기

$$V(X)=20\times\dfrac{1}{2}\times\dfrac{1}{2}=5$$

④ $E(X)+V(X)$의 값 구하기

$$\therefore\ E(X)+V(X)=10+5=15$$

🔲 15

해법 **이항분포가 주어지지 않은 이항분포의 평균, 분산, 표준편차**

① 확률변수 X의 확률이 독립시행의 확률로 나타내어지면 X는 이항분포를 따르므로 시행 횟수 n과 1회의 시행에서 어떤 사건이 일어날 확률 p를 구하여 $B(n, p)$로 나타낸다.

② $E(X)=np$, $V(X)=np(1-p)$, $\sigma(X)=\sqrt{np(1-p)}$임을 이용한다.

| 정답과 해설 30쪽 |

03-1 농구 선수인 동훈이의 자유투 성공률은 80 %라 한다. 동훈이가 자유투를 50번 던질 때, 성공하는 횟수를 확률변수 X라 하자. 이때, X의 평균과 분산을 각각 구하시오.

03-2 인터넷으로 주문을 받는 어느 홈쇼핑의 구매 취소율은 10 %라 한다. 어느 날 이 홈쇼핑의 주문자가 300명일 때, 이 중 구매를 취소하는 사람 수를 확률변수 X라 하자. 이때, X의 평균과 분산을 각각 구하시오.

4 확률분포

대표 유형 **04** **확률변수의 성질을 이용한 이항분포의 평균, 분산, 표준편차** ↻ 유형 해결의 법칙 73쪽 유형 13

> 어느 공장에서 생산하는 제품의 불량률이 10%라 할 때, 이 공장에서 생산한 100개의 제품 중 불량품의 개수를 확률변수 X라 하자. 이때, 확률변수 $Y=2X+1$의 평균과 분산을 각각 구하시오.

풀이

 ❶ X의 확률분포를 $\mathrm{B}(n,p)$ 꼴로 나타내기

100개의 제품을 생산하므로 100회의 독립시행이고, 이 공장에서 생산된 제품 1개가 불량품일 확률은 $\dfrac{1}{10}$이므로 확률변수 X는 이항분포 $\mathrm{B}\left(100, \dfrac{1}{10}\right)$을 따른다.

❷ $\mathrm{E}(X), \mathrm{V}(X)$ 구하기

$\mathrm{E}(X)=100\times\dfrac{1}{10}=10$

$\mathrm{V}(X)=100\times\dfrac{1}{10}\times\dfrac{9}{10}=9$

❸ $\mathrm{E}(Y), \mathrm{V}(Y)$ 구하기

$\therefore \mathrm{E}(Y)=\mathrm{E}(2X+1)=2\mathrm{E}(X)+1=2\times10+1=21$

$\mathrm{V}(Y)=\mathrm{V}(2X+1)=2^2\mathrm{V}(X)=4\times9=36$

> $\mathrm{E}(aX+b)=a\mathrm{E}(X)+b,$
> $\mathrm{V}(aX+b)=a^2\mathrm{V}(X)$
> 임을 이용해.

🖉 $\mathrm{E}(Y)=21, \mathrm{V}(Y)=36$

해법 **확률변수 X가 이항분포를 따를 때, 확률변수 $aX+b$의 평균, 분산, 표준편차**
❶ 확률변수 X가 따르는 이항분포를 구한다. ➡ $\mathrm{B}(n, p)$
❷ X의 평균, 분산, 표준편차를 구한다.
　➡ $\mathrm{E}(X)=np$, $\mathrm{V}(X)=np(1-p)$, $\sigma(X)=\sqrt{np(1-p)}$
❸ $aX+b$ (a, b는 상수, $a\ne0$)의 평균, 분산, 표준편차를 구한다.
　➡ $\mathrm{E}(aX+b)=a\mathrm{E}(X)+b$, $\mathrm{V}(aX+b)=a^2\mathrm{V}(X)$, $\sigma(aX+b)=|a|\sigma(X)$

| 정답과 해설 31쪽 |

04-1 어느 식당에서 라면을 주문하는 손님의 비율이 전체의 40%라 한다. 이 식당을 찾은 200명의 손님 중 라면을 주문하는 손님의 수를 확률변수 X라 할 때, $\mathrm{V}(3X+5)$를 구하시오.

04-2 민호와 재율이가 가위바위보를 15번 할 때, 민호가 재율이를 이기는 횟수를 확률변수 X라 하자. $\mathrm{E}(2X+k)=50$일 때, 상수 k의 값을 구하시오.

1-1 확률변수 X의 확률질량함수가

$$P(X=x)=\frac{2x+k}{12} \ (x=0, 1, 2)$$

일 때, $P(X=1)$을 구하시오. (단, k는 상수)

1-2 확률변수 X의 확률질량함수가

$$P(X=x)=\begin{cases} k-\dfrac{x}{2} & (x=-1, 0) \\ k+\dfrac{x}{10} & (x=1, 2) \end{cases}$$

일 때, 상수 k의 값을 구하시오.

2-1 확률변수 X의 확률분포를 표로 나타내면 다음과 같다. $P(X \geq 3)=c$일 때, $a+b+c$의 값을 구하시오. (단, a, b, c는 상수)

X	1	2	3	4	합계
$P(X=x)$	$\frac{1}{8}$	$\frac{1}{2}$	a	$\frac{1}{8}$	b

2-2 확률변수 X의 확률분포를 표로 나타내면 다음과 같을 때, $P(X^2 < a^2)$을 구하시오. (단, a는 실수)

X	-1	0	1	합계
$P(X=x)$	$\frac{1}{6}a$	$a^2+\frac{1}{2}a$	$\frac{2}{3}$	1

3-1 0, 1, 2, 3의 숫자가 각각 하나씩 적힌 4장의 카드 중에서 임의로 2장을 동시에 뽑을 때, 나오는 두 수의 합을 확률변수 X라 하자. 이때, $P(|X-1| \leq 1)$을 구하시오.

3-2 동물 인형 3개, 로봇 인형 5개가 들어 있는 상자에서 임의로 3개의 인형을 동시에 꺼낼 때, 나오는 동물 인형의 개수를 확률변수 X라 하자. $P(X \geq k)=\frac{2}{7}$일 때, 자연수 k의 값을 구하시오.

4-1 확률변수 X의 확률분포를 표로 나타내면 다음과 같다. $P(0 \leq X \leq 2)=\frac{5}{6}$일 때, $E(X)$를 구하시오. (단, a는 상수)

X	-1	0	1	2	합계
$P(X=x)$	$\frac{2-a}{6}$	$\frac{1}{6}$	$\frac{2+a}{6}$	$\frac{1}{6}$	1

4-2 확률변수 X의 확률분포를 표로 나타내면 다음과 같다. $P(0 \leq X \leq 1)=\frac{5}{8}$일 때, $V(X)$를 구하시오. (단, a는 상수)

X	0	1	2	합계
$P(X=x)$	$\frac{2-a}{8}$	$\frac{1}{2}$	$\frac{2+a}{8}$	1

유형 확인

5-1 볼펜 6자루와 연필 4자루가 들어 있는 필통에서 임의로 2자루를 동시에 꺼낼 때, 나오는 연필의 개수를 확률변수 X라 하자. X의 분산을 $\dfrac{q}{p}$라 할 때, $p-q$의 값을 구하시오.

(단, p, q는 서로소인 자연수)

한번 더 확인

5-2 1, 2, 3, 4의 숫자가 각각 하나씩 적힌 4장의 카드가 들어 있는 주머니가 있다. 이 주머니에서 임의로 1장의 카드를 꺼내어 적힌 수를 확인하고 넣은 후, 다시 임의로 카드를 1장 꺼내어 적힌 수를 확인할 때, 차례대로 꺼낸 2장의 카드에 적힌 두 수 중 크지 않은 수를 확률변수 X라 하자. 이때, $\mathrm{E}(X)$를 구하시오.

6-1 주머니 속에 50원짜리 동전이 1개, 100원짜리 동전이 3개 들어 있다. 이 주머니에서 두 개의 동전을 동시에 꺼내어 나온 금액의 합계를 확률변수 X라 할 때, X의 기댓값을 구하시오.

6-2 한 개의 동전을 던져서 앞면이 나오면 동전의 금액의 2배를 받고, 뒷면이 나오면 동전의 금액만큼 벌금으로 내는 게임을 하였다. 100원짜리 동전 한 개를 두 번 던져서 받을 수 있는 금액의 기댓값을 구하시오.

7-1 평균이 1, 분산이 2인 확률변수 X에 대하여 $\mathrm{E}(aX+b)=3$, $\mathrm{V}(aX+b)=8$일 때, $a+b$의 값을 구하시오. (단, a, b는 상수, $a>0$)

7-2 확률변수 X의 확률분포를 표로 나타내면 다음과 같다. $\mathrm{E}(X)=\dfrac{5}{2}$일 때, $\sigma\!\left(\dfrac{1}{a}X\right)$를 구하시오.

(단, a, b는 상수)

X	1	2	3	4	합계
$\mathrm{P}(X=x)$	$\dfrac{1}{8}$	a	$\dfrac{3}{8}$	b	1

8-1 1개의 불량품이 포함된 5개의 제품이 들어 있는 상자에서 임의로 2개의 제품을 동시에 꺼낼 때, 나오는 불량품의 개수를 확률변수 X라 하자. 이때, $\sigma(5X)$를 구하시오.

8-2 1이 적힌 구슬이 1개, 2가 적힌 구슬이 2개, 3이 적힌 구슬이 3개, 4가 적힌 구슬이 4개 들어 있는 주머니가 있다. 이 주머니에서 임의로 한 개의 구슬을 꺼낼 때, 그 구슬에 적힌 수를 확률변수 X라 하자. 이때, 확률변수 $5X+2$의 평균을 구하시오.

9-1 서로 다른 2개의 동전을 동시에 던지는 시행을 4번 반복할 때, 앞면과 뒷면이 한 개씩 나오는 횟수를 확률변수 X라 하자. 이때, $P(X \geq 1)$은?

① $\dfrac{1}{16}$ ② $\dfrac{3}{8}$ ③ $\dfrac{1}{2}$

④ $\dfrac{5}{8}$ ⑤ $\dfrac{15}{16}$

10-1 확률변수 X가 이항분포 $B\left(25, \dfrac{1}{5}\right)$을 따를 때, $E(X^2)$은?

① 26   ② 27   ③ 28

④ 29   ⑤ 30

11-1 완치율이 90 %인 암 치료제로 100명의 환자를 치료했을 때, 완치되는 환자의 수를 확률변수 X라 하자. 이때, X의 표준편차를 구하시오.

12-1 어느 공장에서 생산된 제품 중에서 5 %는 불량품이라 한다. 이 공장에서 생산된 제품 중에서 임의로 100개의 제품을 택할 때, 나오는 불량품의 개수를 확률변수 X라 하자. 이때, $E(4X^2)$을 구하시오.

9-2 어느 운동화 회사에서 흰색과 검은색의 2가지 색상으로 신제품을 출시하였는데, 3명 중 2명 꼴로 흰색 운동화를 구입한다고 한다. 어느 날 이 제품을 구입한 고객 5명 중 검은색 운동화를 구입한 고객의 수를 확률변수 X라 할 때, $P(X \leq 3)$은?

① $\dfrac{208}{243}$ ② $\dfrac{214}{243}$ ③ $\dfrac{220}{243}$

④ $\dfrac{226}{243}$ ⑤ $\dfrac{232}{243}$

10-2 확률변수 X가 이항분포 $B(n, p)$를 따르고 평균이 $\dfrac{1}{2}$, 분산이 $\dfrac{9}{20}$일 때, $\dfrac{P(X=2)}{P(X=3)}$의 값을 구하시오.

11-2 서로 다른 3개의 동전을 동시에 던지는 시행을 384번 반복할 때, 앞면이 1개, 뒷면이 2개 나오는 횟수를 확률변수 X라 하자. 이때, X의 표준편차를 구하시오.

창의·융합

12-2 어느 항공사의 항공권을 예약한 사람들의 탑승률은 90 %라 한다. 이 항공사의 항공권을 예약한 100명의 사람 중 비행기를 타지 않은 사람의 수를 확률변수 X라 할 때, $E(2X^2 + 2)$는?

① 210   ② 220   ③ 230

④ 240   ⑤ 250

4 확률분포

5 정규분포

이 단원에서는 무엇을 공부해요?

확률변수가 연속적인 값을 가지는 연속확률변수와 그 확률분포에 대해 배울 거야. 대표적인 것으로 정규분포를 배우고, 이항분포와 정규분포의 관계도 알아볼 거란다.

우와, 많은 것을 배우네요! 무슨 내용인지 빨리 배우고 싶어요.

개념 & 유형 map

1. 확률밀도함수

| 개념 01 | 연속확률변수와 확률밀도함수 | 유형 01 | 연속확률변수와 확률밀도함수 |
| | | 유형 02 | 확률밀도함수를 이용하여 확률 구하기 |

2. 정규분포

개념 01	정규분포	유형 01	정규분포 곡선의 성질
개념 02	정규분포 곡선의 성질		
개념 03	표준정규분포	유형 02	표준정규분포에서 확률 구하기
개념 04	정규분포의 표준화	유형 03	정규분포의 활용 – 확률 구하기
		유형 04	정규분포의 활용 – 도수 구하기
		유형 05	정규분포의 활용 – 최대, 최소를 만족시키는 값 구하기
개념 05	이항분포와 정규분포의 관계	유형 06	이항분포와 정규분포의 관계
		유형 07	이항분포와 정규분포의 관계의 활용 – 확률 구하기

1 확률밀도함수

개념 01 연속확률변수와 확률밀도함수

1 연속확률변수

확률변수 X가 어떤 범위에 속하는 모든 실수의 값을 가질 때, X를 연속확률변수라 한다.

2 확률밀도함수 〔111쪽 원리 알아보기〕

$\alpha \leq X \leq \beta$에서 모든 실수의 값을 가지는 연속확률변수 X에 대하여 $\alpha \leq x \leq \beta$에서 정의된 함수 $f(x)$가 다음 세 가지 성질을 모두 만족시킬 때, 함수 $f(x)$를 확률변수 X의 확률밀도함수라 한다.

① $f(x) \geq 0$

② 함수 $y=f(x)$의 그래프와 x축 및 두 직선 $x=\alpha$, $x=\beta$로 둘러싸인 부분의 넓이는 1이다.

③ $P(a \leq X \leq b)$는 함수 $y=f(x)$의 그래프와 x축 및 두 직선 $x=a$, $x=b$로 둘러싸인 부분의 넓이와 같다. (단, $\alpha \leq a \leq b \leq \beta$)

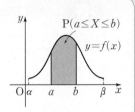

참고 연속확률변수 X가 어떤 특정한 값을 가질 확률은 0이므로
$$P(a \leq X \leq b) = P(a \leq X < b) = P(a < X \leq b) = P(a < X < b)$$
→ 특정한 값 t에 대하여 $P(X=t)=P(t \leq X \leq t)$이므로 $t \leq x \leq t$에서 함수 $y=f(x)$의 그래프와 x축 사이의 넓이는 0이 된다. 따라서 $P(X=t)=0$이다.

예 $-1 \leq x \leq 1$에서 정의된 함수 $f(x)$가 다음과 같을 때, 확률밀도함수가 될 수 있는지 알아보자.

(1) $f(x) = \dfrac{1}{2}$	(2) $f(x) = x$	(3) $f(x) = x+1$
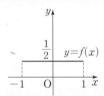	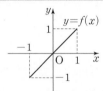	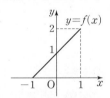
$f(x) \geq 0$이고, 함수 $y=f(x)$의 그래프와 x축 및 두 직선 $x=-1$, $x=1$로 둘러싸인 부분의 넓이가 $2 \times \dfrac{1}{2}=1$이므로 확률밀도함수가 될 수 있다.	$-1 \leq x < 0$에서 $f(x) < 0$이므로 확률밀도함수가 될 수 없다.	$f(x) \geq 0$이지만 함수 $y=f(x)$의 그래프와 x축 및 직선 $x=1$로 둘러싸인 부분의 넓이가 $\dfrac{1}{2} \times 2 \times 2 = 2$이므로 확률밀도함수가 될 수 없다.

Lecture 이산확률변수 ➡ 확률질량함수, 연속확률변수 ➡ 확률밀도함수

| 정답과 해설 36쪽 |

개념 확인 1 $0 \leq x \leq 3$에서 정의된 함수 $f(x)$가 다음과 같을 때, 확률밀도함수가 될 수 있는지 말하시오.

(1) $f(x) = \dfrac{1}{3}$ 　　　　　　　　　　　　　　(2) $f(x) = \dfrac{1}{3}x$

정적분을 이용하여 확률밀도함수 이해하기

※ 수학 Ⅱ를 이수한 학생이 학습할 수 있습니다.

$\alpha \leq X \leq \beta$에서 모든 실수의 값을 가지는 연속확률변수 X의 확률밀도함수를 $f(x)$라 하자.

이때, 연속확률변수 X가 a 이상 b 이하의 값을 가질 확률 $\mathrm{P}(a \leq X \leq b)$ $(\alpha \leq a \leq b \leq \beta)$는 확률밀도함수 $y=f(x)$의 그래프와 x축 및 두 직선 $x=a$, $x=b$로 둘러싸인 부분의 넓이이므로 정적분을 이용하여

$$\mathrm{P}(a \leq X \leq b) = \int_a^b f(x)dx$$

와 같이 나타낼 수 있다.

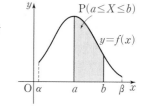

또, 확률밀도함수 $y=f(x)$에 대하여 다음이 성립한다.

(1) $f(x) \geq 0$

(2) $\displaystyle\int_\alpha^\beta f(x)dx = 1$

> **Lecture**
>
> 닫힌구간 $[\alpha, \beta]$에서 모든 실수의 값을 가지는 연속확률변수 X의 확률밀도함수 $y=f(x)$에 대하여 다음이 성립한다.
>
> ❶ $f(x) \geq 0$
>
> ❷ $\displaystyle\int_\alpha^\beta f(x)dx = 1$
>
> ❸ $\displaystyle\mathrm{P}(a \leq X \leq b) = \int_a^b f(x)dx$ (단, $\alpha \leq a \leq b \leq \beta$)

개념 확인 | 연속확률변수 X의 확률밀도함수가 $f(x)=kx$ $(0 \leq x \leq 10)$일 때, 다음을 구하시오.

(단, k는 상수)

(1) k의 값   (2) $\mathrm{P}(0 \leq X \leq 2)$

풀이   (1) 함수 $y=f(x)$의 그래프와 x축 및 직선 $x=10$으로 둘러싸인 부분의 넓이가 1이므로

$$\int_0^{10} f(x)dx = \int_0^{10} kx\, dx = k\left[\frac{1}{2}x^2\right]_0^{10}$$
$$= 50k = 1$$
$$\therefore k = \frac{1}{50}$$

(2) $\displaystyle\mathrm{P}(0 \leq X \leq 2) = \int_0^2 \frac{1}{50} x\, dx = \frac{1}{50}\left[\frac{1}{2}x^2\right]_0^2$
$$= \frac{1}{50} \times 2 = \frac{1}{25}$$

5 정규분포

개념 check

1-1 다음 확률변수가 이산확률변수인지 연속확률변수인지 말하시오.

(1) 우리 반 학생들의 키

(2) 한 개의 동전을 10번 던질 때 앞면이 나오는 횟수

(3) 놀이동산에 방문한 방문객 수

(4) 우리 집 방안의 실내 온도

〔연구〕 (2), (3) 확률변수가 가질 수 있는 값을 셀 수 있으므로 □□□□□□이다.

(1), (4) 확률변수가 어떤 범위에 속하는 모든 실수의 값을 가지므로 □□□□□□이다.

스스로 check

1-2 다음 확률변수가 이산확률변수인지 연속확률변수인지 말하시오.

(1) 한 개의 주사위를 5번 던질 때, 홀수가 나오는 횟수

(2) 우리 학교 학생들의 몸무게

(3) 우리나라에서의 한 달 동안의 강수량

(4) 10분 간격으로 운행하는 버스를 기다리는 시간

2-1 연속확률변수 X의 확률밀도함수 $f(x)$가 다음과 같을 때, $P(1 \le X \le 3)$을 구하시오.

(1) $f(x) = \dfrac{1}{5}$ $(0 \le x \le 5)$

(2) $f(x) = -\dfrac{1}{8}x + \dfrac{1}{2}$ $(0 \le x \le 4)$

〔연구〕 (1) $P(1 \le X \le 3)$은 함수 $y = f(x)$의 그래프와 x축 및 두 직선 $x = \square$, $x = \square$ 으로 둘러싸인 부분의 넓이와 같으므로

$P(1 \le X \le 3) = 2 \times \square = \square$

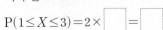

(2) $P(1 \le X \le 3)$은 함수 $y = f(x)$의 그래프와 x축 및 두 직선 $x = \square$, $x = \square$으로 둘러싸인 부분의 넓이와 같으므로

$P(1 \le X \le 3) = \dfrac{1}{2} \times \left(\square + \dfrac{1}{8} \right) \times \square = \square$

2-2 연속확률변수 X의 확률밀도함수 $f(x)$가 다음과 같을 때, $P(1 \le X \le 2)$를 구하시오.

(1) $f(x) = \dfrac{1}{2}$ $(0 \le x \le 2)$

(2) $f(x) = -\dfrac{1}{2}x + 1$ $(0 \le x \le 2)$

대표 유형 01 **연속확률변수와 확률밀도함수** 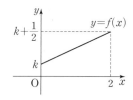 유형 해결의 법칙 83쪽 유형 01

연속확률변수 X의 확률밀도함수가 $f(x) = \dfrac{1}{4}x + k$ $(0 \le x \le 2)$일 때, 상수 k의 값을 구하시오.

풀이

❶ 확률밀도함수의 그래프 그리기

함수 $y = f(x)$의 그래프는 오른쪽 그림과 같다.

❷ $y = f(x)$의 그래프와 x축 및 두 직선 $x = 0$, $x = 2$로 둘러싸인 부분의 넓이가 1임을 이용하여 k의 값 구하기

함수 $y = f(x)$의 그래프와 x축 및 두 직선 $x = 0$, $x = 2$로 둘러싸인 부분의 넓이가 1이므로

$$\dfrac{1}{2} \times \left(k + k + \dfrac{1}{2}\right) \times 2 = 1, \; 2k = \dfrac{1}{2}$$

$$\therefore k = \dfrac{1}{4}$$

답 $\dfrac{1}{4}$

해법 연속확률변수 X의 확률밀도함수가 $f(x)$ $(\alpha \le x \le \beta)$일 때
➡ $y = f(x)$의 그래프와 x축 및 두 직선 $x = \alpha$, $x = \beta$로 둘러싸인 부분의 넓이가 1이다.

| 정답과 해설 36쪽 |

01-1 연속확률변수 X의 확률밀도함수 $y = f(x)$ $(0 \le x \le 2)$의 그래프가 오른쪽 그림과 같을 때, 실수 k의 값을 구하시오.

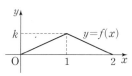

01-2 연속확률변수 X의 확률밀도함수가 $f(x) = \begin{cases} \dfrac{1}{2} & (-1 \le x \le 0) \\ \dfrac{1}{2} - kx & (0 \le x \le 2) \end{cases}$ 일 때, 상수 k의 값을 구하시오.

5 정규분포

대표 유형 **02** 확률밀도함수를 이용하여 확률 구하기

○ 유형 해결의 법칙 83쪽 유형 02

연속확률변수 X의 확률밀도함수가 $f(x)=\begin{cases} k & (0\leq x\leq 2) \\ k(3-x) & (2\leq x\leq 3) \end{cases}$ 일 때, $\mathrm{P}(1\leq X\leq 3)$을 구하시오.

(단, k는 상수)

풀이

❶ 확률밀도함수의 그래프 그리기

함수 $y=f(x)$의 그래프는 오른쪽 그림과 같다.

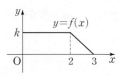

❷ $y=f(x)$의 그래프와 x축 및 직선 $x=0$으로 둘러싸인 부분의 넓이가 1임을 이용하여 k의 값 구하기

함수 $y=f(x)$의 그래프와 x축 및 직선 $x=0$으로 둘러싸인 부분의 넓이가 1이므로

$2\times k+\dfrac{1}{2}\times 1\times k=1$, $\dfrac{5}{2}k=1$

$\therefore k=\dfrac{2}{5}$

❸ $\mathrm{P}(1\leq X\leq 3)$ 구하기

이때, $\mathrm{P}(1\leq X\leq 3)$은 오른쪽 그림의 색칠한 부분의 넓이와 같으므로

$\mathrm{P}(1\leq X\leq 3)=1\times\dfrac{2}{5}+\dfrac{1}{2}\times 1\times\dfrac{2}{5}=\dfrac{2}{5}+\dfrac{1}{5}=\dfrac{3}{5}$

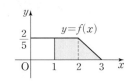

답 $\dfrac{3}{5}$

다른 풀이

$\mathrm{P}(1\leq X\leq 3)=1-\mathrm{P}(0\leq X\leq 1)=1-1\times\dfrac{2}{5}=\dfrac{3}{5}$

해법 연속확률변수 X의 확률밀도함수가 $f(x)$ $(\alpha\leq x\leq\beta)$일 때

➡ $\mathrm{P}(a\leq X\leq b)$는 $y=f(x)$의 그래프와 x축 및 두 직선 $x=a$, $x=b$로 둘러싸인 부분의 넓이와 같다.

(단, $\alpha\leq a\leq b\leq\beta$)

| 정답과 해설 36쪽 |

02-1 연속확률변수 X의 확률밀도함수 $y=f(x)$ $(0\leq x\leq 5)$의 그래프가 오른쪽 그림과 같을 때, $\mathrm{P}(1\leq X\leq 3)$을 구하시오.

02-2 연속확률변수 X의 확률밀도함수가 $f(x)=k(2-x)$ $(0\leq x\leq 2)$일 때, $\mathrm{P}(0\leq X\leq 1)$을 구하시오. (단, k는 상수)

2 정규분포

개념 01 정규분포

(1) 연속확률변수 X가 모든 실수의 값을 가지고, 그 확률밀도함수 $f(x)$가 두 상수 m, $\sigma\,(\sigma>0)$에 대하여

$$f(x)=\frac{1}{\sqrt{2\pi}\sigma}e^{-\frac{(x-m)^2}{2\sigma^2}}\ (x\text{는 모든 실수})$$

일 때, X의 확률분포를 정규분포라 한다. 이때, 확률밀도함수 $f(x)$의 그래프는 오른쪽 그림과 같고, 이 곡선을 정규분포 곡선이라 한다.

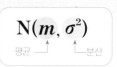

참고 e는 $2.718281\cdots$인 무리수이고, m과 σ는 각각 확률변수 X의 평균과 표준편차임이 알려져 있다.

(2) 평균이 m이고 표준편차가 σ인 정규분포를 기호로 $N(m,\ \sigma^2)$과 같이 나타내고, 이때 확률변수 X는 정규분포 $N(m,\ \sigma^2)$을 따른다고 한다.

$$N(m,\ \sigma^2)$$
평균 ⌐ └ 분산

참고 $N(m,\ \sigma^2)$에서 N은 정규분포를 뜻하는 'Normal distribution'의 첫 글자이다.

설명 강수량, 키, 몸무게 등과 같은 자연 현상이나 사회 현상을 관찰하여 얻은 자료를 정리하여 히스토그램이나 도수분포다각형으로 나타내면 자료의 개수가 많을수록 다음 그림과 같이 좌우 대칭인 종 모양의 곡선에 가까워지는 경우가 많다.

 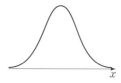

Lecture
평균이 m, 표준편차가 σ인 정규분포
➡ $N(m,\ \sigma^2)$

| 정답과 해설 37쪽 |

개념 확인 1 확률변수 X에 대하여 $E(X)=15$, $\sigma(X)=7$일 때, X가 따르는 정규분포를 기호로 나타내시오.

개념 확인 2 확률변수 X에 대하여 $E(X)=10$, $V(X)=25$일 때, X가 따르는 정규분포를 기호로 나타내시오.

5 | 정규분포

개념 02 정규분포 곡선의 성질

정규분포 $N(m, \sigma^2)$을 따르는 확률변수 X의 정규분포 곡선의 성질은 다음과 같다.

(1) 직선 $x=m$에 대하여 대칭인 종 모양의 곡선이다.

(2) 곡선과 x축 사이의 넓이는 1이다.

(3) x축을 점근선으로 하며, $x=m$일 때 최댓값을 갖는다. $\frac{1}{\sqrt{2\pi}\sigma}$

(4) m의 값이 일정할 때, σ의 값이 커지면 곡선의 가운데 부분이 낮아지면서 양쪽으로 퍼지고, σ의 값이 작아지면 곡선의 가운데 부분이 높아지면서 뾰족해진다.

(5) σ의 값이 일정할 때, m의 값에 따라 대칭축의 위치는 바뀌지만 곡선의 모양은 같다.

참고 표준편차 σ의 값이 작을수록 평균 근처에 변량들이 많이 모여 있으므로 '분포가 더 고르다'라는 표현을 사용한다.

설명 정규분포 곡선은 평균 m과 표준편차 σ의 값에 따라 대칭축의 위치와 모양이 정해진다.

m의 값이 일정할 때$(\sigma_1<\sigma_2<\sigma_3)$	σ의 값이 일정할 때$(m_1<m_2<m_3)$
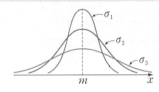	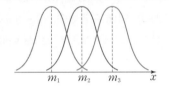
σ의 값이 커지면 곡선의 가운데 부분이 낮아지면서 양쪽으로 퍼지고, σ의 값이 작아지면 곡선의 가운데 부분이 높아지면서 뾰족해진다. ➡ 대칭축의 위치는 같고, 곡선 모양은 변한다.	m의 값이 커지면 대칭축이 오른쪽으로 이동하고, m의 값이 작아지면 대칭축이 왼쪽으로 이동한다. ➡ 곡선 모양은 같고, 대칭축의 위치는 변한다.

Lecture 정규분포 곡선
➡ 대칭축의 방정식이 $x=$(평균)인 종 모양의 곡선

| 정답과 해설 37쪽 |

개념 확인 3 다음은 정규분포 $N(m, \sigma^2)$을 따르는 확률변수 X의 정규분포 곡선에 대한 설명이다. (   ) 안의 (개), (내) 중에서 알맞은 것을 고르시오.

(1) m의 값이 일정할 때, σ의 값이 ((개) 커지면 / (내) 작아지면) 곡선의 가운데 부분이 낮아지면서 양쪽으로 퍼진다.

(2) σ의 값이 일정할 때, m의 값이 커지면 대칭축이 ((개) 왼쪽 / (내) 오른쪽)으로 이동한다.

개념 **03** 표준정규분포

(1) 평균이 0이고 표준편차가 1인 정규분포를 표준정규분포라 하고, 이것을 기호로 $N(0, 1)$과 같이 나타낸다. → 표준정규분포를 따르는 확률변수는 보통 Z로 나타낸다.

(2) 확률변수 Z가 표준정규분포를 따를 때, Z의 확률밀도함수는

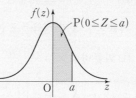

$$f(z) = \frac{1}{\sqrt{2\pi}}e^{-\frac{z^2}{2}} \ (z는 \ 모든 \ 실수)$$

이때, Z가 0 이상 a 이하의 값을 가질 확률 $P(0 \le Z \le a)$는 오른쪽 그림에서 색칠한 부분의 넓이와 같고, 그 값은 153쪽의 표준정규분포표에 주어져 있다.

예 오른쪽 표준정규분포표에서 $P(0 < Z < 1.23) = 0.3907$

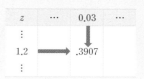

설명　표준정규분포를 따르는 확률변수 Z의 확률밀도함수 $f(z)$의 그래프가 직선 $z=0$에 대하여 대칭이므로 다음이 성립한다. (단, $0 < a < b$)

(1) $P(Z \ge 0) = P(Z \le 0) = 0.5$　　　　(2) $P(-a \le Z \le 0) = P(0 \le Z \le a)$

(3) $P(Z \ge a) = 0.5 - P(0 \le Z \le a)$　　(4) $P(Z \le a) = 0.5 + P(0 \le Z \le a)$

(5) $P(a \le Z \le b) = P(0 \le Z \le b) - P(0 \le Z \le a)$

(6) $P(-a \le Z \le b) = P(0 \le Z \le a) + P(0 \le Z \le b)$

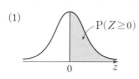 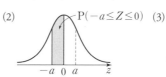 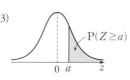

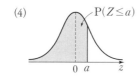 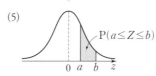 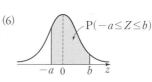

예　확률변수 Z가 표준정규분포 $N(0, 1)$을 따를 때

(단, $P(0 \le Z \le 1) = 0.3413$, $P(0 \le Z \le 2) = 0.4772$)

(1) $P(Z \ge 2) = P(Z \ge 0) - P(0 \le Z \le 2) = 0.5 - 0.4772 = 0.0228$

(2) $P(1 \le Z \le 2) = P(0 \le Z \le 2) - P(0 \le Z \le 1) = 0.4772 - 0.3413 = 0.1359$

Lecture　표준정규분포 ➡ 평균이 0, 표준편차가 1인 정규분포

| 정답과 해설 37쪽 |

개념 확인 4　확률변수 Z가 표준정규분포 $N(0, 1)$을 따를 때, 다음을 구하시오. (단, $P(0 \le Z \le 0.5) = 0.1915$)

(1) $P(Z \ge 0.5)$　　　　　　　　　　　　(2) $P(-0.5 \le Z \le 0.5)$

5
정규분포

개념 **04** 정규분포의 표준화

정규분포 $N(m, \sigma^2)$을 따르는 확률변수 X를 표준정규분포 $N(0, 1)$을 따르는 확률변수

$Z = \dfrac{X-m}{\sigma}$으로 바꾸는 것을 표준화라 한다.

확률변수 X가 정규분포 $N(m, \sigma^2)$을 따를 때

(1) 확률변수 $Z = \dfrac{X-m}{\sigma}$은 표준정규분포 $N(0, 1)$을 따른다.

(2) $P(a \le X \le b) = P\left(\dfrac{a-m}{\sigma} \le Z \le \dfrac{b-m}{\sigma}\right)$

설명

(1) 확률변수 X가 정규분포 $N(m, \sigma^2)$을 따를 때, $Z = \dfrac{X-m}{\sigma}$이라 하면

$$E(Z) = E\left(\dfrac{X-m}{\sigma}\right) = \dfrac{1}{\sigma}\{E(X) - m\} = \dfrac{1}{\sigma}(m - m) = 0$$
$$\underrightarrow{\qquad\qquad} E(aX+b) = aE(X) + b$$
$$V(Z) = V\left(\dfrac{X-m}{\sigma}\right) = \dfrac{1}{\sigma^2}V(X) = \dfrac{\sigma^2}{\sigma^2} = 1$$
$$\underrightarrow{\qquad\qquad} V(aX+b) = a^2 V(X)$$

따라서 확률변수 Z는 표준정규분포 $N(0, 1)$을 따른다.

(2) 정규분포 $N(m, \sigma^2)$을 따르는 확률변수 X를 $Z = \dfrac{X-m}{\sigma}$으로 표준화하면

$$P(a \le X \le b) = P\left(\dfrac{a-m}{\sigma} \le \dfrac{X-m}{\sigma} \le \dfrac{b-m}{\sigma}\right) = P\left(\dfrac{a-m}{\sigma} \le Z \le \dfrac{b-m}{\sigma}\right)$$

이므로 표준정규분포표를 이용하여 $P(a \le X \le b)$를 구할 수 있다.

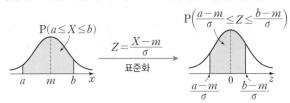

Lecture

확률변수 X가 정규분포 $N(\bullet, \blacksquare^2)$을 따를 때

➡ $m = \bullet$, $\sigma = \blacksquare$ ➡ $Z = \dfrac{X - \bullet}{\blacksquare}$로 표준화

| 정답과 해설 37쪽 |

개념 확인 5 확률변수 X가 다음 정규분포를 따를 때, X를 표준정규분포 $N(0, 1)$을 따르는 확률변수 Z로 표준화하시오.

(1) $N(11, 3^2)$　　　　　　　　　　　　　　(2) $N(-20, 5^2)$

개념 05 이항분포와 정규분포의 관계

확률변수 X가 이항분포 $B(n, p)$를 따르고 n이 충분히 클 때, X는 근사적으로 정규분포

$N(np, npq)$를 따른다. (단, $q=1-p$)

참고 (1) 일반적으로 $np \geq 5$, $nq \geq 5$일 때, n이 충분히 큰 것으로 생각한다.

　　 (2) 이항분포에서는 시행 횟수 n이 큰 수이면 확률질량함수를 이용하여 확률을 계산하는 것이 쉽지 않으므로 위의 관계

　　 를 이용하여 정규분포로 근사시킨 다음 표준화하여 확률을 구한다.

설명 　한 개의 주사위를 n번 던질 때 1의 눈이 나오는

횟수를 확률변수 X라 하면 X는 이항분포

$B\left(n, \dfrac{1}{6}\right)$을 따르므로 $n=10, 20, 30, 40, 50$일

때의 이항분포 $B\left(n, \dfrac{1}{6}\right)$의 확률질량함수의 그

래프는 오른쪽 그림과 같다.

즉, 이항분포의 확률질량함수의 그래프는 n의

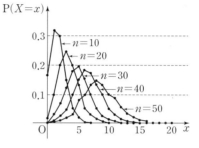

값이 커질수록 정규분포 곡선에 가까워짐을 알 수 있다.

일반적으로 확률변수 X가 이항분포 $B(n, p)$를 따를 때, n이 충분히 크면 X는 근사적으

로 평균이 np, 분산이 npq인 정규분포 $N(np, npq)$를 따른다는 사실이 알려져 있다.

(단, $q=1-p$)

예 　확률변수 X가 이항분포 $B\left(72, \dfrac{1}{3}\right)$을 따를 때,

$E(X)=72 \times \dfrac{1}{3}=24$, $\sigma(X)=\sqrt{72 \times \dfrac{1}{3} \times \dfrac{2}{3}}=4$

이때, 72는 충분히 큰 수이므로 X는 근사적으로 정규분포 $N(24, 4^2)$을 따른다.

Lecture

이항분포 $B(n, p)$ $\xrightarrow{\ n \text{이 충분히 크면}\ }$ 정규분포 $N(np, np(1-p))$

| 정답과 해설 37쪽 |

개념 확인 6 　확률변수 X가 다음 이항분포를 따를 때, X가 근사적으로 따르는 정규분포를 $N(m, \sigma^2)$의 꼴로 나타내시오.

(1) $B\left(36, \dfrac{1}{2}\right)$　　　　　　　　　　　　　　　　(2) $B\left(100, \dfrac{1}{5}\right)$

개념 check

1-1 확률변수 X가 정규분포 $N(10, 2^2)$을 따를 때, 확률변수 $Y=2X-5$에 대하여 다음 물음에 답하시오.

(1) $E(Y)$, $\sigma(Y)$를 각각 구하시오.

(2) 확률변수 Y가 따르는 정규분포를 기호로 나타내시오.

연구 (1) 확률변수 X가 정규분포 $N(10, 2^2)$을 따르므로

$E(X)=\boxed{}$, $\sigma(X)=\boxed{}$

$\therefore E(Y)=E(2X-5)=2E(X)-5$

$\qquad =2\times\boxed{}-5=\boxed{}$

$\sigma(Y)=\sigma(2X-5)=|2|\sigma(X)$

$\qquad =2\times\boxed{}=\boxed{}$

(2) $E(Y)=\boxed{}$, $\sigma(Y)=\boxed{}$이므로 확률변수 Y는 정규분포 $N(\boxed{}, \boxed{})$을 따른다.

스스로 check

1-2 확률변수 X가 정규분포 $N(50, 7^2)$을 따를 때, 확률변수 $Y=-5X+8$에 대하여 다음 물음에 답하시오.

(1) $E(Y)$, $\sigma(Y)$를 각각 구하시오.

(2) 확률변수 Y가 따르는 정규분포를 기호로 나타내시오.

2-1 다음 그림에서 세 곡선 A, B, C는 각각 정규분포 $N(m_1, \sigma_1^2)$, $N(m_2, \sigma_2^2)$, $N(m_3, \sigma_3^2)$을 따르는 세 확률변수 X, Y, Z의 정규분포 곡선이다. 다음 세 수의 크기를 비교하시오.

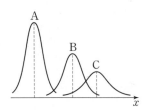

(1) m_1, m_2, m_3

(2) σ_1, σ_2, σ_3

연구 (1) 세 곡선 A, B, C는 각각 직선 $x=m_1$, $x=m_2$, $x=m_3$에 대하여 대칭이므로

$\boxed{}<m_2<\boxed{}$

(2) 표준편차가 클수록 곡선의 가운데 부분이 낮아지면서 양쪽으로 퍼지므로

$\boxed{}<\sigma_2<\boxed{}$

2-2 다음 그림에서 세 곡선 A, B, C는 각각 정규분포 $N(m_1, \sigma_1^2)$, $N(m_2, \sigma_2^2)$, $N(m_3, \sigma_3^2)$을 따르는 세 확률변수 X, Y, Z의 정규분포 곡선이다. 다음 세 수의 크기를 비교하시오.

(단, 곡선 B는 곡선 A를 평행이동한 것이다.)

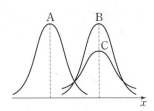

(1) m_1, m_2, m_3

(2) σ_1, σ_2, σ_3

개념 check

3-1 확률변수 Z가 표준정규분포 N$(0, 1)$을 따를 때, 오른쪽 표준정규분포표를 이용하여 다음을 구하시오.

z	P$(0 \le Z \le z)$
0.5	0.1915
1.0	0.3413
1.5	0.4332

(1) P$(-1 \le Z \le 1)$ (2) P$(Z \le -1)$

(3) P$(-0.5 \le Z \le 1.5)$

연구 (1) P$(-1 \le Z \le 1) = \boxed{}$ P$(0 \le Z \le 1)$

$= \boxed{} \times 0.3413 = \boxed{}$

(2) P$(Z \le -1) =$ P$(Z \ge 1)$

$=$ P$(Z \ge \boxed{}) -$ P$(0 \le Z \le \boxed{})$

$= \boxed{} - 0.3413 = \boxed{}$

(3) P$(-0.5 \le Z \le 1.5)$

$=$ P$(\boxed{} \le Z \le 0) +$ P$(0 \le Z \le \boxed{})$

$=$ P$(0 \le Z \le \boxed{}) +$ P$(0 \le Z \le \boxed{})$

$= 0.1915 + 0.4332 = 0.6247$

스스로 check

3-2 확률변수 Z가 표준정규분포 N$(0, 1)$을 따를 때, 오른쪽 표준정규분포표를 이용하여 다음을 구하시오.

z	P$(0 \le Z \le z)$
0.5	0.1915
1.0	0.3413
1.5	0.4332
2.0	0.4772

(1) P$(-2 \le Z \le 2)$

(2) P$(Z \le -1.5)$

(3) P$(-1 \le Z \le 0.5)$

4-1 확률변수 X가 정규분포 N$(50, 10^2)$을 따를 때, 다음 확률을 확률변수 Z를 사용하여 나타내시오. (단, Z는 표준정규분포 N$(0, 1)$을 따른다.)

(1) P$(50 \le X \le 60)$ (2) P$(X \ge 80)$

연구 (1) P$(50 \le X \le 60)$

$=$ P$\left(\dfrac{50 - \boxed{}}{10} \le \dfrac{X - 50}{10} \le \dfrac{60 - \boxed{}}{10} \right)$

$=$ P$(\boxed{} \le Z \le \boxed{})$

(2) P$(X \ge 80) =$ P$\left(\dfrac{X - 50}{\boxed{}} \ge \dfrac{80 - 50}{\boxed{}} \right)$

$=$ P$(Z \ge \boxed{})$

4-2 확률변수 X가 정규분포 N$(-5, 3^2)$을 따를 때, 다음 확률을 확률변수 Z를 사용하여 나타내시오. (단, Z는 표준정규분포 N$(0, 1)$을 따른다.)

(1) P$(-2 \le X \le 4)$

(2) P$(X \le 1)$

5-1 확률변수 X가 이항분포 B$(150, 0.4)$를 따를 때, X는 근사적으로 정규분포를 따른다. X가 따르는 정규분포를 기호로 나타내시오.

연구 E$(X) = 150 \times \boxed{} = \boxed{}$

$\sigma(X) = \sqrt{\boxed{} \times 0.4 \times \boxed{}} = \boxed{}$

이때, 150은 충분히 큰 수이므로 X는 근사적으로 정규분포 N$(\boxed{}, \boxed{}^2)$을 따른다.

5-2 확률변수 X가 이항분포 B$(400, 0.2)$를 따를 때, X는 근사적으로 정규분포를 따른다. X가 따르는 정규분포를 기호로 나타내시오.

5 정규분포

🔂 유형 해결의 법칙 84쪽 유형 03

대표 유형 01 정규분포 곡선의 성질

확률변수 X가 정규분포 $N(10, 3^2)$을 따를 때, 다음 **보기** 중 옳은 것만을 있는 대로 고르시오.

┤ 보기 ├

ㄱ. $P(X \leq 10) = P(X \geq 10) = 0.5$ ㄴ. $P(X \leq 5) = P(X \geq 15)$

ㄷ. $P(9 \leq X \leq 11) < P(11 \leq X \leq 13)$

풀이 ㄱ. 확률변수 X의 정규분포 곡선은 직선 $x = 10$에 대하여 대칭이고, 곡선과 x축 사이의 넓이는 1이므로
   $P(X \leq 10) = P(X \geq 10) = 0.5$

ㄴ. 확률변수 X의 정규분포 곡선은 직선 $x = 10$에 대하여 대칭이므로
   $P(X \leq 5) = P(X \geq 15)$

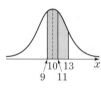

ㄷ. 확률변수 X의 정규분포 곡선은 직선 $x = 10$에 대하여 대칭이므로
   $P(9 \leq X \leq 11) > P(11 \leq X \leq 13)$

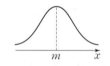

따라서 옳은 것은 ㄱ, ㄴ이다.

답 ㄱ, ㄴ

해법 정규분포 $N(m, \sigma^2)$을 따르는 확률변수 X의 정규분포 곡선은
➡ 직선 $x = m$에 대하여 대칭이다.
➡ $P(X \leq m) = P(X \geq m) = 0.5$

| 정답과 해설 38쪽 |

01-1 정규분포 $N(m, 2^2)$을 따르는 확률변수 X에 대하여 $P(X \leq 11) = P(X \geq 13)$일 때, m의 값을 구하시오.

01-2 정규분포를 따르는 세 확률변수 X_1, X_2, X_3의 확률밀도함수를 각각 $f(x)$, $g(x)$, $h(x)$라 할 때, 세 함수 $y = f(x)$, $y = g(x)$, $y = h(x)$의 그래프가 오른쪽 그림과 같다. 다음 **보기** 중 옳은 것만을 있는 대로 고르시오.

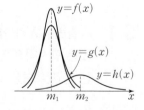

┤ 보기 ├

ㄱ. $E(X_1) = E(X_2) < E(X_3)$ ㄴ. $V(X_1) < V(X_2) < V(X_3)$

ㄷ. $P(X_1 \leq m_1) < P(X_3 \geq m_2)$

대표 유형 02 **표준정규분포에서 확률 구하기**

↻ 유형 해결의 법칙 86쪽 유형 06

확률변수 X가 정규분포 $N(10, 2^2)$을 따를 때, 오른쪽 표준정규분포표를 이용하여 $P(8 \le X \le 14)$를 구하시오.

z	$P(0 \le Z \le z)$
1.0	0.3413
2.0	0.4772
3.0	0.4987

풀이

❶ 확률변수 $Z = \dfrac{X-m}{\sigma}$은 표준정규분포 $N(0, 1)$을 따름을 알기

확률변수 X가 정규분포 $N(10, 2^2)$을 따르므로 $Z = \dfrac{X-10}{2}$으로 놓으면 확률변수 Z는 표준정규분포 $N(0, 1)$을 따른다.

❷ $P(a \le X \le b)$
$= P\left(\dfrac{a-m}{\sigma} \le Z \le \dfrac{b-m}{\sigma}\right)$
임을 이용하여 확률 구하기

$\therefore P(8 \le X \le 14)$
$= P\left(\dfrac{8-10}{2} \le \dfrac{X-10}{2} \le \dfrac{14-10}{2}\right)$
$= P(-1 \le Z \le 2)$
$= P(-1 \le Z \le 0) + P(0 \le Z \le 2)$
$= P(0 \le Z \le 1) + P(0 \le Z \le 2)$
$= 0.3413 + 0.4772 = 0.8185$

> 확률변수 X를 표준화하면 표준정규분포표를 이용하여 확률을 구할 수 있어.

🖋 0.8185

해법 확률변수 X가 정규분포 $N(m, \sigma^2)$을 따를 때

❶ 확률변수 $Z = \dfrac{X-m}{\sigma}$은 표준정규분포 $N(0, 1)$을 따른다.

❷ $P(a \le X \le b) = P\left(\dfrac{a-m}{\sigma} \le Z \le \dfrac{b-m}{\sigma}\right)$

| 정답과 해설 38쪽 |

02-1 확률변수 X가 정규분포 $N(20, 1^2)$을 따를 때, 오른쪽 표준정규분포표를 이용하여 다음을 구하시오.

(1) $P(19 \le X \le 21)$

(2) $P(|X-20| \le 1.5)$

z	$P(0 \le Z \le z)$
0.5	0.1915
1.0	0.3413
1.5	0.4332

5 정규분포

대표 유형 **03** 정규분포의 활용 – 확률 구하기 ◑ 유형 해결의 법칙 87쪽 유형 08

어느 고등학교 학생들의 몸무게는 평균이 62 kg, 표준편차가 6 kg인 정규분포를 따른다고 한다. 몸무게가 53 kg 이하인 학생은 전체의 몇 %인지 구하시오. (단, P$(0 \le Z \le 1.5)=0.4332$)

풀이

❶ 확률변수 X를 정한 후, 표준화하기

학생의 몸무게를 확률변수 X라 하면 X는 정규분포 N$(62, 6^2)$을 따르므로

$Z=\dfrac{X-62}{6}$로 놓으면 확률변수 Z는 표준정규분포 N$(0, 1)$을 따른다.

❷ P$(X \le 53)$ 구하기

$$\therefore \ \mathrm{P}(X \le 53)=\mathrm{P}\left(\frac{X-62}{6} \le \frac{53-62}{6}\right)$$
$$=\mathrm{P}(Z \le -1.5)=\mathrm{P}(Z \ge 1.5)$$
$$=\mathrm{P}(Z \ge 0)-\mathrm{P}(0 \le Z \le 1.5)$$
$$=0.5-0.4332=0.0668$$

❸ 몸무게가 53 kg 이하인 학생의 비율 구하기

따라서 몸무게가 53 kg 이하인 학생은 전체의 6.68 %이다.

🖹 6.68 %

해법 **정규분포의 활용 – 확률 구하기**

❶ 정규분포를 따르는 확률변수 X를 정한 후, $Z=\dfrac{X-m}{\sigma}$으로 표준화한다.

❷ 표준정규분포표를 이용하여 확률을 구한다.

| 정답과 해설 38쪽 |

03-1 어느 세차장에서 승용차 한 대를 세차하는 데 걸리는 시간은 평균이 30분, 표준편차가 4분인 정규분포를 따른다고 한다. 이 세차장에서 임의로 한 대의 승용차를 택하여 세차를 할 때, 세차 시간이 26분 이상일 확률을 구하시오.

(단, P$(0 \le Z \le 1)=0.3413$)

03-2 어느 고등학교 학생들의 일주일 동안의 독서 시간은 평균이 8시간, 표준편차가 1시간 30분인 정규분포를 따른다고 한다. 오른쪽 표준정규분포표를 이용하여 일주일 동안의 독서 시간이 11시간 이상인 학생은 전체의 몇 %인지 구하시오.

z	P$(0 \le Z \le z)$
0.5	0.1915
1.0	0.3413
1.5	0.4332
2.0	0.4772

○ 유형 해결의 법칙 88쪽 유형 09

어느 고등학교 학생 400명의 수학 점수는 평균이 72점, 표준편차가 10점인 정규분포를 따른다고 한다.
수학 점수가 90점 이상인 학생 수를 구하시오. (단, $P(0 \leq Z \leq 1.8) = 0.46$)

풀이

❶ 확률변수 X를 정한 후,
표준화하기

학생의 수학 점수를 확률변수 X라 하면 X는 정규분포 $N(72, 10^2)$을 따르므로
$Z = \dfrac{X-72}{10}$로 놓으면 확률변수 Z는 표준정규분포 $N(0, 1)$을 따른다.

❷ $P(X \geq 90)$ 구하기

$$\therefore P(X \geq 90) = P\left(\frac{X-72}{10} \geq \frac{90-72}{10}\right) = P(Z \geq 1.8)$$
$$= P(Z \geq 0) - P(0 \leq Z \leq 1.8)$$
$$= 0.5 - 0.46 = 0.04$$

❸ 수학 점수가 90점 이상인
학생 수 구하기

따라서 수학 점수가 90점 이상인 학생 수는
$400 \times 0.04 = 16$

답 16

해법 정규분포의 활용 – 도수 구하기

❶ 정규분포를 따르는 확률변수 X를 정한 후, $Z = \dfrac{X-m}{\sigma}$으로 표준화한다.

❷ 표준정규분포표를 이용하여 확률 p를 구한다.

❸ (전체 도수) $\times p$를 이용하여 구하고자 하는 도수를 구한다.

| 정답과 해설 39쪽 |

04-1 어느 산부인과에서 지난 달 태어난 신생아 300명의 몸무게는 평균이 3.4 kg, 표준편차가 0.4 kg인 정규분포를 따른다고 한다. 몸무게가 3 kg 이하인 신생아 수를 구하시오. (단, $P(0 \leq Z \leq 1) = 0.34$)

04-2 어느 공장에서 생산되는 인형 10000개의 무게는 평균이 180 g, 표준편차가 20 g인 정규분포를 따른다고 한다. 오른쪽 표준정규분포표를 이용하여 무게가 170 g 이상 220 g 이하인 인형의 개수를 구하시오.

z	$P(0 \leq Z \leq z)$
0.5	0.1915
1.0	0.3413
1.5	0.4332
2.0	0.4772

5 정규분포

대표 유형 05 정규분포의 활용 – 최대, 최소를 만족시키는 값 구하기   ↻ 유형 해결의 법칙 88쪽 유형 10

모집 정원이 160명인 어느 대학의 입학 시험에 1000명이 응시하였다. 응시자들의 시험 점수가 평균이 70점, 표준편차가 15점인 정규분포를 따른다고 할 때, 합격자의 최저 점수를 구하시오.

(단, $P(0 \leq Z \leq 1) = 0.34$)

풀이

❶ 확률변수 X를 정한 후, 표준화하기

응시자의 시험 점수를 확률변수 X라 하면 X는 정규분포 $N(70, 15^2)$을 따르므로 $Z = \dfrac{X-70}{15}$으로 놓으면 확률변수 Z는 표준정규분포 $N(0, 1)$을 따른다.

❷ 합격자의 최저 점수를 k점으로 놓고 $P(X \geq k) = \dfrac{160}{1000} = 0.16$ 을 Z에 대한 확률로 나타내기

합격자의 최저 점수를 k점이라 하면

$P(X \geq k) = \dfrac{160}{1000} = 0.16$에서

$$P(X \geq k) = P\left(\dfrac{X-70}{15} \geq \dfrac{k-70}{15}\right)$$
$$= P\left(Z \geq \dfrac{k-70}{15}\right)$$
$$= 0.5 - P\left(0 \leq Z \leq \dfrac{k-70}{15}\right) = 0.16$$

$$\therefore P\left(0 \leq Z \leq \dfrac{k-70}{15}\right) = 0.34$$

❸ k의 값을 구하여 합격자의 최저 점수 구하기

이때, $P(0 \leq Z \leq 1) = 0.34$이므로

$$\dfrac{k-70}{15} = 1 \qquad \therefore k = 85$$

따라서 합격자의 최저 점수는 85점이다.

🔲 85점

해법 정규분포 $N(m, \sigma^2)$을 따르는 확률변수 X에 대하여 상위 $a\%$ 이내에 속하는 X의 최솟값을 k라 하면

➡ $P(X \geq k) = \dfrac{a}{100}$

| 정답과 해설 39쪽 |

05-1 모집 정원이 25명인 어느 회사의 입사 시험에 250명이 응시하였다. 응시자들의 시험 점수가 평균이 80점, 표준편차가 10점인 정규분포를 따른다고 할 때, 합격자의 최저 점수를 구하시오. (단, $P(0 \leq Z \leq 1.28) = 0.4$)

05-2 어느 학교 학생들이 지난 달에 본 영어 시험 점수는 평균이 36점, 표준편차가 21점인 정규분포를 따른다고 한다. 이때, 상위 4% 이내인 학생의 최저 점수를 구하시오. (단, $P(0 \leq Z \leq 1.75) = 0.46$)

대표 유형 06 이항분포와 정규분포의 관계

유형 해결의 법칙 90쪽 유형 12

확률변수 X가 이항분포 $\mathrm{B}\left(64, \dfrac{1}{2}\right)$을 따를 때, 오른쪽 표준정규분포표를 이용하여 $\mathrm{P}(28\leq X\leq 40)$을 구하시오.

z	$\mathrm{P}(0\leq Z\leq z)$
1.0	0.3413
2.0	0.4772
3.0	0.4987

풀이

❶ $\mathrm{E}(X), \sigma(X)$ 구하기

확률변수 X가 이항분포 $\mathrm{B}\left(64, \dfrac{1}{2}\right)$을 따르므로

$$\mathrm{E}(X)=64\times\frac{1}{2}=32,\ \sigma(X)=\sqrt{64\times\frac{1}{2}\times\frac{1}{2}}=4$$

❷ 확률변수 X가 근사적으로 정규분포를 따름을 이용하여 X를 표준화한 후, $\mathrm{P}(28\leq X\leq 40)$ 구하기

이때, 64는 충분히 큰 수이므로 X는 근사적으로 정규분포 $\mathrm{N}(32, 4^2)$을 따른다.

따라서 $Z=\dfrac{X-32}{4}$로 놓으면 확률변수 Z는 표준정규분포 $\mathrm{N}(0, 1)$을 따르므로

$$\mathrm{P}(28\leq X\leq 40)=\mathrm{P}\left(\frac{28-32}{4}\leq\frac{X-32}{4}\leq\frac{40-32}{4}\right)$$
$$=\mathrm{P}(-1\leq Z\leq 2)$$
$$=\mathrm{P}(-1\leq Z\leq 0)+\mathrm{P}(0\leq Z\leq 2)$$
$$=\mathrm{P}(0\leq Z\leq 1)+\mathrm{P}(0\leq Z\leq 2)$$
$$=0.3413+0.4772=0.8185$$

확률변수 X가 이항분포 $\mathrm{B}(n, p)$를 따르고 n이 충분히 클 때, X를 $Z=\dfrac{X-np}{\sqrt{npq}}$로 표준화하여 확률을 구할 수 있어.

🔖 0.8185

해법 확률변수 X가 이항분포 $\mathrm{B}(n, p)$를 따르고 n이 충분히 크면
➡ X는 근사적으로 정규분포 $\mathrm{N}(np, np(1-p))$를 따른다.

| 정답과 해설 39쪽 |

06-1 확률변수 X가 이항분포 $\mathrm{B}\left(450, \dfrac{1}{3}\right)$을 따를 때, $\mathrm{P}(140\leq X\leq 150)=\mathrm{P}(0\leq Z\leq k)$를 만족시키는 실수 k의 값을 구하시오. (단, 확률변수 Z는 표준정규분포 $\mathrm{N}(0, 1)$을 따른다.)

06-2 확률변수 X가 이항분포 $\mathrm{B}\left(100, \dfrac{4}{5}\right)$를 따를 때, 오른쪽 표준정규분포표를 이용하여 $\mathrm{P}(80\leq X\leq 92)$를 구하시오.

z	$\mathrm{P}(0\leq Z\leq z)$
1.0	0.3413
2.0	0.4772
3.0	0.4987

5 정규분포

대표 유형 **07** 이항분포와 정규분포의 관계의 활용 – 확률 구하기

↻ 유형 해결의 법칙 90쪽 유형 13

> 한 개의 주사위를 100번 던질 때, 4의 약수의 눈이 나오는 횟수가 50회 이상 60회 이하일 확률을 구하시오. (단, $P(0 \le Z \le 2) = 0.4772$)

풀이

❶ 확률변수 X를 정한 후, X가 따르는 이항분포 구하기

4의 약수의 눈이 나오는 횟수를 확률변수 X라 하면 한 개의 주사위를 한 번 던질 때, 4의 약수의 눈, 즉 1, 2, 4의 눈이 나올 확률은 $\dfrac{1}{2}$이므로 X는 이항분포 $B\left(100, \dfrac{1}{2}\right)$을 따른다.

❷ $E(X), \sigma(X)$ 구하기

$$\therefore E(X) = 100 \times \dfrac{1}{2} = 50, \ \sigma(X) = \sqrt{100 \times \dfrac{1}{2} \times \dfrac{1}{2}} = 5$$

❸ 확률변수 X가 근사적으로 정규분포를 따름을 이용하여 X를 표준화한 후, $P(50 \le X \le 60)$ 구하기

이때, 100은 충분히 큰 수이므로 X는 근사적으로 정규분포 $N(50, 5^2)$을 따른다. 따라서 $Z = \dfrac{X-50}{5}$으로 놓으면 확률변수 Z는 표준정규분포 $N(0, 1)$을 따르므로

$$P(50 \le X \le 60) = P\left(\dfrac{50-50}{5} \le \dfrac{X-50}{5} \le \dfrac{60-50}{5}\right)$$
$$= P(0 \le Z \le 2) = 0.4772$$

🔲 0.4772

해법 n번의 독립시행에서 사건 A가 a번 이상 b번 이하로 일어날 확률을 구할 때는

❶ 사건 A가 일어나는 횟수를 확률변수 X라 하고, 1번의 시행에서 사건 A가 일어날 확률 p를 구하여 주어진 상황을 이항분포 $B(n, p)$로 나타낸다.

❷ 확률변수 X가 근사적으로 따르는 정규분포 $N(np, np(1-p))$를 구하고 X를 표준화한다.

❸ 표준정규분포표를 이용하여 $P(a \le X \le b)$를 구한다.

| 정답과 해설 40쪽 |

07-1 서로 다른 동전 2개를 동시에 던지는 시행을 48번 반복할 때, 동전 2개가 모두 앞면이 나오는 횟수가 9회 이하일 확률을 오른쪽 표준정규분포표를 이용하여 구하시오.

z	$P(0 \le Z \le z)$
1.0	0.3413
2.0	0.4772

07-2 한 환자에게 어떤 약을 투약했을 때, 치료될 확률이 0.6이라 한다. 150명의 환자에게 이 약을 투약했을 때, 99명 이상이 치료될 확률을 오른쪽 표준정규분포표를 이용하여 구하시오.

z	$P(0 \le Z \le z)$
1.3	0.4032
1.5	0.4332
1.7	0.4554

1-1 다음 중 $-1 \le x \le 1$에서 정의된 연속확률변수 X의 확률밀도함수 $y=f(x)$의 그래프가 될 수 있는 것은?

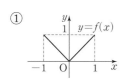

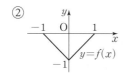

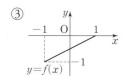

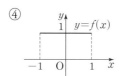

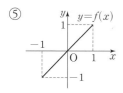

1-2 다음 중 $0 \le x \le 2$에서 정의된 연속확률변수 X의 확률밀도함수 $y=f(x)$의 그래프가 될 수 있는 것은?

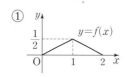

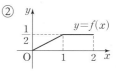

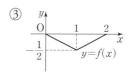

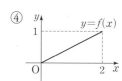

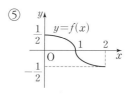

2-1 연속확률변수 X의 확률밀도함수가
$f(x)=2x$ $(0 \le x \le 1)$이다. $P(0 \le X \le k)=\dfrac{1}{4}$일 때, 실수 k의 값을 구하시오.

2-2 $0 \le x \le 4$에서 정의된 연속확률변수 X의 확률밀도함수 $y=f(x)$의 그래프가 오른쪽 그림과 같다. $P(0 \le X \le k)=P(2 \le X \le 4)$일 때, 실수 k의 값을 구하시오.

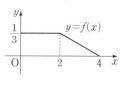

3-1 정규분포 $N(m, \sigma^2)$을 따르는 확률변수 X의 정규분포 곡선에 대한 다음 설명 중 옳지 <u>않은</u> 것은?

① x축을 점근선으로 한다.
② $x=m$일 때 최솟값을 갖는다.
③ 직선 $x=m$에 대하여 대칭인 곡선이다.
④ 곡선과 x축 사이의 넓이는 1이다.
⑤ 표준편차 σ의 값이 작아지면 곡선의 가운데 부분이 높아지면서 뾰족해진다.

3-2 네 학교 A, B, C, D 학생들의 수학 성적은 각각 정규분포를 따르고, 그 정규분포 곡선은 다음 그림과 같다. 이때, 수학 성적의 평균이 가장 큰 학교와 표준편차가 가장 큰 학교를 순서대로 나열한 것은?

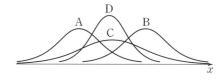

① A, B   ② B, C   ③ B, D
④ C, A   ⑤ C, D

유형 확인

4-1 두 확률변수 X, Y가 각각 정규분포 $N(8, 2^2)$, $N(25, 6^2)$을 따르고 $P(6 \leq X \leq 11) = P(19 \leq Y \leq k)$일 때, 실수 k의 값을 구하시오.

5-1 확률변수 X가 정규분포 $N(3, 5^2)$을 따를 때, 확률변수 $Y = 2X + 1$에 대하여 $P(Y \leq 3)$을 구하시오. (단, $P(0 \leq Z \leq 0.4) = 0.1554$)

6-1 확률변수 X가 정규분포 $N(12, 2^2)$을 따를 때, 오른쪽 표준정규분포표를 이용하여

z	$P(0 \leq Z \leq z)$
0.5	0.1915
1.0	0.3413
1.5	0.4332

$P(k \leq X \leq 12) = 0.3413$을 만족시키는 실수 k의 값을 구하시오.

7-1 어느 고등학교 신입생의 키는 평균이 165 cm, 표준편차가 5 cm인 정규분포를 따른다고 한다. 오른

z	$P(0 \leq Z \leq z)$
1.0	0.3413
2.0	0.4772
3.0	0.4987

쪽 표준정규분포표를 이용하여 키가 170 cm 이상 180 cm 이하인 신입생은 전체의 몇 %인지 구하시오.

한번 더 확인

4-2 두 확률변수 X, Y가 각각 정규분포 $N(11, 3^2)$, $N(21, 2^2)$을 따르고 $P(X \leq k) = P(Y \geq k)$일 때, 실수 k의 값을 구하시오.

5-2 정규분포 $N(10, 3^2)$을 따르는 확률변수 X에 대하여 확률변수 Y가 $Y = 2X - 3$일 때, 오른쪽

z	$P(0 \leq Z \leq z)$
1.0	0.3413
1.5	0.4332
2.0	0.4772

표준정규분포표를 이용하여 $P(8 \leq Y \leq 29)$를 구하시오.

6-2 확률변수 X가 정규분포 $N(10, \sigma^2)$을 따를 때, 오른쪽 표준정규분포표를 이용하여

z	$P(0 \leq Z \leq z)$
0.5	0.1915
1.0	0.3413
1.5	0.4332

$P(X \leq 13) = 0.8413$을 만족시키는 σ의 값을 구하시오.

7-2 어느 농장에서 생산하는 사과 한 개의 무게는 평균이 240 g, 표준편차가 12 g인 정규분포를 따른다고 한다. 이 농장에서 생산한 사과 중 임의로 한 개를 택할 때, 사과의 무게가 216 g 이하이거나 264 g 이상일 확률을 구하시오.

(단, $P(0 \leq Z \leq 2) = 0.4772$)

유형 확인

8-1 어느 회사에서 만든 휴대전화 배터리의 지속 시간은 평균이 60시간, 표준편차가 5시간인 정규분포를 따르고, 지속 시간이 55시간 이하인 배터리는 불량품으로 분류한다고 한다. 이 회사에서 만든 휴대전화 배터리가 10000개일 때, 불량품으로 분류된 배터리의 개수를 구하시오.

(단, $P(0 \le Z \le 1) = 0.3413$)

한번 더 확인

8-2 준서가 등교하는 데 걸리는 시간은 평균이 20분, 표준편차가 2분인 정규분포를 따른다고 한다. 등교 시각은 오전 8시까지이고 준서는 매일 집에서 오전 7시 36분에 출발한다고 할 때, 준서가 100일 동안 지각한 날은 총 며칠인지 구하시오.

(단, $P(0 \le Z \le 2) = 0.48$)

9-1 어느 고등학교 학생 400명이 일 년 동안 봉사 활동을 한 시간은 평균이 30시간, 표준편차가 8시간인 정규분포를 따른다고 한다. 봉사 활동을 많이 한 상위 8명에게 봉사상을 수여한다고 할 때, 봉사상을 받으려면 일 년 동안 봉사 활동을 최소 몇 시간 이상 해야 하는지 구하시오. (단, $P(0 \le Z \le 2) = 0.48$)

창의·융합

9-2 어느 반 학생들을 대상으로 실시한 IQ 검사 결과 학생들의 IQ는 평균이 118, 표준편차가 8인 정규분포를 따른다고 한다. 이때, IQ가 상위 7 % 이내에 속하는 학생의 최저 IQ를 구하시오.

(단, $P(0 \le Z \le 1.5) = 0.43$)

10-1 확률변수 X의 확률질량함수가

$$P(X=x) = {}_{150}C_x \left(\frac{2}{5}\right)^x \left(\frac{3}{5}\right)^{150-x}$$

$$(x = 0, 1, 2, \cdots, 150)$$

일 때, $P(51 \le X \le 69)$를 구하시오.

(단, $P(0 \le Z \le 1.5) = 0.43$)

10-2 확률변수 X가 이항분포 $B\left(225, \frac{1}{5}\right)$을 따를 때, $P(X \le k) = 0.8413$을 만족시키는 실수 k의 값을 구하시오. (단, $P(0 \le Z \le 1) = 0.3413$)

11-1 어느 항공사의 비행기 표를 예약한 사람이 예약을 취소할 확률이 0.2라 한다. 승객 정원이 332명인 비행기에 예약한 사람이 400명일 때, 탑승객이 정원을 초과하지 않을 확률을 구하시오.

(단, $P(0 \le Z \le 1.5) = 0.4332$)

11-2 자유투 성공률이 $\frac{2}{5}$인 농구 선수가 600번 자유투를 시도하여 k회 이상 성공시킬 확률이 0.98일 때, 실수 k의 값을 구하시오.

(단, $P(0 \le Z \le 2) = 0.48$)

5 정규분포

6 통계적 추정

제가 좋아하는 아이돌 그룹이 나오는 TV 프로그램이
시청률 1위를 차지했어요!

기쁘겠구나. 그런데 그 시청률은 TV를 본 모든 사람들을 대상으
로 조사한 것일까? 만일 그렇지 않다면 어떻게 믿을 수 있지?

글쎄요. 그런데 모든 사람을 다 조사하려면 너무 힘들지 않을까요?

그래서 이 단원에서는 전체를 조사하지 않고 일부만 조사한 결과
를 믿을 만하게 하려면 얼마나 또 어떻게 조사하여야 하는지에
대하여 알아볼 거란다.

개념 & 유형 map

1. 모집단과 표본

개념 01	모집단과 표본
개념 02	모평균과 표본평균
개념 03	표본평균의 평균, 분산, 표준편차

유형 01 표본평균의 평균, 분산, 표준편차
– 모집단의 확률분포가 주어진 경우

유형 02 표본평균의 평균, 분산, 표준편차
– 모집단이 주어진 경우

| 개념 04 | 표본평균의 분포 |

유형 03 표본평균의 확률

유형 04 표본평균의 확률 – 표본의 크기 구하기

2. 모평균의 추정

| 개념 01 | 모평균의 추정 |

유형 01 모평균의 추정 – 모표준편차가 주어진 경우

유형 02 모평균의 추정 – 표본표준편차가 주어진 경우

유형 03 모평균의 추정 – 표본의 크기 구하기

유형 04 신뢰구간의 길이

1 모집단과 표본

개념 01 모집단과 표본

1 전수조사와 표본조사

(1) 전수조사: 조사의 대상이 되는 집단 전체를 조사하는 것

(2) 표본조사: 조사의 대상 중에서 일부분만 택하여 조사 대상 전체의 성질을 추측하는 것

2 모집단과 표본

(1) 모집단: 조사의 대상이 되는 집단 전체

(2) 표본: 모집단에서 뽑은 일부분

참고 표본에 포함된 대상의 개수를 표본의 크기라 하고, 모집단에서 표본을 뽑는 것을 추출이라 한다.

3 임의추출

(1) 임의추출: 모집단에 속하는 각 대상이 표본에 포함될 확률이 모두 같도록 표본을 추출하는 방법

(2) 한 번 추출된 자료를 다시 되돌려 놓은 후 다음 자료를 뽑는 방법을 복원추출, 다시 되돌려 놓지 않고 다음 자료를 뽑는 방법을 비복원추출이라 한다.

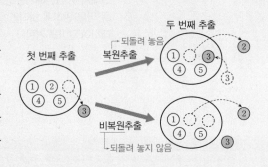

참고 특별한 말이 없으면 임의추출은 복원추출로 간주한다.

설명

전수조사	표본조사
− 자료의 특성을 정확히 알 수 있다. − 많은 시간과 비용이 필요하다. 예 인구 조사	− 자료의 특성을 근사적으로 알 수 있다. − 시간과 비용을 절약할 수 있다. 예 공장에서 생산되는 제품의 수명 조사

예 어느 공장에서 생산되는 전구의 평균 수명을 알아보기 위하여 이 공장에서 생산된 전구 100개를 임의로 뽑아 그 수명을 조사할 때,

① 모집단 ➡ 공장에서 생산되는 전구 전체   ② 표본 ➡ 임의로 뽑은 100개의 전구

③ 표본의 크기 ➡ 100

Lecture   전수조사 ➡ 모집단 전체를 조사, 표본조사 ➡ 모집단의 일부분을 뽑아 조사

| 정답과 해설 45쪽 |

개념 확인 1 다음 보기 중 표본조사가 적합한 것만을 있는 대로 고르시오.

┤ 보기 ├
ㄱ. 한강의 수질 오염도 조사   ㄴ. 학급의 시험 성적 조사
ㄷ. 어느 TV 프로그램의 시청률   ㄹ. 과일의 당도 조사

1 모평균, 모분산, 모표준편차

모집단에서 조사하고자 하는 특성을 나타내는 확률변수를 X라 할 때, X의 평균, 분산, 표준편차를 각각 모평균, 모분산, 모표준편차라 하고, 기호로 각각 m, σ^2, σ와 같이 나타낸다.

2 표본평균, 표본분산, 표본표준편차

모집단에서 임의추출한 크기가 n인 표본을 X_1, X_2, X_3, $\cdots$, X_n이라 할 때, 이들의 평균, 분산, 표준편차를 각각 표본평균, 표본분산, 표본표준편차라 하고, 기호로 각각 $\overline{X}$, S^2, S와 같이 나타낸다.

> (1) $\overline{X} = \dfrac{1}{n}(X_1 + X_2 + X_3 + \cdots + X_n)$
>
> (2) $S^2 = \dfrac{1}{n-1}\{(X_1-\overline{X})^2 + (X_2-\overline{X})^2 + (X_3-\overline{X})^2 + \cdots + (X_n-\overline{X})^2\}$
>
> (3) $S = \sqrt{S^2}$

참고 표본분산은 모분산과 달리 편차의 제곱의 합을 $n-1$로 나눈 것으로 정의한다. 이는 모분산과의 차이를 줄이기 위한 것이다.

설명 1, 2, 3, 4, 5, 6의 자연수가 각각 하나씩 적힌 6개의 공에 대하여 공에 적힌 수를 확률변수라 하자. 6개의 공 중 크기가 3인 표본을 임의추출할 때, 표본평균 $\overline{X}$, 표본분산 S^2, 표본표준편차 S를 구해 보자.

(1) 표본이 1, 2, 3일 때	(2) 표본이 2, 4, 6일 때
$\overline{X} = \dfrac{1}{3}(1+2+3) = 2$	$\overline{X} = \dfrac{1}{3}(2+4+6) = 4$
$S^2 = \dfrac{1}{3-1}\{(1-2)^2+(2-2)^2+(3-2)^2\}$ $= 1$	$S^2 = \dfrac{1}{3-1}\{(2-4)^2+(4-4)^2+(6-4)^2\}$ $= 4$
$S = \sqrt{1} = 1$	$S = \sqrt{4} = 2$

(1), (2)에서 표본에 따라 표본평균, 표본분산, 표본표준편차가 달라짐을 알 수 있다.

즉, m, σ^2, σ는 상수이지만 $\overline{X}$, S^2, S는 추출된 표본에 따라 다른 값을 가질 수 있으므로 확률변수이다.

Lecture 표본 X_1, X_2, X_3, $\cdots$, X_n의 평균 ➡ 표본평균 $\overline{X}$

| 정답과 해설 45쪽 |

개념 확인 2 모집단 1, 2, 3, $\cdots$, 7에서 크기가 3인 표본 3, 4, 5를 임의추출할 때, 표본평균 $\overline{X}$, 표본분산 S^2, 표본표준편차 S를 각각 구하시오.

개념 03 표본평균의 평균, 분산, 표준편차

모평균이 m, 모표준편차가 σ인 모집단에서 크기가 n인 표본을 임의추출할 때, 표본평균 $\overline{X}$에 대하여 다음이 성립한다.

$$E(\overline{X})=m,\ V(\overline{X})=\frac{\sigma^2}{n},\ \sigma(\overline{X})=\frac{\sigma}{\sqrt{n}}$$

주의 표본평균 $\overline{X}$와 표본평균의 평균 $E(\overline{X})$를 혼동하지 않도록 주의한다.

예

| 확률변수 X | 1, 3, 5의 숫자가 각각 하나씩 적힌 3개의 공이 들어 있는 주머니에서 한 개의 공을 임의로 꺼낼 때, 나온 공에 적힌 숫자 X |

↓

모평균, 모분산, 모표준편차 구하기

X의 확률분포, 즉 모집단의 확률분포는 오른쪽 표와 같으므로

X	1	3	5	합계
$P(X=x)$	$\frac{1}{3}$	$\frac{1}{3}$	$\frac{1}{3}$	1

$m=E(X)=3,\ \sigma^2=V(X)=\frac{8}{3},\ \sigma=\sigma(X)=\frac{2\sqrt{6}}{3}$

↓

위의 모집단에서 크기가 2인 표본을 임의추출하여 표본평균 $\overline{X}$ 구하기

표본을 $X_1,\ X_2$라 할 때, 표본평균 $\overline{X}=\dfrac{X_1+X_2}{2}$를 구하면 다음과 같다.

(X_1, X_2)	$(1, 1)$	$(1, 3),$ $(3, 1)$	$(1, 5),\ (3, 3),$ $(5, 1)$	$(3, 5),$ $(5, 3)$	$(5, 5)$
$\overline{X}$	1	2	3	4	5

↓

표본평균 $\overline{X}$의 평균, 분산, 표준편차 구하기

표본평균 $\overline{X}$의 확률분포를 표로 나타내면 다음과 같다.

$\overline{X}$	1	2	3	4	5	합계
$P(\overline{X}=\bar{x})$	$\frac{1}{9}$	$\frac{2}{9}$	$\frac{1}{3}$	$\frac{2}{9}$	$\frac{1}{9}$	1

$\therefore E(\overline{X})=3,\ V(\overline{X})=\frac{4}{3},\ \sigma(\overline{X})=\frac{2\sqrt{3}}{3}$

↳ $E(\overline{X})=m,\ V(\overline{X})=\frac{\sigma^2}{n},\ \sigma(\overline{X})=\frac{\sigma}{\sqrt{n}}$에 $m=3,\ \sigma^2=\frac{8}{3},\ \sigma=\frac{2\sqrt{6}}{3},\ n=2$를 대입한 것과 같다.

Lecture

크기: n → 표본 → 표본평균: $\overline{X}$

모집단
평균: m
분산: σ^2

표본평균의 집단
평균: m
분산: $\dfrac{\sigma^2}{n}$

| 정답과 해설 45쪽 |

개념 확인 3 모평균이 20, 모표준편차가 4인 모집단에서 크기가 9인 표본을 임의추출할 때, 표본평균 $\overline{X}$의 평균, 분산, 표준편차를 각각 구하시오.

개념 04 표본평균의 분포

모평균이 m, 모표준편차가 σ인 모집단에서 크기가 n인 표본을 임의추출할 때, 표본평균 $\overline{X}$에 대하여 다음이 성립한다.

(1) 모집단이 정규분포 $N(m, \sigma^2)$을 따르면 표본평균 $\overline{X}$는 정규분포 $N\left(m, \dfrac{\sigma^2}{n}\right)$을 따른다.

(2) 모집단의 분포가 정규분포가 아니더라도 표본의 크기 n이 충분히 크면 $\overline{X}$는 근사적으로 정규분포 $N\left(m, \dfrac{\sigma^2}{n}\right)$을 따른다.

> **참고** 표본의 크기 n이 충분히 크다는 것은 보통 $n \geq 30$일 때를 뜻한다.

설명 어느 모집단에서 확률변수 X의 확률분 포가 다음과 같을 때, 모집단의 확률분포 와 표본의 크기가 2, 3일 때의 표본평균 의 확률분포를 그래프로 나타내면 오른 쪽 그림과 같다.

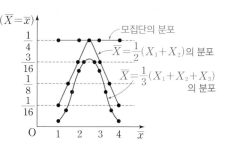

X	1	2	3	4	합계
$P(X=x)$	$\dfrac{1}{4}$	$\dfrac{1}{4}$	$\dfrac{1}{4}$	$\dfrac{1}{4}$	1

이와 같이 표본의 크기가 커짐에 따라 표본평균 $\overline{X}$의 분포의 그래프는 정규분포 곡선에 가 까워진다.

예 모평균이 5, 모표준편차가 3인 모집단에서 크기가 36인 표본을 임의추출할 때, 표본평균 $\overline{X}$ 에 대하여

$$\mathrm{E}(\overline{X})=5, \ \sigma(\overline{X})=\frac{3}{\sqrt{36}}=\frac{1}{2}$$

이므로 $\overline{X}$는 근사적으로 정규분포 $N\left(5, \left(\dfrac{1}{2}\right)^2\right)$을 따른다.

Lecture

모집단이 정규분포 $N(\bullet, \blacksquare^2)$을 따르면

$\xrightarrow{\ \text{표본의 크기: } \bigstar\ }$ 표본평균은 정규분포 $N\left(\bullet, \dfrac{\blacksquare^2}{\bigstar}\right)$을 따른다.

| 정답과 해설 45쪽 |

개념 확인 4 정규분포 $N(10, 3^2)$을 따르는 모집단에서 크기가 9인 표본을 임의추출할 때, 표본평균 $\overline{X}$는 정규분포 $N(a, b)$를 따른다. 이때, ab의 값을 구하시오.

개념 check

1-1 1, 3, 5, 7, 9의 숫자가 각각 하나씩 적힌 5개의 공이 들어 있는 주머니가 있다. 다음 경우의 수를 구하시오.

(1) 복원추출로 한 개씩 2번 꺼내는 경우

(2) 비복원추출로 한 개씩 2번 꺼내는 경우

(3) 동시에 2개를 꺼내는 경우

연구 (1) 첫 번째 꺼내는 경우의 수가 □, 그 각각에 대하여 두 번째 꺼내는 경우의 수도 □이므로

$$_5\Pi_2 = \boxed{}^2 = \boxed{}$$

(2) 첫 번째 꺼내는 경우의 수가 5, 그 각각에 대하여 두 번째 꺼내는 경우의 수가 □이므로

$$_5P_2 = 5 \times \boxed{} = \boxed{}$$

(3) 동시에 2개를 꺼내는 경우의 수는 서로 다른 5개에서 □개를 택하는 조합의 수와 같으므로

$$_5C_{\boxed{}} = \frac{5 \times 4}{\boxed{} \times 1} = \boxed{}$$

스스로 check

1-2 1, 2, 3, 4, 5의 숫자가 각각 하나씩 적힌 5개의 공이 들어 있는 주머니가 있다. 다음 경우의 수를 구하시오.

(1) 복원추출로 한 개씩 3번 꺼내는 경우

(2) 비복원추출로 한 개씩 3번 꺼내는 경우

(3) 동시에 3개를 꺼내는 경우

2-1 정규분포 $N(50, 10^2)$을 따르는 모집단에서 크기가 100인 표본을 임의추출할 때, 다음을 구하시오. (단, $P(0 \leq Z \leq 2) = 0.4772$)

(1) 표본평균 $\overline{X}$의 평균과 표준편차

(2) $P(\overline{X} \geq 48)$

연구 (1) 모평균이 50, 모표준편차가 10, 표본의 크기가 100이므로

$$E(\overline{X}) = \boxed{}, \quad \sigma(\overline{X}) = \frac{10}{\sqrt{\boxed{}}} = \boxed{}$$

(2) 표본평균 $\overline{X}$는 정규분포 $N(50, \boxed{}^2)$을 따르므로 $Z = \dfrac{\overline{X} - 50}{1}$으로 놓으면 확률변수 Z는 표준정규분포 $N(0, \boxed{})$을 따른다.

$$\therefore P(\overline{X} \geq 48) = P\left(\frac{\overline{X} - 50}{\boxed{}} \geq \frac{48 - 50}{\boxed{}}\right)$$

$$= P(Z \geq \boxed{})$$

$$= 0.5 + P(0 \leq Z \leq \boxed{})$$

$$= 0.5 + \boxed{} = \boxed{}$$

2-2 정규분포 $N(50, 10^2)$을 따르는 모집단에서 크기가 25인 표본을 임의추출할 때, 다음을 구하시오. (단, $P(0 \leq Z \leq 1) = 0.3413$)

(1) 표본평균 $\overline{X}$의 평균과 표준편차

(2) $P(\overline{X} \geq 52)$

대표 유형 **표본평균의 평균, 분산, 표준편차 – 모집단의 확률분포가 주어진 경우** ↪ 유형 해결의 법칙 100쪽 유형 02

모집단의 확률변수 X의 확률분포를 표로 나타내면 다음과 같다. 이 모집단에서 크기가 4인 표본을 임의추출할 때, 표본평균 $\overline{X}$의 평균과 분산을 각각 구하시오. (단, a는 상수)

X	2	4	6	8	합계
$P(X=x)$	$\dfrac{1}{4}$	$\dfrac{1}{4}$	a	$\dfrac{1}{4}$	1

풀이

❶ 확률의 총합은 1임을 이용하여 a의 값 구하기

확률의 총합은 1이므로

$$\frac{1}{4}+\frac{1}{4}+a+\frac{1}{4}=1 \qquad \therefore a=\frac{1}{4}$$

❷ 모평균, 모분산 구하기

확률변수 X에 대하여

$$E(X)=2\times\frac{1}{4}+4\times\frac{1}{4}+6\times\frac{1}{4}+8\times\frac{1}{4}=5$$

$$V(X)=2^2\times\frac{1}{4}+4^2\times\frac{1}{4}+6^2\times\frac{1}{4}+8^2\times\frac{1}{4}-5^2=5$$

↳ $V(X)=E(X^2)-\{E(X)\}^2$

❸ 표본평균 $\overline{X}$의 평균, 분산 구하기

이때, 표본의 크기가 4이므로

$$E(\overline{X})=5, \ V(\overline{X})=\frac{5}{4}$$

> 표본평균의 평균은 모평균과 같고, 표본평균의 분산은 모분산을 표본의 크기로 나눈 것과 같아.

🔳 $E(\overline{X})=5, \ V(\overline{X})=\dfrac{5}{4}$

해법 **표본평균의 평균, 분산, 표준편차 ─ 모집단의 확률분포가 주어진 경우**

❶ 모집단의 확률분포로부터 모평균 m, 모분산 σ^2을 구한다.

❷ 크기가 n인 표본을 임의추출할 때, 표본평균 $\overline{X}$에 대하여 $E(\overline{X})=m$, $V(\overline{X})=\dfrac{\sigma^2}{n}$, $\sigma(\overline{X})=\dfrac{\sigma}{\sqrt{n}}$ 임을 이용한다.

| 정답과 해설 45쪽 |

01-1 모집단의 확률변수 X의 확률분포를 표로 나타내면 다음과 같다. 이 모집단에서 크기가 9인 표본을 임의추출할 때, 표본평균 $\overline{X}$에 대하여 $E(\overline{X})+\sigma(\overline{X})$의 값을 구하시오.

X	-2	-1	0	1	2	합계
$P(X=x)$	$\dfrac{1}{8}$	$\dfrac{1}{4}$	$\dfrac{1}{4}$	$\dfrac{1}{4}$	$\dfrac{1}{8}$	1

대표 유형 02 표본평균의 평균, 분산, 표준편차 – 모집단이 주어진 경우

↪ 유형 해결의 법칙 101쪽 유형 03

2, 4, 8의 숫자가 하나씩 적힌 공이 각각 8개, 4개, 4개 들어 있는 상자에서 3개의 공을 임의추출할 때, 공에 적힌 숫자의 평균을 $\overline{X}$라 하자. 이때, $\overline{X}$의 평균과 표준편차를 각각 구하시오.

풀이

❶ 모집단의 확률분포 구하기

상자에서 임의로 1개의 공을 꺼낼 때, 공에 적힌 숫자를 확률변수 X라 하고 X의 확률분포를 표로 나타내면 다음과 같다.

X	2	4	8	합계
$\mathrm{P}(X=x)$	$\dfrac{1}{2}$	$\dfrac{1}{4}$	$\dfrac{1}{4}$	1

❷ 모평균, 모표준편차 구하기

확률변수 X에 대하여

$$\mathrm{E}(X)=2\times\frac{1}{2}+4\times\frac{1}{4}+8\times\frac{1}{4}=4$$

$$\mathrm{V}(X)=2^2\times\frac{1}{2}+4^2\times\frac{1}{4}+8^2\times\frac{1}{4}-4^2=6$$

$$\sigma(X)=\sqrt{6}$$

❸ 표본평균 $\overline{X}$의 평균, 표준편차 구하기

이때, 표본의 크기가 3이므로

$$\mathrm{E}(\overline{X})=4,\ \sigma(\overline{X})=\frac{\sqrt{6}}{\sqrt{3}}=\sqrt{2}$$

달 $\mathrm{E}(\overline{X})=4,\ \sigma(\overline{X})=\sqrt{2}$

해법 **표본평균의 평균, 분산, 표준편차 – 모집단이 주어진 경우**

❶ 확률변수 X가 가질 수 있는 값을 모두 찾고, X가 각 값을 가질 확률을 구하여 확률분포를 표로 나타낸다.

❷ 모평균 m과 모분산 σ^2을 구한다.

❸ 표본평균 $\overline{X}$의 평균, 분산, 표준편차를 구한다.

| 정답과 해설 46쪽 |

02-1 1, 2, 3, 4의 숫자가 하나씩 적힌 카드가 각각 3장씩 들어 있는 주머니에서 5장의 카드를 임의추출할 때, 카드에 적힌 숫자의 평균을 $\overline{X}$라 하자. 이때, $\overline{X}$의 평균과 분산을 각각 구하시오.

02-2 1, 2, 3, 4의 숫자가 하나씩 적힌 카드가 각각 1장, 2장, 3장, 4장 들어 있는 주머니에서 4장의 카드를 임의추출할 때, 카드에 적힌 숫자의 평균을 $\overline{X}$라 하자. 이때, $\mathrm{E}(\overline{X})+\sigma(\overline{X})$의 값을 구하시오.

대표 유형 **03** 표본평균의 확률 유형 해결의 법칙 101쪽 유형 04

어느 자동판매기에서 판매하는 커피 1잔의 용량은 평균이 80 mL, 표준편차가 4 mL인 정규분포를 따른다고 한다. 이 자동판매기에서 판매하는 커피 중 16잔을 임의추출하여 그 표본평균을 $\overline{X}$라 할 때, $P(81 \le \overline{X} \le 82)$를 구하시오. (단, $P(0 \le Z \le 1) = 0.3413$, $P(0 \le Z \le 2) = 0.4772$)

풀이

❶ 표본평균 $\overline{X}$가 따르는 정규분포 $N\left(m, \dfrac{\sigma^2}{n}\right)$ 구하기

모집단이 정규분포 $N(80, 4^2)$을 따르고 표본의 크기가 16이므로

$$E(\overline{X}) = 80, \quad \sigma(\overline{X}) = \frac{4}{\sqrt{16}} = 1$$

따라서 표본평균 $\overline{X}$는 정규분포 $N(80, 1^2)$을 따른다.

❷ $\overline{X}$를 Z로 표준화하여 $P(81 \le \overline{X} \le 82)$ 구하기

이때, $Z = \dfrac{\overline{X} - 80}{1}$으로 놓으면 확률변수 Z는 표준정규분포 $N(0, 1)$을 따르므로

$$
\begin{aligned}
P(81 \le \overline{X} \le 82) &= P\left(\frac{81-80}{1} \le \frac{\overline{X}-80}{1} \le \frac{82-80}{1}\right) \\
&= P(1 \le Z \le 2) \\
&= P(0 \le Z \le 2) - P(0 \le Z \le 1) \\
&= 0.4772 - 0.3413 = 0.1359
\end{aligned}
$$

📋 0.1359

해법 **표본평균의 확률**

❶ 표본평균 $\overline{X}$가 따르는 정규분포 $N\left(m, \dfrac{\sigma^2}{n}\right)$을 구한다.

❷ 표본평균 $\overline{X}$를 $Z = \dfrac{\overline{X} - m}{\dfrac{\sigma}{\sqrt{n}}}$으로 표준화하여 확률을 구한다.

| 정답과 해설 46쪽 |

03-1 정규분포 $N(20, 4^2)$을 따르는 모집단에서 크기가 64인 표본을 임의추출할 때, 표본평균 $\overline{X}$에 대하여 오른쪽 표준정규분포표를 이용하여 $P(19 \le \overline{X} \le 20.5)$를 구하시오.

z	$P(0 \le Z \le z)$
1.0	0.3413
1.5	0.4332
2.0	0.4772

03-2 어느 초등학교 학생들의 몸무게는 평균이 30 kg, 표준편차가 6 kg인 정규분포를 따른다고 한다. 이 학교 학생 중 9명을 임의추출하여 그 표본평균을 $\overline{X}$라 할 때, $P(28 \le \overline{X} \le 32)$를 구하시오. (단, $P(0 \le Z \le 1) = 0.3413$)

대표 유형 (04) 표본평균의 확률 – 표본의 크기 구하기

유형 해결의 법칙 102쪽 유형 05

어느 학교 학생들의 봉사 활동 시간은 평균이 100시간, 표준편차가 10시간인 정규분포를 따른다고 한다. 이 학교 학생 중에서 n명을 임의추출하여 그 표본평균을 $\overline{X}$라 할 때, 오른쪽 표준정규분포표를 이용하여 $P(\overline{X} \geq 105) = 0.0668$을 만족시키는 n의 값을 구하시오.

z	$P(0 \leq Z \leq z)$
1.0	0.3413
1.5	0.4332
2.0	0.4772
2.5	0.4938

풀이

❶ 표본평균 $\overline{X}$가 따르는 정규분포 $N\left(m, \dfrac{\sigma^2}{n}\right)$ 구하기

모집단이 정규분포 $N(100, 10^2)$을 따르고 표본의 크기가 n이므로 표본평균 $\overline{X}$는 정규분포 $N\left(100, \dfrac{10^2}{n}\right)$을 따른다.

❷ $\overline{X}$를 Z로 표준화하여 $P(\overline{X} \geq 105) = 0.0668$을 Z에 대한 확률로 나타내기

이때, $Z = \dfrac{\overline{X} - 100}{\dfrac{10}{\sqrt{n}}}$으로 놓으면 확률변수 Z는 표준정규분포 $N(0, 1)$을 따르므로

$$P(\overline{X} \geq 105) = P\left(\dfrac{\overline{X} - 100}{\dfrac{10}{\sqrt{n}}} \geq \dfrac{105 - 100}{\dfrac{10}{\sqrt{n}}}\right) = P\left(Z \geq \dfrac{\sqrt{n}}{2}\right)$$

$$= 0.5 - P\left(0 \leq Z \leq \dfrac{\sqrt{n}}{2}\right) = 0.0668$$

$$\therefore P\left(0 \leq Z \leq \dfrac{\sqrt{n}}{2}\right) = 0.4332$$

❸ n의 값 구하기

이때, $P(0 \leq Z \leq 1.5) = 0.4332$이므로

$$\dfrac{\sqrt{n}}{2} = 1.5 \qquad \therefore n = 9$$

답 9

해법 표본평균 $\overline{X}$가 정규분포 $N\left(m, \dfrac{\sigma^2}{n}\right)$을 따를 때, $Z = \dfrac{\overline{X} - m}{\dfrac{\sigma}{\sqrt{n}}}$으로 표준화하여 주어진 확률을 만족시키는 n의 값을 구한다.

| 정답과 해설 46쪽 |

04-1 정규분포 $N(10, 2^2)$을 따르는 모집단에서 크기가 n인 표본을 임의추출할 때, 표본평균 $\overline{X}$에 대하여 $P(9 \leq \overline{X} \leq 11) = 0.9544$를 만족시키는 n의 값을 구하시오. (단, $P(0 \leq Z \leq 2) = 0.4772$)

04-2 어느 회사 직원들의 식사 시간은 평균이 40분, 표준편차가 10분인 정규분포를 따른다고 한다. 이 회사 직원 중에서 n명을 임의추출하여 그 표본평균을 $\overline{X}$라 할 때, $P(\overline{X} \geq 45) = 0.0062$를 만족시키는 n의 값을 구하시오.

(단, $P(0 \leq Z \leq 2.5) = 0.4938$)

2 모평균의 추정

| 개념 파헤치기 |

개념 01 모평균의 추정

1 추정

표본에서 얻은 정보를 이용하여 모평균, 모표준편차와 같은 모집단의 특성을 나타내는 값을 추측하는 것을 추정이라 한다.

2 모평균의 신뢰구간 〈144쪽 원리 알아보기〉

정규분포 $N(m, \sigma^2)$을 따르는 모집단에서 크기가 n인 표본을 임의추출하여 구한 표본평균 $\overline{X}$의 값을 $\overline{x}$라 할 때, 신뢰도에 따른 모평균 m의 신뢰구간은 다음과 같다.

> (1) 신뢰도 95 %인 신뢰구간: $\overline{x} - 1.96 \dfrac{\sigma}{\sqrt{n}} \leq m \leq \overline{x} + 1.96 \dfrac{\sigma}{\sqrt{n}}$
>
> (2) 신뢰도 99 %인 신뢰구간: $\overline{x} - 2.58 \dfrac{\sigma}{\sqrt{n}} \leq m \leq \overline{x} + 2.58 \dfrac{\sigma}{\sqrt{n}}$

참고 (1) 표본의 크기 n이 충분히 크면($n \geq 30$) 모표준편차 σ 대신 표본표준편차 S의 값 s를 사용해도 된다.

　　(2) 모평균 m의 신뢰도 95 %, 신뢰도 99 %인 신뢰구간의 길이는 각각 $2 \times 1.96 \dfrac{\sigma}{\sqrt{n}}$, $2 \times 2.58 \dfrac{\sigma}{\sqrt{n}}$이다.

예 　 정규분포 $N(m, 4^2)$을 따르는 모집단에서 크기가 n인 표본을 임의추출하여 구한 표본평균이 35일 때

(1) $n=16$일 때, 모평균 m의 신뢰도 95 %인 신뢰구간	$35 - 1.96 \times \dfrac{4}{\sqrt{16}} \leq m \leq 35 + 1.96 \times \dfrac{4}{\sqrt{16}}$ 　 $\therefore 33.04 \leq m \leq 36.96$ $\left(\text{신뢰구간의 길이} \Rightarrow 2 \times 1.96 \times \dfrac{4}{\sqrt{16}} = 3.92\right)$ → 36.96에서 33.04를 뺀 값과 같다.
(2) $n=16$일 때, 모평균 m의 신뢰도 99 %인 신뢰구간	$35 - 2.58 \times \dfrac{4}{\sqrt{16}} \leq m \leq 35 + 2.58 \times \dfrac{4}{\sqrt{16}}$ 　 $\therefore 32.42 \leq m \leq 37.58$ $\left(\text{신뢰구간의 길이} \Rightarrow 2 \times 2.58 \times \dfrac{4}{\sqrt{16}} = 5.16\right)$
(3) $n=64$일 때, 모평균 m의 신뢰도 95 %인 신뢰구간	$35 - 1.96 \times \dfrac{4}{\sqrt{64}} \leq m \leq 35 + 1.96 \times \dfrac{4}{\sqrt{64}}$ 　 $\therefore 34.02 \leq m \leq 35.98$ $\left(\text{신뢰구간의 길이} \Rightarrow 2 \times 1.96 \times \dfrac{4}{\sqrt{64}} = 1.96\right)$

참고 (1) 표본의 크기가 일정할 때, 신뢰도가 높아지면 신뢰구간의 길이는 길어진다.

　　(2) 신뢰도가 일정할 때, 표본의 크기가 커지면 신뢰구간의 길이는 짧아진다.

Lecture

모평균 m의 신뢰도 α %인 신뢰구간 $\Rightarrow \overline{x} - k \dfrac{\sigma}{\sqrt{n}} \leq m \leq \overline{x} + k \dfrac{\sigma}{\sqrt{n}} \left(\text{단, } P(|Z| \leq k) = \dfrac{\alpha}{100}\right)$

| 정답과 해설 47쪽 |

개념 확인 1 　 표준편차가 2인 정규분포를 따르는 모집단에서 크기가 9인 표본을 임의추출하여 구한 표본평균이 5일 때, 모평균 m의 신뢰도 99 %인 신뢰구간을 구하시오. (단, $P(|Z| \leq 2.58) = 0.99$)

정규분포 $N(m, \sigma^2)$을 따르는 모집단에서 크기가 n인 표본을 임의추출하면 표본평균 $\overline{X}$는 정규분포 $N\left(m, \dfrac{\sigma^2}{n}\right)$을 따르므로 $Z=\dfrac{\overline{X}-m}{\dfrac{\sigma}{\sqrt{n}}}$으로 놓으면 확률변수 Z는 표준정규분포 $N(0, 1)$을 따른다.

이때, 표준정규분포표에서 $P(-1.96 \leq Z \leq 1.96)=0.95$이므로

$$P\left(-1.96 \leq \dfrac{\overline{X}-m}{\dfrac{\sigma}{\sqrt{n}}} \leq 1.96\right)=0.95$$

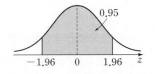

$$\therefore\ P\left(\overline{X}-1.96\dfrac{\sigma}{\sqrt{n}} \leq m \leq \overline{X}+1.96\dfrac{\sigma}{\sqrt{n}}\right)=0.95$$

$\longrightarrow$ 모평균 m이 $\overline{X}-1.96\dfrac{\sigma}{\sqrt{n}}$ 이상 $\overline{X}+1.96\dfrac{\sigma}{\sqrt{n}}$ 이하인 범위에 포함될 확률이 0.95라는 뜻이다.

여기서 표본평균 $\overline{X}$의 값이 $\overline{x}$일 때,

$$\overline{x}-1.96\dfrac{\sigma}{\sqrt{n}} \leq m \leq \overline{x}+1.96\dfrac{\sigma}{\sqrt{n}}$$

를 모평균 m의 신뢰도 95 %인 신뢰구간이라 한다.

같은 방법으로 $P(-2.58 \leq Z \leq 2.58)=0.99$임을 이용하면 모평균 m의 신뢰도 99 %인 신뢰구간은

$$\overline{x}-2.58\dfrac{\sigma}{\sqrt{n}} \leq m \leq \overline{x}+2.58\dfrac{\sigma}{\sqrt{n}}$$

이때, 표본평균 $\overline{X}$는 확률변수이므로 추출되는 표본에 따라 $\overline{x}$가 달라지고 신뢰구간도 달라진다. 이 신뢰구간 중에는 오른쪽 그림과 같이 모평균 m을 포함하는 것과 포함하지 않는 것이 있다.

모평균 m의 신뢰도 95 %인 신뢰구간이란 표본에 따라 달라지는 신뢰구간 중에서 95 % 정도는 모평균 m을 포함할 것으로 기대된다는 뜻이다.

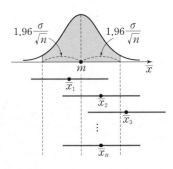

Lecture

정규분포 $N(m, \sigma^2)$을 따르는 모집단에서 크기가 n인 표본을 임의추출할 때, 표본평균 $\overline{X}$의 값이 $\overline{x}$이면 모평균 m의 신뢰구간은 다음과 같다.

	신뢰도 95 %	신뢰도 99 %
신뢰구간	$\overline{x}-1.96\dfrac{\sigma}{\sqrt{n}} \leq m \leq \overline{x}+1.96\dfrac{\sigma}{\sqrt{n}}$	$\overline{x}-2.58\dfrac{\sigma}{\sqrt{n}} \leq m \leq \overline{x}+2.58\dfrac{\sigma}{\sqrt{n}}$

개념 check

1-1 정규분포를 따르는 모집단에서 크기가 100인 표본을 임의추출하였더니 표본평균이 4, 표본표준편차가 1이었다. 다음을 구하시오.
(단, $P(|Z| \leq 1.96) = 0.95$,
$P(|Z| \leq 2.58) = 0.99$)

(1) 모평균 m의 신뢰도 95 %인 신뢰구간

(2) 모평균 m의 신뢰도 99 %인 신뢰구간

연구 표본의 크기가 충분히 크므로 모표준편차 대신 표본표준편차를 사용할 수 있다. 표본의 크기 $n = 100$, 표본평균 $\overline{x} = 4$, 표본표준편차 $s = 1$이므로

(1) 모평균 m의 신뢰도 95 %인 신뢰구간은

$$\boxed{} - 1.96 \times \frac{1}{\sqrt{100}} \leq m \leq \boxed{} + 1.96 \times \frac{1}{\sqrt{100}}$$

$$\boxed{} - 0.196 \leq m \leq \boxed{} + 0.196$$

$$\therefore \boxed{} \leq m \leq \boxed{}$$

(2) 모평균 m의 신뢰도 99 %인 신뢰구간은

$$4 - \boxed{} \times \frac{1}{\sqrt{100}} \leq m \leq 4 + \boxed{} \times \frac{1}{\sqrt{100}}$$

$$4 - \boxed{} \leq m \leq 4 + \boxed{}$$

$$\therefore \boxed{} \leq m \leq \boxed{}$$

스스로 check

1-2 정규분포를 따르는 모집단에서 크기가 100인 표본을 임의추출하였더니 표본평균이 50, 표본표준편차가 5이었다. 다음을 구하시오.
(단, $P(|Z| \leq 1.96) = 0.95$,
$P(|Z| \leq 2.58) = 0.99$)

(1) 모평균 m의 신뢰도 95 %인 신뢰구간

(2) 모평균 m의 신뢰도 99 %인 신뢰구간

2-1 정규분포 $N(m, 2^2)$을 따르는 모집단에서 크기가 4인 표본을 임의추출할 때, 다음과 같은 신뢰도로 추정한 모평균 m의 신뢰구간의 길이를 구하시오. (단, $P(|Z| \leq 1.96) = 0.95$,
$P(|Z| \leq 2.58) = 0.99$)

(1) 신뢰도 95 %
(2) 신뢰도 99 %

연구 표본의 크기 $n = 4$, 모표준편차 $\sigma = 2$이므로

(1) 모평균 m의 신뢰도 95 %인 신뢰구간의 길이는

$$2 \times \boxed{} \times \frac{\boxed{}}{\sqrt{4}} = \boxed{}$$

(2) 모평균 m의 신뢰도 99 %인 신뢰구간의 길이는

$$\boxed{} \times 2.58 \times \frac{\boxed{}}{\sqrt{4}} = \boxed{}$$

2-2 정규분포 $N(m, 3^2)$을 따르는 모집단에서 크기가 36인 표본을 임의추출할 때, 다음과 같은 신뢰도로 추정한 모평균 m의 신뢰구간의 길이를 구하시오. (단, $P(|Z| \leq 1.96) = 0.95$,
$P(|Z| \leq 2.58) = 0.99$)

(1) 신뢰도 95 %

(2) 신뢰도 99 %

대표 유형 모평균의 추정 – 모표준편차가 주어진 경우 ↪유형 해결의 법칙 103쪽 유형 07

어느 회사에서 생산하는 축구공 한 개의 무게는 표준편차가 10 g인 정규분포를 따른다고 한다. 이 회사에서 생산하는 축구공 중에서 100개를 임의추출하여 무게를 조사하였더니 평균이 380 g이었을 때, 이 회사에서 생산하는 전체 축구공의 평균 무게 m g의 신뢰도 95 %인 신뢰구간을 구하시오.

(단, $P(|Z| \leq 1.96) = 0.95$)

풀이 표본의 크기 $n = 100$, 표본평균 $\overline{x} = 380$, 모표준편차 $\sigma = 10$이므로 모평균 m의 신뢰도 95 %인 신뢰구간은

$$380 - 1.96 \times \frac{10}{\sqrt{100}} \leq m \leq 380 + 1.96 \times \frac{10}{\sqrt{100}}$$

$$380 - 1.96 \leq m \leq 380 + 1.96$$

$$\therefore 378.04 \leq m \leq 381.96$$

📋 $378.04 \leq m \leq 381.96$

해법 정규분포 $N(m, \sigma^2)$을 따르는 모집단에서 크기가 n인 표본을 임의추출하여 구한 표본평균 $\overline{X}$의 값을 $\overline{x}$라 할 때, 모평균 m의

❶ 신뢰도 95 %인 신뢰구간 ➡ $\overline{x} - 1.96 \dfrac{\sigma}{\sqrt{n}} \leq m \leq \overline{x} + 1.96 \dfrac{\sigma}{\sqrt{n}}$

❷ 신뢰도 99 %인 신뢰구간 ➡ $\overline{x} - 2.58 \dfrac{\sigma}{\sqrt{n}} \leq m \leq \overline{x} + 2.58 \dfrac{\sigma}{\sqrt{n}}$

| 정답과 해설 48쪽 |

01-1 어느 고등학교 학생들의 키는 표준편차가 4 cm인 정규분포를 따른다고 한다. 이 고등학교 학생 중에서 64명을 임의추출하여 키를 조사하였더니 평균이 150 cm이었을 때, 이 고등학교 전체 학생의 평균 키 m cm의 신뢰도 99 %인 신뢰구간을 구하시오. (단, $P(|Z| \leq 2.58) = 0.99$)

01-2 표준편차가 σ인 정규분포를 따르는 모집단에서 크기가 n인 표본을 임의추출하여 얻은 모평균 m의 신뢰도 95 %인 신뢰구간이 $56.08 \leq m \leq 63.92$이었다. 같은 표본을 이용하여 얻은 모평균 m의 신뢰도 99 %인 신뢰구간을 구하시오. (단, $P(|Z| \leq 1.96) = 0.95$, $P(|Z| \leq 2.58) = 0.99$)

대표 유형 **02** **모평균의 추정 – 표본표준편차가 주어진 경우**
↻ 유형 해결의 법칙 104쪽 유형 08

어느 고등학교 학생들의 몸무게는 정규분포를 따른다고 한다. 이 고등학교 학생 중에서 400명을 임의추출하여 몸무게를 조사하였더니 평균이 55 kg, 표준편차가 10 kg이었다. 이 고등학교 전체 학생의 몸무게의 평균 m kg의 신뢰도 95 %인 신뢰구간을 구하시오. (단, $P(|Z| \leq 1.96) = 0.95$)

풀이 표본의 크기 400이 충분히 크므로 모표준편차 대신 표본표준편차를 사용할 수 있다.

표본의 크기 $n = 400$, 표본평균 $\overline{x} = 55$, 표본표준편차 $s = 10$이므로 모평균 m의 신뢰도 95 %인 신뢰구간은

$$55 - 1.96 \times \frac{10}{\sqrt{400}} \leq m \leq 55 + 1.96 \times \frac{10}{\sqrt{400}}$$

$$55 - 0.98 \leq m \leq 55 + 0.98$$

$$\therefore \ 54.02 \leq m \leq 55.98$$

📋 $54.02 \leq m \leq 55.98$

해법 모평균의 신뢰구간을 구할 때 모표준편차 σ의 값을 알 수 없는 경우 표본의 크기 n이 충분히 크면 ($n \geq 30$) 모표준편차 대신 표본표준편차를 사용할 수 있다.

| 정답과 해설 48쪽 |

02-1 어느 고등학교 3학년 학생들의 한 달 동안의 독서실 이용 시간은 정규분포를 따른다고 한다. 이 고등학교 3학년 학생 중에서 100명을 임의추출하여 한 달 동안의 독서실 이용 시간을 조사하였더니 평균이 100시간, 표준편차가 10시간이었다. 이 고등학교 3학년 전체 학생의 한 달 동안의 독서실 이용 시간의 평균 m시간의 신뢰도 95 %인 신뢰구간을 구하시오. (단, $P(|Z| \leq 1.96) = 0.95$)

02-2 어느 회사에서 생산하는 과자 한 봉지의 나트륨 함유량은 정규분포를 따른다고 한다. 이 회사에서 생산하는 과자 중에서 64봉지를 임의추출하여 나트륨 함유량을 조사하였더니 평균이 16 g, 표준편차가 4 g이었다. 이 회사에서 생산하는 전체 과자의 나트륨 함유량의 평균 m g의 신뢰도 99 %인 신뢰구간을 구하시오. (단, $P(|Z| \leq 2.58) = 0.99$)

대표 유형 **03** 모평균의 추정 – 표본의 크기 구하기

↻ 유형 해결의 법칙 104쪽 유형 09

어느 공장에서 생산하는 빨대 한 개의 길이는 표준편차가 $5\,\text{mm}$인 정규분포를 따른다고 한다. 이 공장에서 생산하는 빨대 중에서 n개를 임의추출하여 길이를 조사하였더니 평균이 $60\,\text{mm}$이었다. 이 공장에서 생산하는 전체 빨대의 평균 길이 $m\,\text{mm}$를 신뢰도 $95\,\%$로 추정한 신뢰구간이 $57.55 \leq m \leq 62.45$일 때, n의 값을 구하시오. (단, $\mathrm{P}(|Z| \leq 1.96) = 0.95$)

풀이

❶ 모평균 m의 신뢰도 $95\,\%$인 신뢰구간 구하기

표본평균 $\overline{x} = 60$, 모표준편차 $\sigma = 5$이므로 모평균 m의 신뢰도 $95\,\%$인 신뢰구간은

$$60 - 1.96 \times \frac{5}{\sqrt{n}} \leq m \leq 60 + 1.96 \times \frac{5}{\sqrt{n}}$$

❷ n의 값 구하기

이때, $57.55 \leq m \leq 62.45$이므로

$$60 - 1.96 \times \frac{5}{\sqrt{n}} = 57.55,\ 60 + 1.96 \times \frac{5}{\sqrt{n}} = 62.45$$

따라서 $1.96 \times \dfrac{5}{\sqrt{n}} = 2.45$이므로

$$\sqrt{n} = 4 \qquad \therefore n = 16$$

🔲 16

해법 정규분포 $\mathrm{N}(m,\ \sigma^2)$을 따르는 모집단에서 크기가 n인 표본을 임의추출하여 구한 표본평균 $\overline{X}$의 값이 $\overline{x}$일 때, 신뢰도 $\alpha\,\%$로 추정한 모평균 m의 신뢰구간이 $p \leq m \leq q$이면

$$\Rightarrow p = \overline{x} - k\frac{\sigma}{\sqrt{n}},\ q = \overline{x} + k\frac{\sigma}{\sqrt{n}} \left(\text{단, } \mathrm{P}(|Z| \leq k) = \frac{\alpha}{100}\right)$$

| 정답과 해설 48쪽 |

03-1 분산이 9인 정규분포를 따르는 모집단에서 크기가 n인 표본을 임의추출하여 모평균 m을 신뢰도 $95\,\%$로 추정한 신뢰구간이 $9.06 \leq m \leq 14.94$일 때, n의 값을 구하시오. (단, $\mathrm{P}(|Z| \leq 1.96) = 0.95$)

03-2 어느 회사에서 생산하는 치약 한 개의 무게는 표준편차가 $10\,\text{g}$인 정규분포를 따른다고 한다. 이 회사에서 생산하는 치약 중에서 n개를 임의추출하여 무게를 조사하였더니 평균이 $100\,\text{g}$이었다. 이 회사에서 생산하는 전체 치약의 평균 무게 $m\,\text{g}$을 신뢰도 $99\,\%$로 추정한 신뢰구간이 $97.42 \leq m \leq 102.58$일 때, n의 값을 구하시오.

(단, $\mathrm{P}(|Z| \leq 2.58) = 0.99$)

대표 유형 **04** 신뢰구간의 길이

↻ 유형 해결의 법칙 105쪽 유형 10, 11

> 표준편차가 2인 정규분포를 따르는 모집단에서 크기가 n인 표본을 임의추출하여 모평균을 신뢰도 95 %
> 로 추정할 때, 신뢰구간의 길이가 2 이하가 되도록 하는 n의 최솟값을 구하시오.
>
> (단, $\mathrm{P}(|Z|\leq1.96)=0.95$)

풀이   모표준편차 $\sigma=2$이고, 신뢰도 95 %로 모평균을 추정할 때 신뢰구간의 길이가 2 이하이어야 하므로

$$2\times1.96\times\frac{2}{\sqrt{n}}\leq2$$

$\sqrt{n}\geq3.92$ $\therefore n\geq15.3664$

이때, n은 자연수이므로 n의 최솟값은 16이다.

답 16

> **해법**   정규분포 $\mathrm{N}(m,\sigma^2)$을 따르는 모집단에서 크기가 n인 표본을 임의추출할 때, 모평균 m을 신뢰도 α %로 추정
> 한 신뢰구간의 길이는 ➡ $2k\dfrac{\sigma}{\sqrt{n}}$ $\left(단, \mathrm{P}(|Z|\leq k)=\dfrac{\alpha}{100}\right)$

| 정답과 해설 48쪽 |

04-1   어느 대기업에 근무하는 직원들의 하루 평균 통화 시간은 표준편차가 40분인 정규분포를 따른다고 한다. 이 대기업에 근무하는 직원 중에서 64명을 임의추출하여 하루 평균 통화 시간의 모평균 m분을 신뢰도 99 %로 추정할 때, 신뢰구간의 길이를 구하시오. (단, $\mathrm{P}(|Z|\leq2.58)=0.99$)

04-2   어느 과수원에서 재배하는 귤 한 개의 무게는 표준편차가 10 g인 정규분포를 따른다고 한다. 이 과수원에서 재배하는 귤 중에서 표본을 임의추출하여 귤 무게의 모평균을 신뢰도 95 %로 추정할 때, 신뢰구간의 길이가 1 g 이하가 되도록 하는 표본의 크기의 최솟값을 구하시오. (단, $\mathrm{P}(|Z|\leq1.96)=0.95$)

1-1 모집단의 확률변수 X의 확률분포를 표로 나타내면 다음과 같다. 이 모집단에서 크기가 3인 표본을 임의추출할 때, 표본평균 $\overline{X}$의 평균이 1이다. 이때, $V(\overline{X})$를 구하시오. (단, a는 상수)

X	-4	-2	2	a	합계
$P(X=x)$	$\dfrac{1}{4}$	$\dfrac{1}{4}$	$\dfrac{1}{4}$	$\dfrac{1}{4}$	1

1-2 모집단의 확률변수 X의 확률분포를 표로 나타내면 다음과 같다. 이 모집단에서 크기가 5인 표본을 임의추출할 때, 표본평균 $\overline{X}$에 대하여 $E(\overline{X}^2)$을 구하시오. (단, a는 상수)

X	-4	-2	0	2	4	합계
$P(X=x)$	a	$\dfrac{1}{8}$	$\dfrac{1}{2}$	a	$\dfrac{1}{8}$	1

2-1 1, 1, 1, 1, 2, 2, 2, 2, a, a의 숫자가 각각 하나씩 적힌 10개의 공이 들어 있는 주머니에서 5개의 공을 임의추출할 때, 공에 적힌 숫자의 평균을 $\overline{X}$라 하자. $E(\overline{X})=4$일 때, a의 값과 $V(\overline{X})$를 각각 구하시오.

2-2 1, 1, 2, 2, 2, 2, a, a, a, a의 숫자가 각각 하나씩 적힌 10개의 공이 들어 있는 주머니에서 7개의 공을 임의추출할 때, 공에 적힌 숫자의 평균을 $\overline{X}$라 하자. $E(\overline{X})=3$일 때, a의 값과 $\sigma(\overline{X})$를 각각 구하시오.

3-1 어느 과일 가게에서 판매하는 사과 한 개의 무게는 평균이 200 g, 표준편차가 25 g인 정규분포를 따른다고 한다. 이 과일 가게에서 판매하는 사과 중 25개를 임의추출하여 조사한 무게의 평균이 190 g 이상 210 g 이하일 확률을 위의 표준정규분포표를 이용하여 구하면?

z	$P(0 \le Z \le z)$
0.5	0.1915
1.0	0.3413
1.5	0.4332
2.0	0.4772

① 0.3830 ② 0.5328 ③ 0.6826
④ 0.8664 ⑤ 0.9544

3-2 어느 공장에서 만든 제품 한 개의 무게는 평균이 24 g, 표준편차가 5 g인 정규분포를 따른다고 한다. 이 제품 중 100개를 임의추출하여 조사한 무게의 평균이 25 g 이상일 확률을 위의 표준정규분포표를 이용하여 구하면?

z	$P(0 \le Z \le z)$
0.5	0.1915
1.0	0.3413
1.5	0.4332
2.0	0.4772

① 0.0228 ② 0.0668 ③ 0.1587
④ 0.3085 ⑤ 0.4772

4-1 어느 지역의 가구당 한 달 동안의 음식물 쓰레기 무게는 평균이 3800 g, 표준편차가 200 g인 정규분포를 따른다고 한다. 이 지역에서 n가구를 임의추출하여 그 표본평균을 $\overline{X}$라 할 때, $P(\overline{X} \leq 3750) = 0.0062$를 만족시키는 n의 값을 구하시오. (단, $P(0 \leq Z \leq 2.5) = 0.4938$)

4-2 어느 학교 학생들의 등교 시간은 평균이 30분, 표준편차가 10분인 정규분포를 따른다고 한다. 이 학교 학생 중에서 n명을 임의추출하여 조사한 등교 시간의 평균이 40분 이상일 확률이 0.0228이다. 이때, n의 값을 구하시오.

(단, $P(0 \leq Z \leq 2) = 0.4772$)

5-1 어느 회사에서 생산하는 골프공 한 개의 무게는 표준편차가 1 g인 정규분포를 따른다고 한다. 이 회사에서 생산하는 골프공 중에서 100개를 임의추출하여 무게를 조사하였더니 평균이 46 g이었다. 이 회사에서 생산하는 전체 골프공의 평균 무게 m g의 신뢰도 95 %인 신뢰구간이 $46-a \leq m \leq 46+a$일 때, 실수 a의 값을 구하시오.

(단, $P(|Z| \leq 1.96) = 0.95$)

5-2 어느 제과점에서 만드는 빵 한 개의 무게는 표준편차가 1 g인 정규분포를 따른다고 한다. 이 제과점에서 만든 빵 중에서 4개를 임의추출하여 무게를 조사하였더니 평균이 42 g이었다. 이 제과점에서 만드는 전체 빵의 평균 무게 m g의 신뢰도 99 %인 신뢰구간이 $42-a \leq m \leq 42+a$일 때, 실수 a의 값을 구하시오. (단, $P(|Z| \leq 2.58) = 0.99$)

6-1 어느 고등학교 학생들의 하루 자습 시간은 정규분포를 따른다고 한다. 이 고등학교 학생 중에서 36명을 임의추출하여 하루 자습 시간을 조사하였더니 평균이 4시간, 표준편차가 3시간이었다. 이 고등학교 전체 학생의 하루 자습 시간의 평균 m시간을 신뢰도 99 %로 추정할 때, 신뢰구간에 속하는 자연수의 개수를 구하시오. (단, $P(|Z| \leq 2.58) = 0.99$)

6-2 어느 공장에서 생산하는 비누 한 개의 무게는 정규분포를 따른다고 한다. 이 공장에서 생산하는 비누 중에서 36개를 임의추출하여 무게를 조사하였더니 평균이 100 g, 표준편차가 6 g이었다. 이 공장에서 생산하는 전체 비누의 무게의 평균 m g을 신뢰도 99 %로 추정할 때, 신뢰구간에 속하는 자연수의 개수를 구하시오.

(단, $P(|Z| \leq 2.58) = 0.99$)

정답과 해설 51쪽

유형 확인

7-1 어느 회사 전화 상담사 한 사람당 상담 시간은 표준편차가 4분인 정규분포를 따른다고 한다. 이 회사 전화 상담사 중에서 n명을 임의추출하여 상담 시간을 조사하였더니 평균이 20분이었다. 이 회사 전체 전화 상담사의 평균 상담 시간 m분을 신뢰도 95 %로 추정한 신뢰구간이 $18.88 \leq m \leq 21.12$일 때, n의 값을 구하시오.

(단, $P(|Z| \leq 1.96) = 0.95$)

한번 더 확인

7-2 어느 양계장에서 생산하는 달걀 한 개의 무게는 표준편차가 $\sqrt{10}$ g인 정규분포를 따른다고 한다. 이 양계장에서 생산하는 달걀 중에서 n개를 임의추출하여 무게를 조사하였더니 평균이 64 g이었다. 이 양계장에서 생산하는 전체 달걀의 평균 무게 m g을 신뢰도 99 %로 추정한 신뢰구간이 $62.71 \leq m \leq 65.29$일 때, n의 값을 구하시오.

(단, $P(|Z| \leq 2.58) = 0.99$)

8-1 어느 공장에서 생산하는 건전지 한 개의 수명은 표준편차가 100시간인 정규분포를 따른다고 한다. 이 공장에서 생산하는 건전지 중에서 400개를 임의추출하여 건전지 수명의 모평균 m시간을 신뢰도 95 %로 추정할 때, 신뢰구간의 길이를 구하시오. (단, $P(|Z| \leq 1.96) = 0.95$)

창의·융합

8-2 어느 고등학교 학생들의 하루 핸드폰 사용 시간은 표준편차가 0.5시간인 정규분포를 따른다고 한다. 이 고등학교 학생 중에서 표본을 임의추출하여 하루 핸드폰 사용 시간의 모평균 m시간을 신뢰도 95 %로 추정한 신뢰구간이 $a \leq m \leq b$이다. 이때, $b - a \leq 0.1$이 되도록 하는 표본의 크기의 최솟값을 구하시오.

(단, a, b는 실수, $P(|Z| \leq 1.96) = 0.95$)

9-1 정규분포 $N(m, \sigma^2)$을 따르는 모집단에서 표본을 임의추출하여 모평균을 추정할 때, 모평균의 신뢰구간에 대하여 다음 보기에서 옳은 것만을 있는 대로 고르시오.

보기
ㄱ. 신뢰도를 낮추면서 표본의 크기를 크게 하면 신뢰구간의 길이는 짧아진다.
ㄴ. 신뢰도를 낮추면서 표본의 크기를 작게 하면 신뢰구간의 길이는 길어진다.
ㄷ. 신뢰도가 일정할 때, 표본의 크기가 커질수록 신뢰구간의 길이는 짧아진다.

9-2 정규분포 $N(m, \sigma^2)$을 따르는 모집단에서 크기가 n인 표본을 임의추출하여 모평균 m을 신뢰도 α %로 추정하려고 한다. 다음 중 신뢰구간의 길이가 가장 긴 것은?

① $n = 64$, $\alpha = 95$　　② $n = 64$, $\alpha = 99$
③ $n = 144$, $\alpha = 95$　　④ $n = 196$, $\alpha = 95$
⑤ $n = 196$, $\alpha = 99$

표준정규분포표

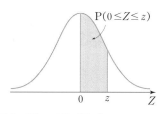

$$P(0 \le Z \le z)$$

확률변수 Z가 표준정규분포 $N(0, 1)$을 따를 때,
확률 $P(0 \le Z \le z)$는 위의 그림에서 색칠한 부분의 넓이이다.

z	0.00	0.01	0.02	0.03	0.04	0.05	0.06	0.07	0.08	0.09
0.0	.0000	.0040	.0080	.0120	.0160	.0199	.0239	.0279	.0319	.0359
0.1	.0398	.0438	.0478	.0517	.0557	.0596	.0636	.0675	.0714	.0753
0.2	.0793	.0832	.0871	.0910	.0948	.0987	.1026	.1064	.1103	.1141
0.3	.1179	.1217	.1255	.1293	.1331	.1368	.1406	.1443	.1480	.1517
0.4	.1554	.1591	.1628	.1664	.1700	.1736	.1772	.1808	.1844	.1879
0.5	.1915	.1950	.1985	.2019	.2054	.2088	.2123	.2157	.2190	.2224
0.6	.2257	.2291	.2324	.2357	.2389	.2422	.2454	.2486	.2517	.2549
0.7	.2580	.2611	.2642	.2673	.2704	.2734	.2764	.2794	.2823	.2852
0.8	.2881	.2910	.2939	.2967	.2995	.3023	.3051	.3078	.3106	.3133
0.9	.3159	.3186	.3212	.3238	.3264	.3289	.3315	.3340	.3365	.3389
1.0	.3413	.3438	.3461	.3485	.3508	.3531	.3554	.3577	.3599	.3621
1.1	.3643	.3665	.3686	.3708	.3729	.3749	.3770	.3790	.3810	.3830
1.2	.3849	.3869	.3888	.3907	.3925	.3944	.3962	.3980	.3997	.4015
1.3	.4032	.4049	.4066	.4082	.4099	.4115	.4131	.4147	.4162	.4177
1.4	.4192	.4207	.4222	.4236	.4251	.4265	.4279	.4292	.4306	.4319
1.5	.4332	.4345	.4357	.4370	.4382	.4394	.4406	.4418	.4429	.4441
1.6	.4452	.4463	.4474	.4484	.4495	.4505	.4515	.4525	.4535	.4545
1.7	.4554	.4564	.4573	.4582	.4591	.4599	.4608	.4616	.4625	.4633
1.8	.4641	.4649	.4656	.4664	.4671	.4678	.4686	.4693	.4699	.4706
1.9	.4713	.4719	.4726	.4732	.4738	.4744	.4750	.4756	.4761	.4767
2.0	.4772	.4778	.4783	.4788	.4793	.4798	.4803	.4808	.4812	.4817
2.1	.4821	.4826	.4830	.4834	.4838	.4842	.4846	.4850	.4854	.4857
2.2	.4861	.4864	.4868	.4871	.4875	.4878	.4881	.4884	.4887	.4890
2.3	.4893	.4896	.4898	.4901	.4904	.4906	.4909	.4911	.4913	.4916
2.4	.4918	.4920	.4922	.4925	.4927	.4929	.4931	.4932	.4934	.4936
2.5	.4938	.4940	.4941	.4943	.4945	.4946	.4948	.4949	.4951	.4952
2.6	.4953	.4955	.4956	.4957	.4959	.4960	.4961	.4962	.4963	.4964
2.7	.4965	.4966	.4967	.4968	.4969	.4970	.4971	.4972	.4973	.4974
2.8	.4974	.4975	.4976	.4977	.4977	.4978	.4979	.4979	.4980	.4981
2.9	.4981	.4982	.4982	.4983	.4984	.4984	.4985	.4985	.4986	.4986
3.0	.4987	.4987	.4987	.4988	.4988	.4989	.4989	.4989	.4990	.4990
3.1	.4990	.4991	.4991	.4991	.4992	.4992	.4992	.4992	.4993	.4993
3.2	.4993	.4993	.4994	.4994	.4994	.4994	.4994	.4995	.4995	.4995
3.3	.4995	.4995	.4995	.4996	.4996	.4996	.4996	.4996	.4996	.4997
3.4	.4997	.4997	.4997	.4997	.4997	.4997	.4997	.4997	.4997	.4998

1 | 경우의 수

개념 확인　8쪽~12쪽

1 13

2 6

3 (1) 720　(2) 36

4 (1) 120　(2) 720

5 (1) 64　(2) 4　(3) 125　(4) 81

6 64

7 (1) 4　(2) 60

STEP 1 개념 드릴　13쪽

1-1 (1) 5, 4, 24　(2) 6, 5, 120

1-2 (1) 120　(2) 6

2-1 2, 2, 8

2-2 81

3-1 5, 30, 2, 60, 30, 60, 90

3-2 10

STEP 2 필수 유형　14쪽~22쪽

01-1 (1) 48　(2) 24

01-2 72

02-1 (1) 240　(2) 360

03-1 30

03-2 2

04-1 1728

04-2 216

05-1 32

05-2 (1) 100　(2) 74

06-1 (1) 256　(2) 24

06-2 25

07-1 (1) 360　(2) 1080

07-2 120

08-1 (1) 60　(2) 30

09-1 (1) 56　(2) 18

개념 확인　23쪽~24쪽

1 (1) 20　(2) 840

2 (1) 5　(2) 35　(3) 45　(4) 10

3 10

STEP 1 개념 드릴　26쪽

1-1 (1) 4, 4　(2) 2, 10, 21, 10, 21, 210

1-2 (1) 10　(2) 74

2-1 (1) 4, 4, 6, 20　(2) 5, 5, 14, 14, 1001

2-2 (1) 28　(2) 36

STEP 2 필수 유형　27쪽~29쪽

01-1 15

01-2 8

02-1 (1) 36　(2) 15

02-2 46

03-1 (1) 4　(2) 20

개념 확인　30쪽~32쪽

1 (1) $8x^3+12x^2y+6xy^2+y^3$

　(2) $x^4-4x^3y+6x^2y^2-4xy^3+y^4$

2 (1) $32x^5+80x^4+80x^3+40x^2+10x+1$

　(2) $x^6+6x^5y+15x^4y^2+20x^3y^3+15x^2y^4+6xy^5+y^6$

3 (1) 32　(2) 0　(3) 16　(4) 32

STEP 1 개념 드릴　33쪽

1-1 (1) $4-r$, $4-r$, 216　(2) r, 3, 540

1-2 (1) 160　(2) 6

2-1 (1) 6, 64, 64, 63　(2) 21, 21, 20

2-2 (1) 2　(2) 1024

STEP 2 필수 유형　34쪽~36쪽

01-1 (1) -9　(2) -6

02-1 (1) 210　(2) 119

03-1 (1) 4　(2) 10

STEP 3 유형 드릴　37쪽~39쪽

1-1 12	**1-2** 240	**2-1** ②	**2-2** ③
3-1 240	**3-2** 8	**4-1** 61	**4-2** 468
5-1 630	**5-2** 20	**6-1** 86	**6-2** 6
7-1 420	**7-2** 120	**8-1** 27	**8-2** 35
9-1 245	**9-2** 60	**10-1** 2	**10-2** 1
11-1 7	**11-2** 3		

2 | 확률의 뜻과 활용

개념 확인   42쪽~46쪽

1 (1) $\{1, 2, 3, 4, 5\}$ (2) $\{2\}$ (3) $\{1, 4, 6\}$ (4) $\{1, 3, 4, 5, 6\}$

2 (1) $\dfrac{1}{3}$ (2) $\dfrac{2}{5}$

3 $\dfrac{3}{8}$

4 (1) 1   (2) 0

STEP 1   개념 드릴   47쪽

1-1 $6, 36, 36, \dfrac{1}{4}$

1-2 $\dfrac{1}{6}$

2-1 $450, \dfrac{9}{20}, \dfrac{9}{20}, 11, 9$

2-2 152

STEP 2   필수 유형   48쪽~53쪽

01-1 $\dfrac{2}{9}$

01-2 $\dfrac{3}{10}$

02-1 $\dfrac{1}{35}$

02-2 $\dfrac{2}{15}$

03-1 $\dfrac{2}{5}$

03-2 $\dfrac{2}{9}$

04-1 $\dfrac{1}{6}$

04-2 $\dfrac{1}{7}$

05-1 $\dfrac{2}{7}$

05-2 $\dfrac{1}{7}$

06-1 ㄱ, ㄷ

개념 확인   54쪽~55쪽

1 (1) $\dfrac{1}{4}$ (2) $\dfrac{2}{7}$

2 $\dfrac{5}{8}$

3 $\dfrac{3}{4}$

STEP 1   개념 드릴   56쪽

1-1 $\dfrac{2}{3}, \dfrac{2}{3}, \dfrac{4}{3}, \dfrac{4}{3}, 4$

1-2 (1) $\dfrac{4}{15}$ (2) $\dfrac{5}{6}$

2-1 $\dfrac{1}{4}, \dfrac{1}{4}, \dfrac{1}{12}$

2-2 (1) $\dfrac{2}{15}$ (2) $\dfrac{1}{2}$

STEP 2   필수 유형   57쪽~60쪽

01-1 $\dfrac{11}{12}$

01-2 $\dfrac{2}{7}$

02-1 $\dfrac{7}{15}$

02-2 $\dfrac{52}{105}$

03-1 $\dfrac{6}{7}$

03-2 $\dfrac{5}{7}$

04-1 $\dfrac{11}{12}$

04-2 $\dfrac{17}{50}$

STEP 3   유형 드릴   61쪽~63쪽

1-1 ㄱ, ㄷ	**1-2** ④	**2-1** $\dfrac{17}{30}$	**2-2** $\dfrac{9}{20}$
3-1 $\dfrac{1}{5}$	**3-2** $\dfrac{1}{7}$	**4-1** $\dfrac{3}{8}$	**4-2** $\dfrac{2}{9}$
5-1 $\dfrac{1}{28}$	**5-2** $\dfrac{3}{8}$	**6-1** 5	**6-2** 6
7-1 0.6	**7-2** $\dfrac{5}{11}$	**8-1** $\dfrac{6}{13}$	**8-2** $\dfrac{1}{3}$
9-1 $\dfrac{23}{28}$	**9-2** $\dfrac{25}{286}$	**10-1** 2	**10-2** 3
11-1 $\dfrac{26}{35}$	**11-2** $\dfrac{9}{10}$		

3 | 조건부확률

개념 확인   66쪽~67쪽

1 (1) $\dfrac{1}{2}$ (2) $\dfrac{1}{4}$

2 $\dfrac{2}{5}$

3 (1) $\dfrac{1}{12}$ (2) $\dfrac{1}{4}$

STEP 1 개념 드릴   68쪽

1-1 $3, 3, 2, \dfrac{1}{10}, \dfrac{1}{10}, \dfrac{1}{4}$

1-2 (1) $\dfrac{1}{9}$ (2) $\dfrac{5}{12}$

2-1 $\dfrac{3}{5}, \dfrac{5}{9}, \dfrac{1}{3}$

2-2 (1) $\dfrac{4}{5}$ (2) $\dfrac{2}{9}$ (3) $\dfrac{8}{45}$

STEP 2 필수 유형   69쪽~71쪽

01-1 $\dfrac{2}{3}$

01-2 $\dfrac{12}{17}$

02-1 0.68

03-1 $\dfrac{1}{4}$

개념 확인   72쪽~75쪽

1 (1) $\dfrac{1}{3}$ (2) $\dfrac{1}{2}$

2 (1) 독립   (2) 종속

3 $\dfrac{3}{8}$

STEP 1 개념 드릴   76쪽

1-1 (1) $B, \dfrac{1}{3}$ (2) $A, \dfrac{2}{5}$ (3) $B, \dfrac{1}{3}, \dfrac{1}{5}$ (4) $A, \dfrac{3}{5}, \dfrac{2}{5}$

1-2 (1) $\dfrac{1}{2}$ (2) $\dfrac{5}{6}$ (3) $\dfrac{1}{12}$ (4) $\dfrac{1}{12}$

2-1 $B, B, B, \dfrac{5}{3}, \dfrac{2}{5}$

2-2 (1) $\dfrac{3}{10}$ (2) $\dfrac{5}{6}$

STEP 2 필수 유형   77쪽~79쪽

01-1 ㄱ, ㄴ

02-1 (1) $\dfrac{1}{3}$ (2) $\dfrac{1}{24}$

03-1 $\dfrac{5}{16}$

03-2 $\dfrac{7}{27}$

STEP 3 유형 드릴   80쪽~81쪽

1-1 $\dfrac{10}{19}$

1-2 $\dfrac{2}{3}$

2-1 150

2-2 5

3-1 $\dfrac{3}{8}$

3-2 $\dfrac{5}{12}$

4-1 $\dfrac{14}{23}$

4-2 $\dfrac{32}{35}$

5-1 $\dfrac{2}{3}$

5-2 $\dfrac{9}{20}$

6-1 $\dfrac{1}{5}$

6-2 $\dfrac{3}{8}$

7-1 $\dfrac{3}{8}$

7-2 $\dfrac{32}{81}$

4 | 확률분포

1 0, 1, 2

2 $\dfrac{1}{6}, \dfrac{1}{3}, \dfrac{1}{2}$

3 (1) 0.05   (2) 0.45   (3) 0.15   (4) 0.55

STEP 1 개념 드릴   87쪽

1-1 (1) 2   (2) $\dfrac{5}{6}, \dfrac{5}{36}, \dfrac{5}{18}, 2$ (3) (윗줄부터) $2, \dfrac{5}{18}$

1-2 (1) 0, 1, 2   (2) $\mathrm{P}(X=0)=\dfrac{4}{9}$, $\mathrm{P}(X=1)=\dfrac{4}{9}$, $\mathrm{P}(X=2)=\dfrac{1}{9}$

(3)

X	0	1	2	합계
$\mathrm{P}(X=x)$	$\dfrac{4}{9}$	$\dfrac{4}{9}$	$\dfrac{1}{9}$	1

2-1 1, 1, 1, 1, 10

2-2 $\dfrac{1}{7}$

STEP 2 필수 유형   88쪽~89쪽

01-1 $\dfrac{7}{12}$

01-2 $\dfrac{1}{3}$

02-1 (1) 0, 1, 2

(2)

X	0	1	2	합계
$\mathrm{P}(X=x)$	$\dfrac{1}{6}$	$\dfrac{2}{3}$	$\dfrac{1}{6}$	1

(3) $\dfrac{5}{6}$

02-2 $\dfrac{22}{35}$

---

1 $\mathrm{E}(X)=20$, $\mathrm{V}(X)=80$, $\sigma(X)=4\sqrt{5}$

2 (1) 11   (2) -11

3 (1) 36   (2) 81   (3) 6   (4) 9

STEP 1 개념 드릴   93쪽

1-1 (1) 1, 2   (2) $3, \dfrac{14}{3}, \dfrac{14}{3}$

1-2 (1) 4   (2) 4

2-1 $4, 4, 4, 2, 4, -\dfrac{1}{2}, \dfrac{1}{2}$

2-2 (1) $\mathrm{E}(Y)=15$, $\mathrm{V}(Y)=16$, $\sigma(Y)=4$

(2) $\mathrm{E}(Y)=-9$, $\mathrm{V}(Y)=16$, $\sigma(Y)=4$

(3) $\mathrm{E}(Y)=16$, $\mathrm{V}(Y)=64$, $\sigma(Y)=8$

(4) $\mathrm{E}(Y)=-17$, $\mathrm{V}(Y)=64$, $\sigma(Y)=8$

STEP 2 필수 유형   94쪽~96쪽

01-1 $\dfrac{1}{2}$

01-2 $\dfrac{19}{12}$

02-1 $\dfrac{2}{5}$

03-1 168

03-2 70

---

1 (1) $\mathrm{B}\left(10, \dfrac{1}{2}\right)$ (2) $\mathrm{B}\left(100, \dfrac{1}{2}\right)$

2 (1) $\mathrm{E}(X)=50$, $\mathrm{V}(X)=25$, $\sigma(X)=5$

(2) $\mathrm{E}(X)=6$, $\mathrm{V}(X)=4$, $\sigma(X)=2$

STEP 1 개념 드릴   100쪽

1-1 (1) $\dfrac{1}{4}, 4, \dfrac{1}{4}, 4, \dfrac{1}{4}, \dfrac{3}{4}, 4$ (2) $2, \dfrac{1}{4}, \dfrac{3}{4}, \dfrac{27}{128}$

1-2 (1) $\mathrm{P}(X=x)={}_4\mathrm{C}_x\left(\dfrac{1}{6}\right)^x\left(\dfrac{5}{6}\right)^{4-x}$ $(x=0, 1, 2, 3, 4)$ (2) $\dfrac{125}{324}$

2-1 $3, 3, \dfrac{3}{2}, 3, \dfrac{1}{2}$

2-2 (1) $\dfrac{10}{3}$ (2) $\dfrac{20}{9}$ (3) $\dfrac{2\sqrt{5}}{3}$

STEP 2 필수 유형   101쪽~104쪽

01-1 $\dfrac{57}{64}$

01-2 $\dfrac{837}{10000}$

02-1 $\dfrac{4}{3}$

02-2 $\dfrac{28}{5}$

03-1 $\mathrm{E}(X)=40$, $\mathrm{V}(X)=8$

03-2 $\mathrm{E}(X)=30$, $\mathrm{V}(X)=27$

04-1 432

04-2 40

STEP 3 유형 드릴   105쪽~107쪽

1-1 $\dfrac{1}{3}$ **1-2** $\dfrac{1}{20}$ **2-1** $\dfrac{13}{8}$ **2-2** $\dfrac{5}{18}$

3-1 $\dfrac{1}{3}$ **3-2** 2   **4-1** $\dfrac{2}{3}$ **4-2** $\dfrac{7}{16}$

5-1 43   **5-2** $\dfrac{15}{8}$ **6-1** 175원   **6-2** 100원

7-1 3   **7-2** $\dfrac{4\sqrt{3}}{3}$ **8-1** $\sqrt{6}$ **8-2** 17

9-1 ⑤   **9-2** ⑤   **10-1** ④   **10-2** 9

11-1 3   **11-2** $3\sqrt{10}$ **12-1** 119   **12-2** ②

5 | 정규분포

개념 확인   110쪽

1 (1) 확률밀도함수가 될 수 있다.

    (2) 확률밀도함수가 될 수 없다.

STEP 1 개념 드릴   112쪽

1-1 이산확률변수, 연속확률변수

1-2 (1) 이산확률변수   (2) 연속확률변수   (3) 연속확률변수

    (4) 연속확률변수

2-1 (1) $1, 3, \dfrac{1}{5}, \dfrac{2}{5}$ (2) $1, 3, \dfrac{3}{8}, 2, \dfrac{1}{2}$

2-2 (1) $\dfrac{1}{2}$ (2) $\dfrac{1}{4}$

STEP 2 필수 유형   113쪽~114쪽

01-1 1

01-2 $\dfrac{1}{4}$

02-1 $\dfrac{19}{30}$

02-2 $\dfrac{3}{4}$

개념 확인   115쪽~119쪽

1 $N(15, 7^2)$

2 $N(10, 5^2)$

3 (1) (가)   (2) (나)

4 (1) 0.3085   (2) 0.383

5 (1) $Z = \dfrac{X - 11}{3}$ (2) $Z = \dfrac{X + 20}{5}$

6 (1) $N(18, 3^2)$ (2) $N(20, 4^2)$

STEP 1 개념 드릴   120쪽~121쪽

1-1 (1) 10, 2, 10, 15, 2, 4   (2) 15, 4, 15, 4^2

1-2 (1) $E(Y) = -242, \sigma(Y) = 35$ (2) $N(-242, 35^2)$

2-1 (1) m_1, m_3 (2) σ_1, σ_3

2-2 (1) $m_1 < m_2 = m_3$ (2) $\sigma_1 = \sigma_2 < \sigma_3$

3-1 (1) 2, 2, 0.6826   (2) 0, 1, 0.5, 0.1587   (3) $-0.5, 1.5, 0.5, 1.5$

3-2 (1) 0.9544   (2) 0.0668   (3) 0.5328

4-1 (1) 50, 50, 0, 1   (2) 10, 10, 3

4-2 (1) $P(1 \leq Z \leq 3)$ (2) $P(Z \leq 2)$

5-1 0.4, 60, 150, 0.6, 6, 60, 6

5-2 $N(80, 8^2)$

STEP 2 필수 유형   122쪽~128쪽

01-1 12

01-2 ㄱ, ㄴ

02-1 (1) 0.6826   (2) 0.8664

03-1 0.8413

03-2 2.28 %

04-1 48

04-2 6687

05-1 92.8점

05-2 72.75점

06-1 1

06-2 0.4987

07-1 0.1587

07-2 0.0668

STEP 3 유형 드릴   129쪽~131쪽

1-1 ①	**1-2** ④	**2-1** $\dfrac{1}{2}$	**2-2** 1
3-1 ②	**3-2** ②	**4-1** 34	**4-2** 17
5-1 0.3446	**5-2** 0.9104	**6-1** 10	**6-2** 3
7-1 15.74 %	**7-2** 0.0456	**8-1** 1587	**8-2** 2일
9-1 46시간	**9-2** 130	**10-1** 0.86	**10-2** 51
11-1 0.9332	**11-2** 216		

6 | 통계적 추정

1 ㄱ, ㄷ, ㄹ

2 $\overline{X}=4$, $S^2=1$, $S=1$

3 $E(\overline{X})=20$, $V(\overline{X})=\dfrac{16}{9}$, $\sigma(\overline{X})=\dfrac{4}{3}$

4 10

1-1 (1) 5, 5, 5, 25   (2) 4, 4, 20   (3) 2, 2, 2, 10

1-2 (1) 125   (2) 60   (3) 10

2-1 (1) 50, 100, 1   (2) 1, 1, 1, 1, -2, 2, 0.4772, 0.9772

2-2 (1) $E(\overline{X})=50$, $\sigma(\overline{X})=2$ (2) 0.1587

01-1 $\dfrac{\sqrt{6}}{6}$

02-1 $E(\overline{X})=\dfrac{5}{2}$, $V(\overline{X})=\dfrac{1}{4}$

02-2 $\dfrac{7}{2}$

03-1 0.8185

03-2 0.6826

04-1 16

04-2 25

---

1 $3.28 \le m \le 6.72$

1-1 (1) 4, 4, 4, 4, 3.804, 4.196

     (2) 2.58, 2.58, 0.258, 0.258, 3.742, 4.258

1-2 (1) $49.02 \le m \le 50.98$ (2) $48.71 \le m \le 51.29$

2-1 (1) 1.96, 2, 3.92   (2) 2, 2, 5.16

2-2 (1) 1.96   (2) 2.58

01-1 $148.71 \le m \le 151.29$

01-2 $54.84 \le m \le 65.16$

02-1 $98.04 \le m \le 101.96$

02-2 $14.71 \le m \le 17.29$

03-1 4

03-2 100

04-1 25.8

04-2 1537

1-1 7

1-2 1

2-1 $a=14$, $V(\overline{X})=\dfrac{126}{25}$

2-2 $a=5$, $\sigma(\overline{X})=\dfrac{\sqrt{10}}{5}$

3-1 ⑤

3-2 ①

4-1 100

4-2 4

5-1 0.196

5-2 1.29

6-1 3

6-2 5

7-1 49

7-2 40

8-1 19.6

8-2 385

9-1 ㄱ, ㄷ

9-2 ②

Memo

단기간 고득점을 위한 2주

전략 질주

고등 전략

내신전략 시리즈

국어/영어/수학/사회/과학

필수 개념을 꽉~ 잡아 주는 초단기 내신 전략서!

수능전략 시리즈

국어/영어/수학/사회/과학

빈출 유형을 철저히 분석하여 반영한 고효율·고득점 전략서!

정답과 해설

천재교육

고등
확률과 통계

자세하고 친절한 해설

전 략
문제를 접근할 수 있는 실마리를 제공

다른 풀이
다른 여러 가지 풀이 방법으로
수학적 사고력을 강화

Lecture
문제 풀이에 대한 보충 설명, 문제 해결의
노하우 소개

정답과 해설

1 | 경우의 수

1 여러 가지 순열

1 (i) 두 주사위의 눈의 수의 합이 5인 경우는

$(1, 4)$, $(2, 3)$, $(3, 2)$, $(4, 1)$의 4가지

두 주사위의 눈의 수의 합이 10인 경우는

$(4, 6)$, $(5, 5)$, $(6, 4)$의 3가지

따라서 두 주사위의 눈의 수의 합이 5의 배수인 경우의 수는

$4 + 3 = 7$

(ii) 두 주사위의 눈의 수의 합이 7인 경우는

$(1, 6)$, $(2, 5)$, $(3, 4)$, $(4, 3)$, $(5, 2)$, $(6, 1)$의 6가지

따라서 두 주사위의 눈의 수의 합이 7의 배수인 경우의 수는 6

이다.

(i), (ii)의 경우는 동시에 일어날 수 없으므로 구하는 경우의 수는

합의 법칙에 의하여

$7 + 6 = 13$

2 주어진 식의 전개식에서 나타나는 항은 두 식 $a+b$와 $x+y+z$에

서 각각 하나의 항을 택하여 곱해서 얻은 것이다.

그런데 $a+b$의 항의 개수는 2, $x+y+z$의 항의 개수는 3이므로

구하는 서로 다른 항의 개수는 곱의 법칙에 의하여

$2 \times 3 = 6$

3 (1) 10명 중에서 3명을 택하는 순열의 수와 같으므로

$_{10}\mathrm{P}_3 = 10 \times 9 \times 8 = 720$

(2) c, d, e를 한 문자로 생각하여 3개의 문자를 일렬로 나열하는

경우의 수는

$3! = 3 \times 2 \times 1 = 6$

c, d, e의 자리를 바꾸는 경우의 수는

$3! = 3 \times 2 \times 1 = 6$

따라서 구하는 경우의 수는

$6 \times 6 = 36$

4 (1) 서로 다른 6개의 깃발을 원형으로 배열하는 경우의 수는

$(6-1)! = 5! = 120$

(2) 7가지 재료를 원형으로 담는 경우의 수는

$(7-1)! = 6! = 720$

5 (1) $_8\Pi_2 = 8^2 = 64$

(2) $_2\Pi_2 = 2^2 = 4$

(3) $_5\Pi_3 = 5^3 = 125$

(4) $_3\Pi_4 = 3^4 = 81$

6 4개의 문자 a, b, c, d 중에서 중복을 허용하여 3개를 택하여 일렬

로 나열하는 경우의 수는

$_4\Pi_3 = 4^3 = 64$

7 (1) 4개의 바둑돌 중에서 흰 바둑돌이 3개이므로 구하는 경우의 수는

$\dfrac{4!}{3!} = 4$

(2) 6개의 숫자 중에서 1이 2개, 2가 3개이므로 구하는 자연수의 개

수는

$\dfrac{6!}{2!3!} = 60$

STEP 1 개념 드릴   13쪽

스스로 check

1-2 ❶ (1) 120   (2) 6

(1) 부모와 4명의 자녀로 이루어진 6명의 가족이 원탁에 둘러앉는 경

우의 수는

$(6-1)! = 5! = 120$

(2) 구하는 경우의 수는 4가지 색을 원형으로 배열하는 원순열의 수와

같으므로

$(4-1)! = 3! = 6$

2-2 ❶ 81

구하는 경우의 수는 서로 다른 3개의 학급에서 4개를 택하는 중복순

열의 수와 같으므로

$_3\Pi_4 = 3^4 = 81$

3-2 ❶ 10

5개의 숫자 1, 1, 2, 2, 2 중에서 4개의 숫자를 택하는 경우는

1, 2, 2, 2 또는 1, 1, 2, 2이다.

(i) 1, 2, 2, 2로 만들 수 있는 네 자리 자연수의 개수는

$\dfrac{4!}{3!} = 4$

(ii) 1, 1, 2, 2로 만들 수 있는 네 자리 자연수의 개수는

$$\frac{4!}{2!2!}=6$$

(i), (ii)에서 구하는 자연수의 개수는

$$4+6=10$$

| 14쪽~22쪽 |

STEP ② 필수 유형

01-1 🖺 (1) 48 (2) 24

|해결 전략| 서로 다른 n개를 원형으로 배열하는 경우의 수는 $(n-1)!$이다.

(1) 회장과 부회장을 한 사람으로 생각하여 5명이 원탁에 둘러앉는 경우의 수는

$$(5-1)!=4!=24$$

회장과 부회장이 자리를 바꾸어 앉는 경우의 수는

$$2!=2$$

따라서 구하는 경우의 수는

$$24\times2=48$$

(2) 회장의 자리가 결정되면 부회장의 자리는 마주 보는 자리로 고정되므로 구하는 경우의 수는 5명이 원탁에 둘러앉는 경우의 수와 같다.

따라서 구하는 경우의 수는

$$(5-1)!=4!=24$$

다른 풀이

오른쪽 그림과 같이 회장과 부회장이 마주 보고 앉은 후 나머지 4개의 자리에 4명이 앉으면 되므로 구하는 경우의 수는

$$4!=24$$

LECTURE

n명이 원탁에 둘러앉을 때, r $(r<n)$명이 이웃하게 앉는 경우의 수

➡ $(n-r)!r!$

01-2 🖺 72

|해결 전략| 이웃하지 않게 배열하는 경우는 이웃해도 되는 것을 원형으로 먼저 배열한 후 그 사이에 이웃하지 않아야 하는 것을 배열한다.

일본인 4명이 원탁에 둘러앉는 경우의 수는

$$(4-1)!=3!=6$$

일본인 4명 사이의 4개의 자리 중에서 2개의 자리에 중국인이 앉는 경우의 수는

$$_4P_2=4\times3=12$$

따라서 구하는 경우의 수는

$$6\times12=72$$

다른 풀이

6명이 원탁에 둘러앉는 경우의 수는

$$(6-1)!=5!=120$$

중국인끼리 이웃하게 앉는 경우의 수는

$$(5-1)!\times2!=48$$

따라서 구하는 경우의 수는

$$120-48=72$$

02-1 🖺 (1) 240 (2) 360

|해결 전략| 여러 가지 모양의 탁자에 둘러앉는 경우의 수는

(원순열의 수) × (회전시켰을 때 겹쳐지지 않는 자리의 수)이다.

(1) 6명의 학생이 원형으로 둘러앉는 경우의 수는

$$(6-1)!=5!=120$$

그런데 정삼각형 모양의 탁자에 둘러앉는 경우는 원형으로 둘러앉는 한 가지 경우에 대하여 다음 그림과 같이 2가지의 서로 다른 경우가 있다.

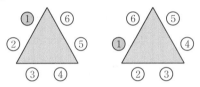

따라서 구하는 경우의 수는

$$120\times2=240$$

(2) 6명의 학생이 원형으로 둘러앉는 경우의 수는

$$(6-1)!=5!=120$$

그런데 직사각형 모양의 탁자에 둘러앉는 경우는 원형으로 둘러앉는 한 가지 경우에 대하여 다음 그림과 같이 3가지의 서로 다른 경우가 있다.

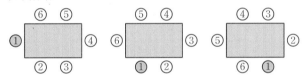

따라서 구하는 경우의 수는

$$120\times3=360$$

03-1 🖺 30

|해결 전략| 먼저 기준이 되는 영역을 칠하는 경우의 수를 구하고, 원순열을 이용하여 나머지 영역을 칠하는 경우의 수를 구한다.

오른쪽 그림의 가운데 영역 ①을 칠하는 경우의 수는 5이다.

또, 나머지 영역 ②, ③, ④, ⑤를 칠하는 경우의 수는 가운데 영역 ①에 칠한 색을 제외한 나머지 4가지 색을 원형으로 배열하는 원순열의 수와 같으므로

$$(4-1)!=3!=6$$

따라서 구하는 경우의 수는

$$5\times6=30$$

03-2 답 2

|해결 전략| 특정한 색을 밑면에 칠하고 원순열을 이용하여 옆면을 칠하는 경우의 수를 구한다.

특정한 색을 밑면에 칠하면 나머지 3가지 색을 옆면에 칠하면 되므로
구하는 경우의 수는

$(3-1)!=2!=2$

04-1 답 1728

|해결 전략| 서로 다른 n개에서 r개를 택하는 중복순열의 수는 $_n\Pi_r=n^r$이다.

A중학교 학생 3명이 고등학교에 배정되는 경우의 수는 서로 다른
4개의 고등학교에서 3개를 택하는 중복순열의 수와 같으므로

$_4\Pi_3=4^3=64$

B중학교 학생 3명이 고등학교에 배정되는 경우의 수는 서로 다른
3개의 고등학교에서 3개를 택하는 중복순열의 수와 같으므로

$_3\Pi_3=3^3=27$

따라서 구하는 경우의 수는

$64\times27=1728$

04-2 답 216

|해결 전략| 1명의 학생이 동아리에 가입하는 경우의 수를 구하고 중복순열의 수를 이용하여 3명의 학생이 동아리에 가입하는 경우의 수를 구한다.

학생 1명당 2개의 동아리에 가입하므로 1명의 학생이 동아리에 가입
하는 경우의 수는

$_4C_2=6$

따라서 3명의 학생이 동아리에 가입하는 경우의 수는

$_6\Pi_3=6^3=216$

05-1 답 32

|해결 전략| 짝수이려면 일의 자리에는 2 또는 4가 와야 한다.

일의 자리에는 2, 4가 올 수 있으므로 그 경우의 수는 2이다.
십의 자리, 백의 자리에는 각각 1, 2, 3, 4가 중복하여 올 수 있으므로
그 경우의 수는

$_4\Pi_2=4^2=16$

따라서 구하는 짝수의 개수는

$2\times16=32$

05-2 답 (1) 100 (2) 74

|해결 전략| 먼저 백의 자리에 올 수 있는 숫자의 개수를 구한 후 중복순열의 수를 이용한다.

(1) 백의 자리에는 0을 제외한 1, 2, 3, 4가 올 수 있으므로 그 경우의
수는 4이다.

십의 자리, 일의 자리에는 각각 0, 1, 2, 3, 4가 중복하여 올 수 있
으므로 그 경우의 수는 $_5\Pi_2=5^2=25$

따라서 구하는 세 자리 자연수의 개수는

$4\times25=100$

(2) 백의 자리에는 2, 3, 4가 올 수 있으므로 그 경우의 수는 3이다.

십의 자리, 일의 자리에는 각각 0, 1, 2, 3, 4가 중복하여 올 수 있
으므로 그 경우의 수는

$_5\Pi_2=5^2=25$

이때, 200보다 큰 자연수이므로 200은 제외된다.

따라서 구하는 자연수의 개수는

$3\times25-1=74$

> **LECTURE**
>
> 자연수 m, n ($n\leq9$)에 대하여
> (1) 1, 2, 3, $\cdots$, n의 n개의 숫자에서 중복을 허용하여 만들 수 있는 m자
>   리 자연수의 개수 ➡ $_n\Pi_m=n^m$
> (2) 0, 1, 2, $\cdots$, n의 $(n+1)$개의 숫자에서 중복을 허용하여 만들 수 있는
> m자리 자연수의 개수 ➡ $n\times_{n+1}\Pi_{m-1}=n(n+1)^{m-1}$

06-1 답 (1) 256 (2) 24

|해결 전략| 함수는 정의역의 각 원소에 공역의 같은 원소가 대응해도 되므로 중복순열의 수를, 일대일함수는 정의역의 각 원소에 공역의 서로 다른 원소가 대응하므로 순열의 수를 이용한다.

(1) 집합 X의 원소 a에 대응할 수 있는 집합 Y의 원소는 1, 2, 3, 4의
4개이고, 집합 X의 다른 원소 b, c, d에 대응할 수 있는 Y의 원소
도 각각 1, 2, 3, 4의 4개씩이다.

따라서 구하는 함수의 개수는 집합 Y의 원소 1, 2, 3, 4의 4개에서
중복을 허용하여 4개를 택하는 중복순열의 수와 같으므로

$_4\Pi_4=4^4=256$

(2) 집합 X의 원소 a에 대응할 수 있는 집합 Y의 원소는 1, 2, 3, 4의
4개이고, 집합 X의 다른 원소 b, c, d에 대응할 수 있는 Y의 원소
는 각각 3개, 2개, 1개이다.

따라서 구하는 일대일함수의 개수는 집합 Y의 원소 1, 2, 3, 4의
4개에서 서로 다른 4개를 택하는 순열의 수와 같으므로

$_4P_4=24$

06-2 답 25

|해결 전략| 집합 X의 원소 b, c에 각각 대응할 수 있는 집합 Y의 원소의 개수를 구한다.

$f(a)=1$이므로 집합 X의 원소 a에 대응할 수 있는 집합 Y의 원소
는 1의 1개이고, 집합 X의 다른 원소 b, c에 대응할 수 있는 Y의 원
소는 각각 1, 2, 3, 4, 5의 5개씩이다.

따라서 구하는 함수의 개수는 집합 Y의 원소 1, 2, 3, 4, 5의 5개에서
중복을 허용하여 2개를 택하는 중복순열의 수와 같으므로

$_5\Pi_2=5^2=25$

07-1 答 (1) 360   (2) 1080

|해결 전략| (2) 모음을 한 문자로 생각하여 일렬로 나열하는 경우의 수와 모음끼리 자리를 바꾸는 경우의 수를 각각 구한다.

(1) o□□□□□□o와 같이 양 끝에 o를 고정하고 6개의 □ 안에 f, t, b, a, l, l을 일렬로 나열하면 되므로 구하는 경우의 수는

$$\frac{6!}{2!} = 360$$

(2) 모음 o, o, a를 한 문자 A로 생각하면 A, f, t, b, l, l을 일렬로 나열하는 경우의 수는

$$\frac{6!}{2!} = 360$$

이때, 모음 o, o, a끼리 자리를 바꾸는 경우의 수는

$$\frac{3!}{2!} = 3$$

따라서 구하는 경우의 수는

$$360 \times 3 = 1080$$

07-2 答 120

|해결 전략| 맨 앞에는 a가 오고 맨 뒤에는 a 또는 b가 오는 경우의 수를 구한다.

(i) a□□□□□□a의 꼴

□ 안에 a, b, b, c, c, c의 6개의 문자를 일렬로 나열하는 경우의 수는

$$\frac{6!}{2!3!} = 60$$

(ii) a□□□□□□b의 꼴

□ 안에 a, a, b, c, c, c의 6개의 문자를 일렬로 나열하는 경우의 수는

$$\frac{6!}{2!3!} = 60$$

(i), (ii)에서 구하는 경우의 수는

$$60 + 60 = 120$$

08-1 答 (1) 60   (2) 30

|해결 전략| 순서가 정해져 있는 숫자 또는 문자를 모두 같은 것으로 생각한다.

(1) 3, 4, 5의 순서가 5, 4, 3으로 정해져 있으므로 3, 4, 5를 모두 A로 생각하여 6개의 숫자 1, 1, 2, A, A, A를 일렬로 나열한 후, 첫 번째 A는 5, 두 번째 A는 4, 세 번째 A는 3으로 바꾸면 된다.

따라서 구하는 경우의 수는

$$\frac{6!}{2!3!} = 60$$

(2) a, b와 d, e의 순서가 각각 정해져 있으므로 a, b를 모두 A로, d, e를 모두 B로 생각하여 5개의 문자 c, A, A, B, B를 일렬로 나열한 후, 첫 번째 A는 a, 두 번째 A는 b, 첫 번째 B는 d, 두 번째 B는 e로 바꾸면 된다.

따라서 구하는 경우의 수는

$$\frac{5!}{2!2!} = 30$$

09-1 答 (1) 56   (2) 18

|해결 전략| 같은 것이 있는 순열의 수를 이용한다.

(1) A지점에서 B지점까지 최단 거리로 가려면 오른쪽으로 5번, 위쪽으로 3번 이동해야 한다.

오른쪽으로 한 칸 이동하는 것을 a, 위쪽으로 한 칸 이동하는 것을 b라 하면 A지점에서 B지점까지 최단 거리로 가는 경우의 수는 a, a, a, a, a, b, b, b를 일렬로 나열하는 경우의 수와 같다.

따라서 구하는 경우의 수는

$$\frac{8!}{5!3!} = 56$$

(2) A지점에서 C지점까지 최단 거리로 가는 경우의 수는

$$2! = 2$$

C지점에서 D지점까지 최단 거리로 가는 경우의 수는

$$\frac{3!}{2!} = 3$$

D지점에서 B지점까지 최단 거리로 가는 경우의 수는

$$\frac{3!}{2!} = 3$$

따라서 구하는 경우의 수는

$$2 \times 3 \times 3 = 18$$

2 중복조합

> **개념 확인**   23쪽~24쪽
>
> **1** (1) 20   (2) 840
> **2** (1) 5   (2) 35   (3) 45   (4) 10
> **3** 10

1 (1) 구하는 삼각형의 개수는 서로 다른 6개에서 3개를 택하는 조합의 수와 같으므로

$$_6\mathrm{C}_3 = \frac{6 \times 5 \times 4}{3 \times 2 \times 1} = 20$$

(2) 남학생 8명 중에서 3명을 선출하는 경우의 수는

$$_8\mathrm{C}_3 = \frac{8 \times 7 \times 6}{3 \times 2 \times 1} = 56$$

여학생 6명 중에서 2명을 선출하는 경우의 수는

$$_6\mathrm{C}_2 = \frac{6 \times 5}{2 \times 1} = 15$$

따라서 구하는 경우의 수는

$$56 \times 15 = 840$$

2 (1) $_2H_4=_{2+4-1}C_4=_5C_4=_5C_1=5$

(2) $_5H_3=_{5+3-1}C_3=_7C_3=\dfrac{7\times6\times5}{3\times2\times1}=35$

(3) $_3H_8=_{3+8-1}C_8=_{10}C_8=_{10}C_2=\dfrac{10\times9}{2\times1}=45$

(4) $_3H_3=_{3+3-1}C_3=_5C_3=_5C_2=\dfrac{5\times4}{2\times1}=10$

3 구하는 경우의 수는 서로 다른 4개에서 2개를 택하는 중복조합의 수와 같으므로

$_4H_2=_{4+2-1}C_2=_5C_2=\dfrac{5\times4}{2\times1}=10$

STEP ① 개념 드릴 | 26쪽 |

개념 check

1-1 (1) 4, 4   (2) 2, 10, 21, 10, 21, 210
2-1 (1) 4, 4, 6, 20   (2) 5, 5, 14, 14, 1001

스스로 check

1-2 탭 (1) 10   (2) 74

(1) 구하는 경우의 수는 서로 다른 5개에서 2개를 택하는 조합의 수와 같으므로

$_5C_2=\dfrac{5\times4}{2\times1}=10$

(2) 9개의 공 중에서 3개를 꺼내는 경우의 수는

$_9C_3=\dfrac{9\times8\times7}{3\times2\times1}=84$

5 이상의 자연수가 적힌 5개의 공 중에서 3개를 꺼내는 경우의 수는

$_5C_3=_5C_2=\dfrac{5\times4}{2\times1}=10$

따라서 구하는 경우의 수는

$84-10=74$

2-2 탭 (1) 28   (2) 36

(1) 구하는 경우의 수는 서로 다른 3개에서 6개를 택하는 중복조합의 수와 같으므로

$_3H_6=_{3+6-1}C_6=_8C_6=_8C_2=\dfrac{8\times7}{2\times1}=28$

(2) 구하는 경우의 수는 서로 다른 3명에서 7명을 택하는 중복조합의 수와 같으므로

$_3H_7=_{3+7-1}C_7=_9C_7=_9C_2=\dfrac{9\times8}{2\times1}=36$

> **LECTURE**
>
> 무기명 투표는 어느 유권자가 어느 후보를 뽑았는지 알 수 없으므로 중복조합으로 생각할 수 있다.
> 무기명 투표 ➡ 중복조합, 기명 투표 ➡ 중복순열

STEP ② 필수 유형 | 27쪽~29쪽 |

01-1 탭 15

|해결 전략| 먼저 각 종류의 책을 1권씩 산 후, 나머지를 사는 경우의 수를 구한다.

각 종류의 책을 적어도 1권씩은 사야 하므로 먼저 각 종류의 책을 1권씩 산 후, 소설책, 시집, 위인전 중에서 중복을 허용하여 4권을 사면 된다.

따라서 구하는 경우의 수는

$_3H_4=_{3+4-1}C_4=_6C_4=_6C_2=15$

01-2 탭 8

|해결 전략| 먼저 공을 상자 A에 3개, 상자 B에 2개를 담은 후, 나머지를 나누어 담는 경우의 수를 구한다.

상자 A에는 3개 이상, 상자 B에는 2개 이상 공을 담아야 하므로 먼저 공을 상자 A에 3개, 상자 B에 2개를 담은 후, 두 상자 A, B 중에서 중복을 허용하여 7개의 공을 나누어 담으면 된다.

따라서 구하는 경우의 수는

$_2H_7=_{2+7-1}C_7=_8C_7=_8C_1=8$

02-1 탭 (1) 36   (2) 15

|해결 전략| 중복조합의 수를 이용한다.

(1) 구하는 해의 개수는 3개의 문자 x, y, z 중에서 7개를 택하는 중복조합의 수와 같으므로

$_3H_7=_{3+7-1}C_7=_9C_7=_9C_2=36$

(2) x, y, z가 양의 정수이므로 x, y, z는 $x\geq1$, $y\geq1$, $z\geq1$인 정수이다. 즉, $x-1\geq0$, $y-1\geq0$, $z-1\geq0$이므로 $x-1$, $y-1$, $z-1$은 모두 음이 아닌 정수이다.

$x-1=x'$, $y-1=y'$, $z-1=z'(x'$, y', z'은 음이 아닌 정수)으로 놓으면 $x=x'+1$, $y=y'+1$, $z=z'+1$이므로 주어진 방정식은

$(x'+1)+(y'+1)+(z'+1)=7$

$\therefore x'+y'+z'=4$

따라서 구하는 해의 개수는 방정식 $x'+y'+z'=4$의 음이 아닌 정수해의 개수와 같으므로

$_3H_4=_{3+4-1}C_4=_6C_4=_6C_2=15$

> **LECTURE**
>
> 방정식 $x_1+x_2+x_3+\cdots+x_m=n(m, n$은 자연수$)$에 대하여 음이 아닌 정수해의 개수는 $_mH_n$과 같다.
> 예를 들어, 방정식 $x+y+z=5$를 만족시키는 음이 아닌 정수해의 개수는 오른쪽과 같이 택한 문자의 개수를 그 문자의 해로 보면 $_3H_5$와 같음을 알 수 있다.
>
> $x\ y\ z$
> $xxxxx$ ➡ 5 0 0
> $xxxxy$ ➡ 4 1 0
> $xxyyz$ ➡ 2 2 1
>   ⋮   ⋮

02-2 답 46

|해결 전략| 부등식 $3 \leq x+y+z \leq 5$에서 $x+y+z=3$ 또는 $x+y+z=4$ 또는 $x+y+z=5$이다.

x, y, z가 음이 아닌 정수이므로

$x+y+z=3$ 또는 $x+y+z=4$ 또는 $x+y+z=5$

(i) $x+y+z=3$의 음이 아닌 정수해의 개수는 3개의 문자 x, y, z 중에서 3개를 택하는 중복조합의 수와 같으므로

$$_3H_3 = {}_{3+3-1}C_3 = {}_5C_3 = {}_5C_2 = 10$$

(ii) $x+y+z=4$의 음이 아닌 정수해의 개수는 3개의 문자 x, y, z 중에서 4개를 택하는 중복조합의 수와 같으므로

$$_3H_4 = {}_{3+4-1}C_4 = {}_6C_4 = {}_6C_2 = 15$$

(iii) $x+y+z=5$의 음이 아닌 정수해의 개수는 3개의 문자 x, y, z 중에서 5개를 택하는 중복조합의 수와 같으므로

$$_3H_5 = {}_{3+5-1}C_5 = {}_7C_5 = {}_7C_2 = 21$$

(i), (ii), (iii)에서 구하는 해의 개수는

$10+15+21=46$

03-1 답 (1) 4 (2) 20

|해결 전략| $x_i < x_j$이면 $f(x_i) < f(x_j)$를 만족시키는 함수 f의 개수는 조합을, $x_i < x_j$이면 $f(x_i) \leq f(x_j)$를 만족시키는 함수 f의 개수는 중복조합을 이용한다.

(1) $f(1) < f(2) < f(3)$을 만족시키려면 공역 Y의 원소 2, 3, 4, 5 중에서 3개를 택한 후, 작은 수부터 차례로 정의역 X의 원소 1, 2, 3에 대응시키면 된다.

즉, 구하는 함수 f의 개수는 공역의 원소 4개 중에서 3개를 택하는 조합의 수와 같으므로

$$_4C_3 = {}_4C_1 = 4$$

(2) $f(1) \leq f(2) \leq f(3)$을 만족시키려면 공역 Y의 원소 2, 3, 4, 5 중에서 중복을 허용하여 3개를 택한 후, 작은 수부터 차례로 정의역 X의 원소 1, 2, 3에 대응시키면 된다.

즉, 구하는 함수 f의 개수는 공역의 원소 4개 중에서 3개를 택하는 중복조합의 수와 같으므로

$$_4H_3 = {}_{4+3-1}C_3 = {}_6C_3 = 20$$

3 이항정리

개념 확인   30쪽~32쪽

1 (1) $8x^3+12x^2y+6xy^2+y^3$

   (2) $x^4-4x^3y+6x^2y^2-4xy^3+y^4$

2 (1) $32x^5+80x^4+80x^3+40x^2+10x+1$

   (2) $x^6+6x^5y+15x^4y^2+20x^3y^3+15x^2y^4+6xy^5+y^6$

3 (1) 32 (2) 0 (3) 16 (4) 32

1 (1) $(2x+y)^3 = {}_3C_0(2x)^3 + {}_3C_1(2x)^2y + {}_3C_2 2xy^2 + {}_3C_3 y^3$
$$= 8x^3+12x^2y+6xy^2+y^3$$

(2) $(x-y)^4 = {}_4C_0 x^4 + {}_4C_1 x^3(-y) + {}_4C_2 x^2(-y)^2$
$$+ {}_4C_3 x(-y)^3 + {}_4C_4(-y)^4$$
$$= x^4-4x^3y+6x^2y^2-4xy^3+y^4$$

2 (1) $(2x+1)^5$
$$= 1 \times (2x)^5 + 5 \times (2x)^4$$
$$+ 10 \times (2x)^3 + 10 \times (2x)^2$$
$$+ 5 \times 2x + 1$$
$$= 32x^5+80x^4+80x^3+40x^2$$
$$+ 10x + 1$$

(2) $(x+y)^6$
$$= 1 \times x^6 + 6 \times x^5 \times y$$
$$+ 15 \times x^4 \times y^2 + 20 \times x^3 \times y^3$$
$$+ 15 \times x^2 \times y^4 + 6 \times x \times y^5$$
$$+ 1 \times y^6$$
$$= x^6+6x^5y+15x^4y^2+20x^3y^3$$
$$+ 15x^2y^4+6xy^5+y^6$$

3 (1) ${}_5C_0 + {}_5C_1 + {}_5C_2 + {}_5C_3 + {}_5C_4 + {}_5C_5 = 2^5 = 32$

(2) ${}_5C_0 - {}_5C_1 + {}_5C_2 - {}_5C_3 + {}_5C_4 - {}_5C_5 = 0$

(3) ${}_5C_0 + {}_5C_2 + {}_5C_4 = 2^{5-1} = 2^4 = 16$

(4) ${}_6C_1 + {}_6C_3 + {}_6C_5 = 2^{6-1} = 2^5 = 32$

STEP 1 개념 드릴 |33쪽|

개념 check

1-1 (1) $4-r$, $4-r$, 216 (2) r, 3, 540

2-1 (1) 6, 64, 64, 63 (2) 21, 21, 20

스스로 check

1-2 답 (1) 160 (2) 6

(1) $(2x+1)^6$의 전개식의 일반항은

$${}_6C_r(2x)^{6-r}1^r = {}_6C_r 2^{6-r} x^{6-r}$$

x^3항은 $6-r=3$에서 $r=3$일 때이므로 구하는 x^3의 계수는

$${}_6C_3 \times 2^3 = 160$$

(2) $\left(x+\dfrac{1}{x^3}\right)^4$의 전개식의 일반항은

$${}_4\mathrm{C}_r\,x^{4-r}\left(\dfrac{1}{x^3}\right)^r={}_4\mathrm{C}_r\dfrac{x^{4-r}}{x^{3r}}$$

$\dfrac{1}{x^4}$항은 $3r-(4-r)=4$에서 $r=2$일 때이므로 구하는 $\dfrac{1}{x^4}$의 계

수는 ${}_4\mathrm{C}_2=6$

2-2 답 (1) 2 (2) 1024

(1) ${}_{10}\mathrm{C}_0-{}_{10}\mathrm{C}_1+{}_{10}\mathrm{C}_2-{}_{10}\mathrm{C}_3+{}_{10}\mathrm{C}_4-\cdots-{}_{10}\mathrm{C}_9+{}_{10}\mathrm{C}_{10}=0$이므로

$$\qquad {}_{10}\mathrm{C}_1-{}_{10}\mathrm{C}_2+{}_{10}\mathrm{C}_3-{}_{10}\mathrm{C}_4+\cdots+{}_{10}\mathrm{C}_9={}_{10}\mathrm{C}_0+{}_{10}\mathrm{C}_{10}$$
$$\qquad\qquad\qquad\qquad\qquad\qquad\qquad\quad =1+1=2$$

(2) ${}_{11}\mathrm{C}_{11}+{}_{11}\mathrm{C}_{10}+{}_{11}\mathrm{C}_9+{}_{11}\mathrm{C}_8+{}_{11}\mathrm{C}_7+{}_{11}\mathrm{C}_6$
$$\quad ={}_{11}\mathrm{C}_0+{}_{11}\mathrm{C}_1+{}_{11}\mathrm{C}_2+{}_{11}\mathrm{C}_3+{}_{11}\mathrm{C}_4+{}_{11}\mathrm{C}_5$$

이때, ${}_{11}\mathrm{C}_0+{}_{11}\mathrm{C}_1+{}_{11}\mathrm{C}_2+\cdots+{}_{11}\mathrm{C}_{11}=2^{11}$이므로

$${}_{11}\mathrm{C}_{11}+{}_{11}\mathrm{C}_{10}+{}_{11}\mathrm{C}_9+{}_{11}\mathrm{C}_8+{}_{11}\mathrm{C}_7+{}_{11}\mathrm{C}_6=\dfrac{1}{2}\times 2^{11}$$
$$\qquad\qquad\qquad\qquad\qquad\qquad\qquad\qquad =2^{10}=1024$$

STEP 2 필수 유형 ——————————— | 34쪽~36쪽 |

01-1 답 (1) -9 (2) -6

|해결 전략| $(a+b)^p(c+d)^q$의 전개식의 일반항은 $(a+b)^p$과 $(c+d)^q$의 전개식의 일반항의 곱과 같다.

(1) $(1+2x)^4$의 전개식의 일반항은

$${}_4\mathrm{C}_r(2x)^r={}_4\mathrm{C}_r2^r x^r$$

$(1-x)^6$의 전개식의 일반항은

$${}_6\mathrm{C}_s(-x)^s={}_6\mathrm{C}_s(-1)^s x^s$$

따라서 $(1+2x)^4(1-x)^6$의 전개식의 일반항은

$${}_4\mathrm{C}_r2^r x^r\times{}_6\mathrm{C}_s(-1)^s x^s={}_4\mathrm{C}_r{}_6\mathrm{C}_s2^r(-1)^s x^{r+s}$$

x^2항은 $r+s=2$일 때이고 r, s는 각각 $0\le r\le 4$, $0\le s\le 6$인 정수

이므로

(ⅰ) $r=0$, $s=2$일 때, ${}_4\mathrm{C}_0\times{}_6\mathrm{C}_2\times 2^0\times(-1)^2=15$

(ⅱ) $r=1$, $s=1$일 때, ${}_4\mathrm{C}_1\times{}_6\mathrm{C}_1\times 2^1\times(-1)^1=-48$

(ⅲ) $r=2$, $s=0$일 때, ${}_4\mathrm{C}_2\times{}_6\mathrm{C}_0\times 2^2\times(-1)^0=24$

(ⅰ), (ⅱ), (ⅲ)에서 x^2의 계수는

$$15+(-48)+24=-9$$

(2) $\left(x-\dfrac{1}{x}\right)^4$의 전개식의 일반항은

$${}_4\mathrm{C}_r\,x^{4-r}\left(-\dfrac{1}{x}\right)^r={}_4\mathrm{C}_r(-1)^r\dfrac{x^{4-r}}{x^r}\qquad\cdots\cdots\ominus$$

이때, $(x-1)\left(x-\dfrac{1}{x}\right)^4$의 전개식에서 상수항은 -1과 $\ominus$의 상수

항이 곱해질 때 나타난다.

$\ominus$에서 상수항은 $4-r=r$, 즉 $r=2$일 때이므로

$${}_4\mathrm{C}_2\times(-1)^2=6$$

따라서 $(x-1)\left(x-\dfrac{1}{x}\right)^4$의 전개식에서 상수항은

$$-1\times 6=-6$$

02-1 답 (1) 210 (2) 119

|해결 전략| ${}_{n-1}\mathrm{C}_{r-1}+{}_{n-1}\mathrm{C}_r={}_n\mathrm{C}_r$임을 이용한다.

(1) ${}_1\mathrm{C}_0+{}_2\mathrm{C}_1+{}_3\mathrm{C}_2+\cdots+{}_{20}\mathrm{C}_{19}$
$$={}_2\mathrm{C}_0+{}_2\mathrm{C}_1+{}_3\mathrm{C}_2+\cdots+{}_{20}\mathrm{C}_{19}\ (\because {}_1\mathrm{C}_0={}_2\mathrm{C}_0)$$
$$={}_3\mathrm{C}_1+{}_3\mathrm{C}_2+\cdots+{}_{20}\mathrm{C}_{19}$$
$$={}_4\mathrm{C}_2+\cdots+{}_{20}\mathrm{C}_{19}$$
$$\qquad\vdots$$
$$={}_{20}\mathrm{C}_{18}+{}_{20}\mathrm{C}_{19}$$
$$={}_{21}\mathrm{C}_{19}$$
$$={}_{21}\mathrm{C}_2=210$$

(2) ${}_3\mathrm{C}_2+{}_4\mathrm{C}_2+{}_5\mathrm{C}_2+\cdots+{}_9\mathrm{C}_2$
$$={}_3\mathrm{C}_3+{}_3\mathrm{C}_2+{}_4\mathrm{C}_2+{}_5\mathrm{C}_2+\cdots+{}_9\mathrm{C}_2-1\ (\because {}_3\mathrm{C}_3=1)$$
$$={}_4\mathrm{C}_3+{}_4\mathrm{C}_2+{}_5\mathrm{C}_2+\cdots+{}_9\mathrm{C}_2-1$$
$$={}_5\mathrm{C}_3+{}_5\mathrm{C}_2+\cdots+{}_9\mathrm{C}_2-1$$
$$={}_6\mathrm{C}_3+\cdots+{}_9\mathrm{C}_2-1$$
$$\qquad\vdots$$
$$={}_9\mathrm{C}_3+{}_9\mathrm{C}_2-1$$
$$={}_{10}\mathrm{C}_3-1=119$$

03-1 답 (1) 4 (2) 10

|해결 전략| 이항계수의 성질을 이용한다.

(1) ${}_{2n}\mathrm{C}_1+{}_{2n}\mathrm{C}_3+{}_{2n}\mathrm{C}_5+\cdots+{}_{2n}\mathrm{C}_{2n-1}=2^{2n-1}$이므로

$$2^{2n-1}=128=2^7$$

따라서 $2n-1=7$이므로

$$n=4$$

(2) ${}_n\mathrm{C}_0+{}_n\mathrm{C}_1+{}_n\mathrm{C}_2+{}_n\mathrm{C}_3+\cdots+{}_n\mathrm{C}_n=2^n$이므로

$${}_n\mathrm{C}_1+{}_n\mathrm{C}_2+{}_n\mathrm{C}_3+\cdots+{}_n\mathrm{C}_n=2^n-1$$

따라서 주어진 부등식은

$$1000<2^n-1<2000,\ 1001<2^n<2001$$

이때, $2^9=512$, $2^{10}=1024$, $2^{11}=2048$이므로

$$n=10$$

STEP 3 유형 드릴 ——————————— | 37쪽~39쪽 |

1-1 답 12

|해결 전략| n명이 원탁에 둘러앉는 경우의 수는 $(n-1)!$이다.

(ⅰ) 5명의 가족이 원탁에 둘러앉는 경우의 수는

$$(5-1)!=4!=24\qquad\therefore a=24$$

(ⅱ) 부모를 한 사람으로 생각하여 4명이 원탁에 둘러앉는 경우의 수는

$$(4-1)!=3!=6$$

부모가 자리를 바꾸어 앉는 경우의 수는 $2!=2$

즉, 부모가 이웃하게 원탁에 둘러앉는 경우의 수는

$\underbrace{6\times2}=12$ $\therefore b=12$

(i), (ii)에서 $a-b=12$ → n명이 원탁에 둘러앉을 때, $r(r<n)$명이 이웃하게 앉는 경우의 수는 $(n-r)!\,r!$이다.

1-2 답 240

|해결 전략| 먼저 현아, 혜림, 지원이를 한 사람으로 생각하여 6명이 원탁에 둘러앉는 경우의 수를 구한다.

현아, 혜림, 지원이를 한 사람으로 생각하여 6명이 원탁에 둘러앉는 경우의 수는

$(6-1)!=5!=120$

현아와 혜림이가 자리를 바꾸어 앉는 경우의 수는 $2!=2$

따라서 구하는 경우의 수는

$120\times2=240$

2-1 답 ②

|해결 전략| 원형으로 둘러앉는 한 가지 경우에 대하여 정오각형 모양의 탁자에서 서로 다른 경우가 몇 가지씩 생기는지 조사한다.

10명의 학생이 원형으로 둘러앉는 경우의 수는

$(10-1)!=9!$

그런데 정오각형 모양의 탁자에 둘러앉는 경우는 원형으로 둘러앉는 한 가지 경우에 대하여 다음 그림과 같이 2가지의 서로 다른 경우가 있다.

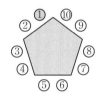 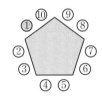

따라서 구하는 경우의 수는

$9!\times2$

2-2 답 ③

|해결 전략| 원형으로 둘러앉는 한 가지 경우에 대하여 정육각형 모양의 탁자에서 서로 다른 경우가 몇 가지씩 생기는지 조사한다.

12명의 학생이 원형으로 둘러앉는 경우의 수는

$(12-1)!=11!$

그런데 정육각형 모양의 탁자에 둘러앉는 경우는 원형으로 둘러앉는 한 가지 경우에 대하여 다음 그림과 같이 2가지의 서로 다른 경우가 있다.

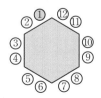 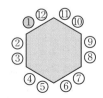

따라서 구하는 경우의 수는

$11!\times2$

3-1 답 240

|해결 전략| 서로 다른 n개에서 r개를 택하는 중복순열의 수는 $_n\Pi_r=n^r$이다.

6명 중에서 A에게 투표하는 2명을 정하는 경우의 수는

$_6C_2=15$

나머지 4명이 B, C 중에서 1명에게 투표하는 경우의 수는 서로 다른 2명에서 4명을 택하는 중복순열의 수와 같으므로

$_2\Pi_4=2^4=16$

따라서 구하는 경우의 수는

$15\times16=240$

3-2 답 8

|해결 전략| 중복순열의 수를 이용한다.

2개의 깃발을 n번 들어 올려서 만들 수 있는 신호의 개수는 서로 다른 2개에서 n개를 택하는 중복순열의 수와 같으므로

$_2\Pi_n=2^n$

즉, $2^n\geq200$이어야 하고 $2^7=128$, $2^8=256$이므로 n의 최솟값은 8이다.

4-1 답 61

|해결 전략| 5개의 숫자로 중복을 허용하여 만들 수 있는 세 자리 자연수의 개수에서 3을 제외한 4개의 숫자로 중복을 허용하여 만들 수 있는 세 자리 자연수의 개수를 뺀다.

5개의 숫자 1, 2, 3, 4, 5로 중복을 허용하여 만들 수 있는 세 자리 자연수의 개수는

$_5\Pi_3=5^3=125$

3을 제외한 4개의 숫자 1, 2, 4, 5로 중복을 허용하여 만들 수 있는 세 자리 자연수의 개수는

$_4\Pi_3=4^3=64$

따라서 구하는 자연수의 개수는

$125-64=61$

4-2 답 468

|해결 전략| 천의 자리의 숫자가 1, 2, 3인 경우로 나누어 자연수의 개수를 구한다.

3100보다 작은 자연수는 1□□□ 또는 2□□□ 또는 30□□ 꼴이다.

(i) 1□□□ 꼴의 자연수

백의 자리, 십의 자리, 일의 자리에는 각각 0, 1, 2, 3, 4, 5가 중복하여 올 수 있으므로 그 경우의 수는

$_6\Pi_3=6^3=216$

(ii) 2□□□ 꼴의 자연수

백의 자리, 십의 자리, 일의 자리에는 각각 0, 1, 2, 3, 4, 5가 중복하여 올 수 있으므로 그 경우의 수는

$_6\Pi_3=6^3=216$

(iii) 30□□ 꼴의 자연수

십의 자리, 일의 자리에는 각각 0, 1, 2, 3, 4, 5가 중복하여 올 수 있으므로 그 경우의 수는

$_6\Pi_2=6^2=36$

(i), (ii), (iii)에서 구하는 자연수의 개수는

$216+216+36=468$

5-1 답 630

|해결 전략| 순서가 정해진 문자를 같은 문자로 놓고 그 경우의 수를 구한다.

b, d의 순서가 정해져 있으므로 b, d를 모두 A로 생각하여 7개의 문자 a, a, c, c, e, A, A를 일렬로 나열한 후, 첫 번째 A는 b, 두 번째 A는 d로 바꾸면 된다.

따라서 구하는 경우의 수는

$$\frac{7!}{2!2!2!}=630$$

5-2 답 20

|해결 전략| 남학생과 여학생의 순서가 각각 정해져 있으므로 남학생과 여학생을 각각 같은 문자로 생각한다.

남학생 3명을 키가 큰 학생부터 작은 학생 순으로 A, B, C라 하고, 여학생 3명을 키가 작은 학생부터 큰 학생 순으로 D, E, F라 하자.

이때, 구하는 경우의 수는 6개의 문자 A, B, C, D, E, F를 일렬로 나열할 때, A, B, C와 D, E, F를 각각 이 순서대로 나열하는 경우의 수와 같다.

A, B, C와 D, E, F의 순서가 각각 정해져 있으므로 A, B, C를 모두 X로 생각하고, D, E, F를 모두 Y로 생각하여 6개의 문자 X, X, X, Y, Y, Y를 일렬로 나열한 후, 첫 번째, 두 번째, 세 번째 X는 각각 A, B, C로 바꾸고, 첫 번째, 두 번째, 세 번째 Y는 각각 D, E, F로 바꾸면 된다.

따라서 구하는 경우의 수는

$$\frac{6!}{3!3!}=20$$

6-1 답 86

|해결 전략| 같은 것이 있는 순열을 이용한다.

A지점에서 C지점까지 최단 거리로 가는 경우의 수는

$$\frac{9!}{4!5!}=126$$

A지점에서 B지점을 거쳐 C지점까지 최단 거리로 가는 경우의 수는

$$\frac{4!}{3!}\times\frac{5!}{3!2!}=4\times10=40$$

따라서 구하는 최단 거리로 가는 경우의 수는

$$126-40=86$$

LECTURE

오른쪽 그림과 같은 도로망에서
❶ A지점에서 출발하여 P지점을 거쳐 B지점까지 최단 거리로 가는 경우의 수
➡ (A지점에서 P지점까지 최단 거리로 가는 경우의 수)
　　　×(P지점에서 B지점까지 최단 거리로 가는 경우의 수)
❷ A지점에서 출발하여 P지점을 거치지 않고 B지점까지 최단 거리로 가는 경우의 수
➡ (A지점에서 B지점까지 최단 거리로 가는 경우의 수)
　　　-(A지점에서 P지점을 거쳐 B지점까지 최단 거리로 가는 경우의 수)

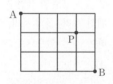

6-2 답 6

|해결 전략| A지점에서 출발하여 B지점까지 갈 때, 반드시 거쳐야 하는 지점을 잡아 경우의 수를 구한다.

오른쪽 그림과 같이 세 지점 P, Q, R를 잡으면 A지점에서 B지점까지 최단 거리로 가는 경우는 다음과 같다.

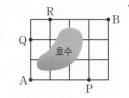

(i) A ⟶ P ⟶ B로 가는 경우의 수는

$$1\times\frac{4!}{3!}=4$$

(ii) A ⟶ Q ⟶ R ⟶ B로 가는 경우의 수는

$$1\times2!\times1=2$$

(i), (ii)에서 구하는 경우의 수는

$$4+2=6$$

7-1 답 420

|해결 전략| 중복조합의 수를 이용한다.

똑같은 흰 공 6개를 세 주머니 A, B, C에 넣는 경우의 수는 서로 다른 3개에서 6개를 택하는 중복조합의 수와 같으므로

$$_3H_6=_{3+6-1}C_6=_8C_6=_8C_2=28$$

똑같은 검은 공 4개를 세 주머니 A, B, C에 넣는 경우의 수는 서로 다른 3개에서 4개를 택하는 중복조합의 수와 같으므로

$$_3H_4=_{3+4-1}C_4=_6C_4=_6C_2=15$$

따라서 구하는 경우의 수는

$$28\times15=420$$

7-2 답 120

|해결 전략| 중복조합의 수를 이용한다.

사과 3개를 두 상자 A, B에 나누어 담는 경우의 수는 서로 다른 2개에서 3개를 택하는 중복조합의 수와 같으므로

$$_2H_3=_{2+3-1}C_3=_4C_3=_4C_1=4$$

배 4개를 두 상자 A, B에 나누어 담는 경우의 수는 서로 다른 2개에서 4개를 택하는 중복조합의 수와 같으므로

$$_2H_4=_{2+4-1}C_4=_5C_4=_5C_1=5$$

귤 5개를 두 상자 A, B에 나누어 담는 경우의 수는 서로 다른 2개에서 5개를 택하는 중복조합의 수와 같으므로

$$_2H_5=_{2+5-1}C_5=_6C_5=_6C_1=6$$

따라서 구하는 경우의 수는

$$4\times5\times6=120$$

8-1 답 27

|해결 전략| 방정식 $x_1+x_2+x_3+\cdots+x_m=n$ (m, n은 자연수)에 대하여 음이 아닌 정수해의 개수는 $_mH_n$, 양의 정수해의 개수는 $_mH_{n-m}$ ($n\geq m$)이다.

(i) $x+y+z=9$를 만족시키는 음이 아닌 정수해의 개수는 3개의 문자 x, y, z 중에서 9개를 택하는 중복조합의 수와 같으므로

$$_3H_9=_{3+9-1}C_9=_{11}C_9=_{11}C_2=55 \qquad \therefore a=55$$

(ii) x, y, z가 양의 정수이므로 x, y, z는 $x \geq 1, y \geq 1, z \geq 1$인 정수이다.

즉, $x-1 \geq 0, y-1 \geq 0, z-1 \geq 0$이므로 $x-1, y-1, z-1$은 모두 음이 아닌 정수이다.

$x-1=x', y-1=y', z-1=z'$ (x', y', z'은 음이 아닌 정수)으로 놓으면 $x=x'+1, y=y'+1, z=z'+1$이므로 주어진 방정식은

$(x'+1)+(y'+1)+(z'+1)=9$

$\therefore x'+y'+z'=6$

따라서 $x+y+z=9$를 만족시키는 양의 정수해의 개수는

$x'+y'+z'=6$을 만족시키는 음이 아닌 정수해의 개수와 같으므로

${}_3H_6={}_{3+6-1}C_6={}_8C_6={}_8C_2=28$ $\qquad \therefore b=28$

(i), (ii)에서 $a-b=27$

8-2 답 35

|해결 전략| 부등식 $x+y+z+w \leq 3$에서 $x+y+z+w=0$ 또는 $x+y+z+w=1$ 또는 $x+y+z+w=2$ 또는 $x+y+z+w=3$이다.

x, y, z, w가 음이 아닌 정수이므로

$x+y+z+w=0$ 또는 $x+y+z+w=1$ 또는

$x+y+z+w=2$ 또는 $x+y+z+w=3$

(i) $x+y+z+w=0$의 음이 아닌 정수해의 개수는 4개의 문자 x, y, z, w 중에서 0개를 택하는 중복조합의 수와 같으므로

${}_4H_0={}_{4+0-1}C_0={}_3C_0=1$

(ii) $x+y+z+w=1$의 음이 아닌 정수해의 개수는 4개의 문자 x, y, z, w 중에서 1개를 택하는 중복조합의 수와 같으므로

${}_4H_1={}_{4+1-1}C_1={}_4C_1=4$

(iii) $x+y+z+w=2$의 음이 아닌 정수해의 개수는 4개의 문자 x, y, z, w 중에서 2개를 택하는 중복조합의 수와 같으므로

${}_4H_2={}_{4+2-1}C_2={}_5C_2=10$

(iv) $x+y+z+w=3$의 음이 아닌 정수해의 개수는 4개의 문자 x, y, z, w 중에서 3개를 택하는 중복조합의 수와 같으므로

${}_4H_3={}_{4+3-1}C_3={}_6C_3=20$

(i)~(iv)에서 구하는 해의 개수는

$1+4+10+20=35$

9-1 답 245

|해결 전략| a는 조합을, b는 중복조합을 이용하여 구한다.

(i) $x_1<x_2$이면 $f(x_1)>f(x_2)$를 만족시키는 함수 f의 개수는 공역 Y의 원소 1, 2, 3, 4, 5, 6, 7의 7개에서 4개를 택하는 조합의 수와 같으므로

${}_7C_4={}_7C_3=35$ $\qquad \therefore a=35$

(ii) $x_1<x_2$이면 $f(x_1) \leq f(x_2)$를 만족시키는 함수 f의 개수는 공역 Y의 원소 1, 2, 3, 4, 5, 6, 7의 7개에서 4개를 택하는 중복조합의 수와 같으므로

${}_7H_4={}_{7+4-1}C_4={}_{10}C_4=210$ $\qquad \therefore b=210$

(i), (ii)에서 $a+b=35+210=245$

9-2 답 60

|해결 전략| X의 원소 1과 3, 4, 5를 대응시키는 경우의 수를 각각 구한다.

(가), (나)에서 $f(2)=6$이고 X의 임의의 두 원소 x_1, x_2에 대하여 $x_1<x_2$이면 $f(x_1) \leq f(x_2)$이므로 X의 원소 1을 대응시키는 경우의 수는 Y의 원소 4, 5, 6의 3개에서 1개를 택하는 경우의 수와 같으므로 3이다.

또, X의 원소 3, 4, 5를 대응시키는 경우의 수는 Y의 원소 6, 7, 8, 9의 4개에서 3개를 택하는 중복조합의 수와 같으므로

${}_4H_3={}_{4+3-1}C_3={}_6C_3=20$

따라서 구하는 함수 f의 개수는

$3 \times 20=60$

10-1 답 2

|해결 전략| $(a+b)^p(c+d)^q$의 전개식의 일반항은 $(a+b)^p$과 $(c+d)^q$의 전개식의 일반항의 곱과 같다.

$(x-a)^2$의 전개식의 일반항은

${}_2C_r x^{2-r}(-a)^r={}_2C_r(-a)^r x^{2-r}$

$\left(x+\dfrac{2}{x}\right)^4$의 전개식의 일반항은

${}_4C_s x^{4-s}\left(\dfrac{2}{x}\right)^s={}_4C_s 2^s \dfrac{x^{4-s}}{x^s}$

따라서 $(x-a)^2\left(x+\dfrac{2}{x}\right)^4$의 전개식의 일반항은

${}_2C_r(-a)^r x^{2-r} \times {}_4C_s 2^s \dfrac{x^{4-s}}{x^s}={}_2C_r \, {}_4C_s(-a)^r 2^s \dfrac{x^{6-r-s}}{x^s}$

상수항은 $6-r-s=s$, 즉 $r+2s=6$일 때이고 r, s는 각각 $0 \leq r \leq 2, 0 \leq s \leq 4$인 정수이므로

(i) $r=0, s=3$일 때, ${}_2C_0 \times {}_4C_3 \times (-a)^0 \times 2^3=32$

(ii) $r=2, s=2$일 때, ${}_2C_2 \times {}_4C_2 \times (-a)^2 \times 2^2=24a^2$

이때, 상수항이 128이므로

$32+24a^2=128$, $a^2=4$

$\therefore a=2 \ (\because a>0)$

10-2 답 1

|해결 전략| $(a+b)^p(c+d)^q$의 전개식의 일반항은 $(a+b)^p$과 $(c+d)^q$의 전개식의 일반항의 곱과 같다.

$(x^2-2)^4$의 전개식의 일반항은

${}_4C_r(x^2)^{4-r}(-2)^r={}_4C_r(-2)^r x^{8-2r}$

$\left(x+\dfrac{a}{x}\right)^2$의 전개식의 일반항은

${}_2C_s x^{2-s}\left(\dfrac{a}{x}\right)^s={}_2C_s a^s \dfrac{x^{2-s}}{x^s}$

따라서 $(x^2-2)^4\left(x+\dfrac{a}{x}\right)^2$의 전개식의 일반항은

${}_4C_r(-2)^r x^{8-2r} \times {}_2C_s a^s \dfrac{x^{2-s}}{x^s}={}_4C_r \, {}_2C_s(-2)^r a^s \dfrac{x^{10-2r-s}}{x^s}$

x^2항은 $10-2r-s-s=2$, 즉 $r+s=4$일 때이고 r, s는 각각
$0 \le r \le 4$, $0 \le s \le 2$인 정수이므로

(i) $r=2$, $s=2$일 때, $_4C_2 \times _2C_2 \times (-2)^2 \times a^2 = 24a^2$

(ii) $r=3$, $s=1$일 때, $_4C_3 \times _2C_1 \times (-2)^3 \times a^1 = -64a$

(iii) $r=4$, $s=0$일 때, $_4C_4 \times _2C_0 \times (-2)^4 \times a^0 = 16$

이때, x^2의 계수가 -24이므로

$24a^2 - 64a + 16 = -24$

$3a^2 - 8a + 5 = 0$, $(a-1)(3a-5) = 0$

$\therefore a=1$ ($\because a$는 정수)

11-1 답 7

|해결 전략| $_nC_0 + _nC_1 + _nC_2 + \cdots + _nC_n = 2^n$임을 이용한다.

$_nC_0 + _nC_1 + _nC_2 + _nC_3 + \cdots + _nC_n = 2^n$이므로

$_nC_1 + _nC_2 + _nC_3 + \cdots + _nC_n = 2^n - 1$

따라서 $2^n - 1 = 127$이므로

$2^n = 128 = 2^7$ $\quad \therefore n=7$

11-2 답 3

|해결 전략| $_{2n}C_0 + _{2n}C_2 + _{2n}C_4 + \cdots + _{2n}C_{2n} = 2^{2n-1}$,
$_nC_0 + _nC_1 + _nC_2 + \cdots + _nC_n = 2^n$임을 이용한다.

$_{16}C_0 + _{16}C_2 + _{16}C_4 + \cdots + _{16}C_{16} = 2^{16-1} = 2^{15}$

$_{13}C_0 + _{13}C_1 + _{13}C_2 + \cdots + _{13}C_6$

$= _{13}C_{13} + _{13}C_{12} + _{13}C_{11} + \cdots + _{13}C_7$

이때, $_{13}C_0 + _{13}C_1 + _{13}C_2 + \cdots + _{13}C_{13} = 2^{13}$이므로

$_{13}C_0 + _{13}C_1 + _{13}C_2 + \cdots + _{13}C_6 = \dfrac{1}{2} \times 2^{13} = 2^{12}$

따라서 $\dfrac{_{16}C_0 + _{16}C_2 + _{16}C_4 + \cdots + _{16}C_{16}}{_{13}C_0 + _{13}C_1 + _{13}C_2 + \cdots + _{13}C_6} = \dfrac{2^{15}}{2^{12}} = 2^3$이므로

$n=3$

2 | 확률의 뜻과 활용

1 확률의 뜻

개념 확인 42쪽~46쪽

1 (1) $\{1, 2, 3, 4, 5\}$ (2) $\{2\}$ (3) $\{1, 4, 6\}$ (4) $\{1, 3, 4, 5, 6\}$

2 (1) $\dfrac{1}{3}$ (2) $\dfrac{2}{5}$ **3** $\dfrac{3}{8}$

4 (1) 1 (2) 0

1 $A = \{2, 3, 5\}$, $B = \{1, 2, 4\}$이므로

(1) $A \cup B = \{1, 2, 3, 4, 5\}$

(2) $A \cap B = \{2\}$

(3) $A^C = \{1, 4, 6\}$

(4) $A^C \cup B^C = (A \cap B)^C = \{1, 3, 4, 5, 6\}$

LECTURE

드모르간의 법칙

전체집합 U와 그 부분집합 A, B에 대하여

❶ $(A \cup B)^C = A^C \cap B^C$

❷ $(A \cap B)^C = A^C \cup B^C$

2 표본공간을 S라 하면 $S = \{1, 2, 3, \cdots, 15\}$이므로

$n(S) = 15$

(1) 3의 배수가 적힌 공이 나오는 사건을 A라 하면

$A = \{3, 6, 9, 12, 15\}$이므로

$n(A) = 5$

따라서 구하는 확률은

$P(A) = \dfrac{n(A)}{n(S)} = \dfrac{5}{15} = \dfrac{1}{3}$

(2) 소수가 적힌 공이 나오는 사건을 A라 하면

$A = \{2, 3, 5, 7, 11, 13\}$이므로

$n(A) = 6$

따라서 구하는 확률은

$P(A) = \dfrac{n(A)}{n(S)} = \dfrac{6}{15} = \dfrac{2}{5}$

3 조사 대상 학생 수는 200이고, 일주일 동안의 독서 시간이 6시간 이상인 학생 수는 $47 + 28 = 75$이므로 구하는 확률은

$\dfrac{75}{200} = \dfrac{3}{8}$

4 (1) 파란 공이 3개 이하 나오는 사건은 반드시 일어나는 사건이므로 그 확률은 1이다.

(2) 흰 공이 3개 나오는 사건은 절대로 일어나지 않는 사건이므로 그 확률은 0이다.

개념 check

1-1 $6, 36, 36, \dfrac{1}{4}$

2-1 $450, \dfrac{9}{20}, \dfrac{9}{20}, 11, 9$

스스로 check

1-2 🖺 $\dfrac{1}{6}$

서로 다른 두 개의 주사위를 동시에 던질 때, 일어날 수 있는 모든 경우의 수는

$6 \times 6 = 36$

두 눈의 수의 차가 3인 경우는

$(1, 4), (2, 5), (3, 6), (4, 1), (5, 2), (6, 3)$의 6가지

따라서 구하는 확률은

$\dfrac{6}{36} = \dfrac{1}{6}$

2-2 🖺 152

이번 시즌에 예상되는 안타의 개수를 n이라 하면

$\dfrac{n}{500} = 0.304$ ∴ $n = 152$

01-1 🖺 $\dfrac{2}{9}$

|해결 전략| 수학문제집 2권을 한 권으로 생각하여 경우의 수를 구한다.

9권의 문제집을 나란히 꽂는 경우의 수는 9!

수학문제집 2권을 한 권으로 생각하여 8권을 나란히 꽂는 경우의 수는 8!이고, 수학문제집 2권의 자리를 바꾸는 경우의 수는 2!이므로 수학문제집 2권을 이웃하게 꽂는 경우의 수는

$8! \times 2!$

따라서 구하는 확률은

$\dfrac{8! \times 2!}{9!} = \dfrac{2}{9}$

01-2 🖺 $\dfrac{3}{10}$

|해결 전략| 첫 번째와 마지막 발표자를 남학생으로 정하는 경우의 수와 나머지 학생의 발표 순서를 정하는 경우의 수를 구한다.

5명의 학생이 발표 순서를 정하는 경우의 수는

$5! = 120$

첫 번째 발표자와 마지막 발표자를 남학생으로 정하는 경우의 수는 $_3P_2 = 6$이고, 나머지 남학생 1명과 여학생 2명의 발표 순서를 정하는 경우의 수는 $3! = 6$이므로 첫 번째 발표자와 마지막 발표자가 모두 남학생인 경우의 수는

$6 \times 6 = 36$

따라서 구하는 확률은

$\dfrac{36}{120} = \dfrac{3}{10}$

02-1 🖺 $\dfrac{1}{35}$

|해결 전략| 남학생 4명이 원탁에 둘러앉는 경우의 수와 여학생 4명이 남학생과 남학생 사이의 4개의 자리에 앉는 경우의 수를 구한다.

8명의 학생이 원탁에 둘러앉는 경우의 수는

$(8-1)! = 7!$

남학생 4명이 원탁에 둘러앉는 경우의 수는 $(4-1)! = 3!$이고, 여학생 4명이 남학생과 남학생 사이의 4개의 자리에 앉는 경우의 수는 4!이므로 남학생과 여학생이 교대로 앉는 경우의 수는

$3! \times 4!$

따라서 구하는 확률은

$\dfrac{3! \times 4!}{7!} = \dfrac{1}{35}$

02-2 🖺 $\dfrac{2}{15}$

|해결 전략| 부부 2명을 한 사람으로 생각하여 경우의 수를 구한다.

6명이 원탁에 둘러앉는 경우의 수는

$(6-1)! = 5! = 120$

부부 2명을 한 사람으로 생각하여 3명이 원탁에 둘러앉는 경우의 수는 $(3-1)! = 2! = 2$이고, 3쌍의 부부가 각각 부부끼리 자리를 바꾸어 앉는 경우의 수는 $2! \times 2! \times 2! = 8$이므로 부부끼리 이웃하게 앉는 경우의 수는

$2 \times 8 = 16$

따라서 구하는 확률은

$\dfrac{16}{120} = \dfrac{2}{15}$

03-1 🖺 $\dfrac{2}{5}$

|해결 전략| 짝수이려면 일의 자리의 숫자가 짝수이어야 한다.

5개의 숫자 1, 2, 3, 4, 5로 중복을 허용하여 만들 수 있는 네 자리 자연수의 개수는

$_5\Pi_4 = 5^4 = 625$

짝수이려면 일의 자리에는 2, 4의 2개의 숫자가 올 수 있고, 천의 자리, 백의 자리, 십의 자리에는 각각 1, 2, 3, 4, 5의 5개의 숫자가 중복하여 올 수 있으므로 짝수의 개수는

$2 \times _5\Pi_3 = 2 \times 5^3 = 250$

따라서 구하는 확률은

$\dfrac{250}{625} = \dfrac{2}{5}$

03-2 답 $\dfrac{2}{9}$

|해결 전략| 서로 다른 n개에서 r개를 택하는 중복순열의 수는 $_n\Pi_r$이다.

3명의 여행자가 3개의 숙소 A, B, C 중에서 임의로 한 곳을 택하는 경우의 수는

$_3\Pi_3=3^3=27$

3명의 여행자가 서로 다른 숙소를 택하는 경우의 수는

$_3P_3=6$

따라서 구하는 확률은

$\dfrac{6}{27}=\dfrac{2}{9}$

04-1 답 $\dfrac{1}{6}$

|해결 전략| 맨 앞에 P를 나열하는 경우의 수는 P를 제외한 나머지 5개의 문자를 일렬로 나열하는 경우의 수와 같다.

6개의 문자 P, R, E, T, T, Y를 일렬로 나열하는 경우의 수는

$\dfrac{6!}{2!}=360$

맨 앞에 P를 나열하고 나머지 문자 R, E, T, T, Y를 일렬로 나열하는 경우의 수는

$\dfrac{5!}{2!}=60$

따라서 구하는 확률은

$\dfrac{60}{360}=\dfrac{1}{6}$

04-2 답 $\dfrac{1}{7}$

|해결 전략| 모음을 한 문자로 생각하여 경우의 수를 구한다.

7개의 문자 A, B, I, L, I, T, Y를 일렬로 나열하는 경우의 수는

$\dfrac{7!}{2!}=2520$

모음 A, I, I를 한 문자로 생각하여 5개의 문자를 일렬로 나열하는 경우의 수는 5!=120이고, 모음 A, I, I끼리 자리를 바꾸는 경우의 수는 $\dfrac{3!}{2!}=3$이므로 모음끼리 이웃하는 경우의 수는

$120\times3=360$

따라서 구하는 확률은

$\dfrac{360}{2520}=\dfrac{1}{7}$

05-1 답 $\dfrac{2}{7}$

|해결 전략| 2개의 휴대폰 모두 전원이 켜질 확률은 정상적으로 전원이 켜지는 휴대폰만을 택하게 되는 경우의 확률이다.

7개의 휴대폰 중에서 2개를 택하는 경우의 수는

$_7C_2=21$

정상적으로 전원이 켜지는 휴대폰 4개 중에서 2개를 택하는 경우의 수는

$_4C_2=6$

따라서 구하는 확률은

$\dfrac{6}{21}=\dfrac{2}{7}$

05-2 답 $\dfrac{1}{7}$

|해결 전략| 공을 꺼내는 순서는 생각하지 않으므로 조합을 이용한다.

10개의 공 중에서 4개를 꺼내는 경우의 수는

$_{10}C_4=210$

흰 공 3개 중에서 2개, 빨간 공 5개 중에서 2개를 꺼내는 경우의 수는

$_3C_2\times_5C_2=3\times10=30$

따라서 구하는 확률은

$\dfrac{30}{210}=\dfrac{1}{7}$

06-1 답 ㄱ, ㄷ

|해결 전략| 사건 A에 대하여 $0\le P(A)\le1$임을 이용한다.

ㄱ. $0\le P(A)\le1$, $0\le P(B)\le1$이므로
   $0\le P(A)+P(B)\le2$

ㄴ. [반례] $P(A)=\dfrac{1}{4}$, $P(B)=\dfrac{1}{3}$이면

   $P(A)+P(B)=\dfrac{7}{12}$

   이때, $P(S)=1$이므로
   $P(S)>P(A)+P(B)$

ㄷ. $\varnothing\subset(A\cup B)\subset S$이므로
   $0\le n(A\cup B)\le n(S)$
   위 부등식의 각 변을 $n(S)$로 나누면
   $0\le \dfrac{n(A\cup B)}{n(S)}\le1$
   이때, $\dfrac{n(A\cup B)}{n(S)}=P(A\cup B)$이므로
   $0\le P(A\cup B)\le1$

따라서 옳은 것은 ㄱ, ㄷ이다.

2 확률의 덧셈정리

1 (1) $\dfrac{1}{4}$ (2) $\dfrac{2}{7}$ **2** $\dfrac{5}{8}$

3 $\dfrac{3}{4}$

1 (1) $\mathrm{P}(A\cup B)=\mathrm{P}(A)+\mathrm{P}(B)-\mathrm{P}(A\cap B)$이므로

$$\frac{2}{3}=\frac{1}{2}+\frac{5}{12}-\mathrm{P}(A\cap B)$$

$$\therefore \mathrm{P}(A\cap B)=\frac{1}{4}$$

(2) 두 사건 A, B가 서로 배반사건이므로

$\mathrm{P}(A\cup B)=\mathrm{P}(A)+\mathrm{P}(B)$에서

$$\frac{3}{7}=\frac{1}{7}+\mathrm{P}(B) \qquad \therefore \mathrm{P}(B)=\frac{2}{7}$$

2 $\mathrm{P}(A^C)=1-\mathrm{P}(A)$이므로

$$\frac{3}{8}=1-\mathrm{P}(A)$$

$$\therefore \mathrm{P}(A)=\frac{5}{8}$$

3 $\mathrm{P}(A\cup B)=\mathrm{P}(A)+\mathrm{P}(B)-\mathrm{P}(A\cap B)$이므로

$$\frac{1}{2}=\frac{1}{3}+\mathrm{P}(B)-\frac{1}{12} \qquad \therefore \mathrm{P}(B)=\frac{1}{4}$$

$$\therefore \mathrm{P}(B^C)=1-\mathrm{P}(B)=1-\frac{1}{4}=\frac{3}{4}$$

STEP ① 개념 드릴 ──────── | 56쪽 |

개념 check

1-1 $\dfrac{2}{3}, \dfrac{2}{3}, \dfrac{4}{3}, \dfrac{4}{3}, 4$

2-1 $\dfrac{1}{4}, \dfrac{1}{4}, \dfrac{1}{12}$

스스로 check

1-2 답 (1) $\dfrac{4}{15}$ (2) $\dfrac{5}{6}$

(1) $A\cup B=S$이므로 $\mathrm{P}(A\cup B)=1$

$\mathrm{P}(A\cup B)=\mathrm{P}(A)+\mathrm{P}(B)-\mathrm{P}(A\cap B)$이므로

$$1=\frac{14}{15}+\mathrm{P}(B)-\frac{1}{5}$$

$$\therefore \mathrm{P}(B)=\frac{4}{15}$$

(2) $A\cup B=S$이므로 $\mathrm{P}(A\cup B)=1$

두 사건 A, B가 서로 배반사건이므로

$\mathrm{P}(A\cup B)=\underline{\mathrm{P}(A)}+\mathrm{P}(B)$에서

$$1=\frac{1}{5}\mathrm{P}(B)+\mathrm{P}(B) \quad \longrightarrow \text{P}(B)=5\text{P}(A)\text{이므로 P}(A)=\frac{1}{5}\text{P}(B)$$

$$\therefore \mathrm{P}(B)=\frac{5}{6}$$

2-2 답 (1) $\dfrac{2}{15}$ (2) $\dfrac{1}{2}$

(1) $\mathrm{P}(A\cup B)=\mathrm{P}(A)+\mathrm{P}(B)-\mathrm{P}(A\cap B)$

$$=\frac{1}{3}+\frac{3}{5}-\frac{1}{15}=\frac{13}{15}$$

이때, $A^C\cap B^C=(A\cup B)^C$이므로

$$\mathrm{P}(A^C\cap B^C)=\mathrm{P}((A\cup B)^C)=1-\mathrm{P}(A\cup B)$$

$$=1-\frac{13}{15}=\frac{2}{15}$$

(2) $\mathrm{P}(A\cup B)=\mathrm{P}(A)+\mathrm{P}(B)-\mathrm{P}(A\cap B)$이므로

$$1=\frac{2}{3}+\frac{5}{6}-\mathrm{P}(A\cap B)$$

$$\therefore \mathrm{P}(A\cap B)=\frac{1}{2}$$

이때, $A^C\cup B^C=(A\cap B)^C$이므로

$$\mathrm{P}(A^C\cup B^C)=\mathrm{P}((A\cap B)^C)=1-\mathrm{P}(A\cap B)$$

$$=1-\frac{1}{2}=\frac{1}{2}$$

STEP ② 필수 유형 ──────── | 57쪽~60쪽 |

01-1 답 $\dfrac{11}{12}$

|해결 전략| 두 사건 A, B에 대하여 A 또는 B가 일어날 확률은 $\mathrm{P}(A\cup B)=\mathrm{P}(A)+\mathrm{P}(B)-\mathrm{P}(A\cap B)$이다.

사과를 생산하는 농가를 고르는 사건을 A, 배를 생산하는 농가를 고르는 사건을 B라 하면

$$\mathrm{P}(A)=\frac{1}{2}, \mathrm{P}(B)=\frac{2}{3}, \mathrm{P}(A\cap B)=\frac{1}{4}$$

따라서 구하는 확률은

$$\mathrm{P}(A\cup B)=\mathrm{P}(A)+\mathrm{P}(B)-\mathrm{P}(A\cap B)$$

$$=\frac{1}{2}+\frac{2}{3}-\frac{1}{4}=\frac{11}{12}$$

01-2 답 $\dfrac{2}{7}$

|해결 전략| 조합을 이용하여 2장 모두 짝수가 적힌 카드를 택할 확률, 2장 모두 3의 배수가 적힌 카드를 택할 확률을 각각 구한다.

2장 모두 짝수가 적힌 카드를 택하는 사건을 A, 2장 모두 3의 배수가 적힌 카드를 택하는 사건을 B라 하면

$$\mathrm{P}(A)=\frac{{}_7\mathrm{C}_2}{{}_{15}\mathrm{C}_2}=\frac{1}{5}, \mathrm{P}(B)=\frac{{}_5\mathrm{C}_2}{{}_{15}\mathrm{C}_2}=\frac{2}{21},$$

$$\mathrm{P}(A\cap B)=\frac{{}_2\mathrm{C}_2}{{}_{15}\mathrm{C}_2}=\frac{1}{105}$$

$\longrightarrow$ 2장 모두 6의 배수가 적힌 카드를 택하는 사건

따라서 구하는 확률은

$$\mathrm{P}(A\cup B)=\mathrm{P}(A)+\mathrm{P}(B)-\mathrm{P}(A\cap B)$$

$$=\frac{1}{5}+\frac{2}{21}-\frac{1}{105}=\frac{2}{7}$$

02-1 답 $\dfrac{7}{15}$

|해결 전략| 2명 모두 같은 종목의 운동선수가 뽑히는 경우는 2명 모두 축구 선수가 뽑히거나 2명 모두 농구 선수가 뽑히는 경우이다.

2명 모두 축구 선수가 뽑히는 사건을 A, 2명 모두 농구 선수가 뽑히는 사건을 B라 하면

$$P(A)=\dfrac{_4C_2}{_{10}C_2}=\dfrac{2}{15},\ P(B)=\dfrac{_6C_2}{_{10}C_2}=\dfrac{1}{3}$$

이때, 두 사건 A, B는 서로 배반사건이므로 구하는 확률은

$$P(A\cup B)=P(A)+P(B)$$
$$=\dfrac{2}{15}+\dfrac{1}{3}=\dfrac{7}{15}$$

02-2 답 $\dfrac{52}{105}$

|해결 전략| 노란 공이 홀수 개 나오는 경우는 노란 공 1개, 파란 공 3개가 나오거나 노란 공 3개, 파란 공 1개가 나오는 경우이다.

노란 공 1개, 파란 공 3개가 나오는 사건을 A, 노란 공 3개, 파란 공 1개가 나오는 사건을 B라 하면

$$P(A)=\dfrac{_6C_1\times_4C_3}{_{10}C_4}=\dfrac{4}{35},\ P(B)=\dfrac{_6C_3\times_4C_1}{_{10}C_4}=\dfrac{8}{21}$$

이때, 두 사건 A, B는 서로 배반사건이므로 구하는 확률은

$$P(A\cup B)=P(A)+P(B)$$
$$=\dfrac{4}{35}+\dfrac{8}{21}=\dfrac{52}{105}$$

03-1 답 $\dfrac{6}{7}$

|해결 전략| 적어도 1명은 여학생이 뽑힐 확률은 1-(모두 남학생이 뽑힐 확률)임을 이용한다.

적어도 1명은 여학생이 뽑히는 사건을 A라 하면 A^C는 모두 남학생이 뽑히는 사건이므로

$$P(A^C)=\dfrac{_3C_2}{_7C_2}=\dfrac{1}{7}$$

따라서 구하는 확률은

$$P(A)=1-P(A^C)=1-\dfrac{1}{7}=\dfrac{6}{7}$$

03-2 답 $\dfrac{5}{7}$

|해결 전략| 적어도 한쪽 끝에 모음이 올 확률은
1-(양쪽 끝에 모두 자음이 올 확률)임을 이용한다.

적어도 한쪽 끝에 모음이 오는 사건을 A라 하면 A^C는 양쪽 끝에 모두 자음이 오는 사건이다.

이때, P, R, O, M, I, S, E에서 모음은 O, I, E이고, 자음은 P, R, M, S이므로

$$P(A^C)=\dfrac{_4C_2}{_7C_2}=\dfrac{2}{7}$$

따라서 구하는 확률은

$$P(A)=1-P(A^C)=1-\dfrac{2}{7}=\dfrac{5}{7}$$

04-1 답 $\dfrac{11}{12}$

|해결 전략| 두 눈의 수의 합이 10 이하인 사건의 여사건은 두 눈의 수의 합이 11 이상인 사건이다.

두 눈의 수의 합이 10 이하인 사건을 A라 하면 A^C는 두 눈의 수의 합이 11 이상인 사건이다.

두 눈의 수의 합이 11 이상인 경우는

$$(5,6),\ (6,5),\ (6,6)$$

의 3가지이므로

$$P(A^C)=\dfrac{3}{36}=\dfrac{1}{12}$$

따라서 구하는 확률은

$$P(A)=1-P(A^C)=1-\dfrac{1}{12}=\dfrac{11}{12}$$

04-2 답 $\dfrac{17}{50}$

|해결 전략| 카드에 적힌 수가 2의 배수인 사건을 A, 3의 배수인 사건을 B라 하면 구하는 확률은 $P((A\cup B)^C)$이다.

카드에 적힌 수가 2의 배수인 사건을 A, 3의 배수인 사건을 B라 하면 카드에 적힌 수가 6의 배수인 사건이 $A\cap B$이므로

$$P(A)=\dfrac{25}{50},\ P(B)=\dfrac{16}{50},\ P(A\cap B)=\dfrac{8}{50}$$

$$\therefore P(A\cup B)=P(A)+P(B)-P(A\cap B)$$
$$=\dfrac{25}{50}+\dfrac{16}{50}-\dfrac{8}{50}=\dfrac{33}{50}$$

이때, 카드에 적힌 수가 2의 배수도 아니고 3의 배수도 아닌 사건은 $A^C\cap B^C$, 즉 $(A\cup B)^C$이므로 구하는 확률은

$$P((A\cup B)^C)=1-P(A\cup B)=1-\dfrac{33}{50}=\dfrac{17}{50}$$

STEP **3** 유형 드릴 | 61쪽~63쪽 |

1-1 답 ㄱ, ㄷ

|해결 전략| 두 사건 A, B에 대하여 $A\cap B=\varnothing$이면 A, B는 서로 배반사건이다.

$A=\{3,6,9\}$, $B=\{4,8\}$, $C=\{1,3,5,7,9\}$

이때, $A\cap B=\varnothing$, $A\cap C=\{3,9\}$, $B\cap C=\varnothing$이므로 서로 배반사건인 것은 A와 B, B와 C이다.

따라서 서로 배반사건인 것은 ㄱ, ㄷ이다.

1-2 답 ④

|해결 전략| 각각의 사건을 구하여 교집합이 ∅인 두 사건을 찾는다.

동전을 한 번 던졌을 때 앞면이 나오는 것을 H, 뒷면이 나오는 것을 T라 하면

$A=\{(H, H), (H, T), (T, H)\}$, $B=\{(H, T), (T, H)\}$,
$C=\{(H, H)\}$, $D=\{(H, H), (T, T)\}$

이때, $A \cap B=\{(H, T), (T, H)\}$, $A \cap C=\{(H, H)\}$,
$A \cap D=\{(H, H)\}$, $B \cap C=\varnothing$, $C \cap D=\{(H, H)\}$

이므로 서로 배반사건인 것은 B와 C이다.

2-1 답 $\dfrac{17}{30}$

|해결 전략| 네 자리 자연수가 3500보다 크려면 천의 자리와 백의 자리에 어떤 숫자가 와야 하는지 알아본다.

6개의 숫자 1, 2, 3, 4, 5, 6 중에서 서로 다른 4개를 택하여 만들 수 있는 네 자리 자연수의 개수는

$_6P_4=360$

이때, 3500보다 큰 자연수는 35□□ 또는 36□□ 또는 4□□□ 또는 5□□□ 또는 6□□□ 꼴이다.

(i) 35□□ 꼴의 자연수의 개수는 $_4P_2=12$
(ii) 36□□ 꼴의 자연수의 개수는 $_4P_2=12$
(iii) 4□□□ 꼴의 자연수의 개수는 $_5P_3=60$
(iv) 5□□□ 꼴의 자연수의 개수는 $_5P_3=60$
(v) 6□□□ 꼴의 자연수의 개수는 $_5P_3=60$

(i)~(v)에서 3500보다 큰 네 자리 자연수의 개수는

$12+12+60+60+60=204$

따라서 구하는 확률은

$\dfrac{204}{360}=\dfrac{17}{30}$

2-2 답 $\dfrac{9}{20}$

|해결 전략| 320보다 작은 자연수는 31□ 또는 2□□ 또는 1□□ 꼴이다.

5개의 숫자 1, 2, 3, 4, 5 중에서 서로 다른 3개를 택하여 만들 수 있는 세 자리 자연수의 개수는

$_5P_3=60$

이때, 320보다 작은 자연수는 31□ 또는 2□□ 또는 1□□ 꼴이다.

(i) 31□ 꼴의 자연수의 개수는 $_3P_1=3$
(ii) 2□□ 꼴의 자연수의 개수는 $_4P_2=12$
(iii) 1□□ 꼴의 자연수의 개수는 $_4P_2=12$

(i), (ii), (iii)에서 320보다 작은 세 자리 자연수의 개수는

$3+12+12=27$

따라서 구하는 확률은

$\dfrac{27}{60}=\dfrac{9}{20}$

3-1 답 $\dfrac{1}{5}$

|해결 전략| 고등학생 3명을 한 사람으로 생각하여 5명이 원탁에 둘러앉는 경우의 수를 구한다.

7명의 학생이 원탁에 둘러앉는 경우의 수는

$(7-1)!=6!=720$

고등학생 3명을 한 사람으로 생각하여 5명이 원탁에 둘러앉는 경우의 수는 $(5-1)!=4!=24$이고, 고등학생 3명이 자리를 바꾸어 앉는 경우의 수는 $3!=6$이므로 고등학생끼리 이웃하게 앉는 경우의 수는

$24 \times 6=144$

따라서 구하는 확률은

$\dfrac{144}{720}=\dfrac{1}{5}$

3-2 답 $\dfrac{1}{7}$

|해결 전략| 성우의 자리가 결정되면 세미의 자리는 마주 보는 자리로 고정된다.

8명이 원탁에 둘러앉는 경우의 수는

$(8-1)!=7!=5040$

성우의 자리가 결정되면 세미의 자리는 마주 보는 자리로 고정되므로 성우와 세미가 마주 보고 앉는 경우의 수는 7명이 원탁에 둘러앉는 경우의 수 $(7-1)!=6!=720$과 같다.

따라서 구하는 확률은

$\dfrac{720}{5040}=\dfrac{1}{7}$

4-1 답 $\dfrac{3}{8}$

|해결 전략| 서로 다른 n개에서 r개를 택하는 중복순열의 수는 $_n\Pi_r=n^r$이다.

3명의 학생이 4개의 동아리 중에서 각각 한 곳에 가입하는 경우의 수는

$_4\Pi_3=4^3=64$

3명의 학생이 4개의 동아리 중에서 서로 다른 동아리에 가입하는 경우의 수는

$_4P_3=24$

따라서 구하는 확률은

$\dfrac{24}{64}=\dfrac{3}{8}$

4-2 답 $\dfrac{2}{9}$

|해결 전략| A에서 B로의 함수의 개수는 중복순열을, 일대일대응의 개수는 순열을 이용하여 구한다.

집합 A에서 집합 B로의 함수 f의 개수는

$_3\Pi_3=3^3=27$

일대일대응의 개수는

$_3P_3=6$

따라서 구하는 확률은

$\dfrac{6}{27}=\dfrac{2}{9}$

> **LECTURE**
>
> 함수 $f: X \longrightarrow Y$에서 정의역 X의 임의의 두 원소 x_1, x_2가 다음 조건을 만족시킬 때, 함수 f를 일대일대응이라 한다.
> ❶ $x_1 \neq x_2$이면 $f(x_1) \neq f(x_2)$이다.
> ❷ 공역과 치역이 같다.

5-1 冒 $\dfrac{1}{28}$

|해결 전략| 같은 것이 있는 순열을 이용한다.

8개의 문자 F, I, G, H, T, I, N, G를 일렬로 나열하는 경우의 수는

$$\dfrac{8!}{2!2!}=10080$$

F, H를 제외한 6개의 문자 I, G, T, I, N, G를 일렬로 나열하는 경우의 수는 $\dfrac{6!}{2!2!}=180$이고, 양 끝에 F, H가 오도록 나열하는 경우의 수는 2!=2이므로 양 끝에 F와 H가 오는 경우의 수는

$$180\times2=360$$

따라서 구하는 확률은

$$\dfrac{360}{10080}=\dfrac{1}{28}$$

5-2 冒 $\dfrac{3}{8}$

|해결 전략| 함수 f가 $f(1)+f(2)+f(3)=13$을 만족시키려면 $f(1)$, $f(2)$, $f(3)$ 중 2개는 4에 대응하고 나머지 1개는 5에 대응해야 한다.

집합 X에서 집합 Y로의 함수 f의 개수는

$$_2\Pi_3=2^3=8$$

$f(1)+f(2)+f(3)=13$을 만족시키는 함수 f의 개수는 3개의 숫자 4, 4, 5를 일렬로 나열하는 경우의 수와 같으므로

$$\dfrac{3!}{2!}=3$$

따라서 구하는 확률은 $\dfrac{3}{8}$

6-1 冒 5

|해결 전략| 서로 다른 n개에서 r개를 택하는 조합의 수는 $_nC_r=\dfrac{_nP_r}{r!}$ 이다.

20개의 제비 중에서 2개를 뽑는 경우의 수는

$$_{20}C_2=190$$

n개의 당첨 제비 중에서 2개를 뽑는 경우의 수는 $_nC_2$

이때, 2개 모두 당첨 제비가 나올 확률이 $\dfrac{1}{19}$이므로

$$\dfrac{_nC_2}{190}=\dfrac{1}{19},\ _nC_2=10$$

$$\dfrac{n(n-1)}{2}=10,\ n^2-n-20=0$$

$$(n+4)(n-5)=0 \qquad \therefore n=5\ (\because n>0)$$

6-2 冒 6

|해결 전략| 남학생의 수를 n으로 놓고 조합을 이용한다.

10명의 학생 중에서 2명을 뽑는 경우의 수는

$$_{10}C_2=45$$

남학생의 수를 n이라 하면 남학생 중에서 2명을 뽑는 경우의 수는 $_nC_2$

이때, 2명 모두 남학생일 확률이 $\dfrac{1}{3}$이므로

$$\dfrac{_nC_2}{45}=\dfrac{1}{3},\ _nC_2=15$$

$$\dfrac{n(n-1)}{2}=15,\ n^2-n-30=0$$

$$(n+5)(n-6)=0 \qquad \therefore n=6\ (\because n>0)$$

따라서 남학생의 수는 6이다.

7-1 冒 0.6

|해결 전략| $P(A\cup B)=P(A)+P(B)-P(A\cap B)$임을 이용한다.

A가 합격하는 사건을 A, B가 합격하는 사건을 B라 하면

$P(A)=0.7$, $P(A\cup B)=0.9$, $P(A\cap B)=0.4$

이때, $P(A\cup B)=P(A)+P(B)-P(A\cap B)$이므로

$0.9=0.7+P(B)-0.4$

$\therefore P(B)=0.6$

따라서 B가 합격할 확률은 0.6이다.

7-2 冒 $\dfrac{5}{11}$

|해결 전략| 3이 적힌 카드가 나올 확률, 7이 적힌 카드가 나올 확률, 3과 7이 적힌 카드가 모두 나올 확률을 각각 구한다.

3이 적힌 카드가 나오는 사건을 A, 7이 적힌 카드가 나오는 사건을 B라 하면

$$P(A)=\dfrac{_{11}C_2}{_{12}C_3}=\dfrac{1}{4},\ P(B)=\dfrac{_{11}C_2}{_{12}C_3}=\dfrac{1}{4},$$

$$P(A\cap B)=\dfrac{_{10}C_1}{_{12}C_3}=\dfrac{1}{22}$$

따라서 구하는 확률은

$$P(A\cup B)=P(A)+P(B)-P(A\cap B)$$

$$=\dfrac{1}{4}+\dfrac{1}{4}-\dfrac{1}{22}=\dfrac{5}{11}$$

8-1 冒 $\dfrac{6}{13}$

|해결 전략| 택한 두 수의 합이 짝수가 되려면 짝수인 두 수를 택하거나 홀수인 두 수를 택해야 한다.

두 수의 합이 짝수인 경우는 두 수가 모두 짝수이거나 두 수가 모두 홀수인 경우이다.

두 수가 모두 짝수인 사건을 A, 두 수가 모두 홀수인 사건을 B라 하면

$$P(A)=\dfrac{_6C_2}{_{13}C_2}=\dfrac{5}{26},\ P(B)=\dfrac{_7C_2}{_{13}C_2}=\dfrac{7}{26}$$

이때, 두 사건 A, B는 서로 배반사건이므로 구하는 확률은

$$P(A\cup B)=P(A)+P(B)$$

$$=\dfrac{5}{26}+\dfrac{7}{26}=\dfrac{6}{13}$$

8-2 冒 $\dfrac{1}{3}$

|해결 전략| N이 맨 앞에 오는 사건과 N이 맨 뒤에 오는 사건은 서로 배반사건이다.

N이 맨 앞에 오는 사건을 A, N이 맨 뒤에 오는 사건을 B라 하면

$$\mathrm{P}(A)=\frac{5!}{6!}=\frac{1}{6},\ \mathrm{P}(B)=\frac{5!}{6!}=\frac{1}{6}$$

이때, 두 사건 A, B는 서로 배반사건이므로 구하는 확률은

$$\mathrm{P}(A\cup B)=\mathrm{P}(A)+\mathrm{P}(B)$$
$$=\frac{1}{6}+\frac{1}{6}=\frac{1}{3}$$

9-1 目 $\dfrac{23}{28}$

|해결 전략| 100원짜리 동전이 10원짜리 동전보다 많이 나오는 경우는 100원짜리 동전이 3개, 4개, 5개 나오는 경우이다.

100원짜리 동전 3개, 10원짜리 동전 2개가 나오는 사건을 A, 100원짜리 동전 4개, 10원짜리 동전 1개가 나오는 사건을 B, 100원짜리 동전 5개가 나오는 사건을 C라 하면

$$\mathrm{P}(A)=\frac{{}_5\mathrm{C}_3\times{}_3\mathrm{C}_2}{{}_8\mathrm{C}_5}=\frac{15}{28},\ \mathrm{P}(B)=\frac{{}_5\mathrm{C}_4\times{}_3\mathrm{C}_1}{{}_8\mathrm{C}_5}=\frac{15}{56},$$

$$\mathrm{P}(C)=\frac{{}_5\mathrm{C}_5}{{}_8\mathrm{C}_5}=\frac{1}{56}$$

이때, 세 사건 A, B, C는 서로 배반사건이므로 구하는 확률은

$$\mathrm{P}(A\cup B\cup C)=\mathrm{P}(A)+\mathrm{P}(B)+\mathrm{P}(C)$$
$$=\frac{15}{28}+\frac{15}{56}+\frac{1}{56}=\frac{23}{28}$$

> **LECTURE**
>
> n개의 사건 A_1, A_2, $\cdots$, A_n이 서로 배반사건이면
> $\Rightarrow \mathrm{P}(A_1\cup A_2\cup\cdots\cup A_n)=\mathrm{P}(A_1)+\mathrm{P}(A_2)+\cdots+\mathrm{P}(A_n)$

9-2 目 $\dfrac{25}{286}$

|해결 전략| 공의 색깔이 모두 같은 경우는 흰 공이 3개 나오거나 노란 공이 3개 나오거나 검은 공이 3개 나오는 경우이다.

3개 모두 흰 공이 나오는 사건을 A, 3개 모두 노란 공이 나오는 사건을 B, 3개 모두 검은 공이 나오는 사건을 C라 하면

$$\mathrm{P}(A)=\frac{{}_3\mathrm{C}_3}{{}_{13}\mathrm{C}_3}=\frac{1}{286},\ \mathrm{P}(B)=\frac{{}_4\mathrm{C}_3}{{}_{13}\mathrm{C}_3}=\frac{2}{143},$$

$$\mathrm{P}(C)=\frac{{}_6\mathrm{C}_3}{{}_{13}\mathrm{C}_3}=\frac{10}{143}$$

이때, 세 사건 A, B, C는 서로 배반사건이므로 구하는 확률은

$$\mathrm{P}(A\cup B\cup C)=\mathrm{P}(A)+\mathrm{P}(B)+\mathrm{P}(C)$$
$$=\frac{1}{286}+\frac{2}{143}+\frac{10}{143}=\frac{25}{286}$$

10-1 目 2

|해결 전략| 적어도 1송이는 튤립이 나오는 사건의 여사건은 2송이 모두 장미가 나오는 사건이다.

적어도 1송이는 튤립이 나올 확률이 $\dfrac{7}{10}$이므로 2송이 모두 장미가 나올 확률은 $1-\dfrac{7}{10}=\dfrac{3}{10}$

이때, 2송이 모두 장미가 나올 확률은 $\dfrac{{}_3\mathrm{C}_2}{{}_{n+3}\mathrm{C}_2}$이므로

$$\frac{{}_3\mathrm{C}_2}{{}_{n+3}\mathrm{C}_2}=\frac{3}{10},\ \frac{6}{(n+3)(n+2)}=\frac{3}{10}$$

$$(n+3)(n+2)=20,\ n^2+5n-14=0$$

$$(n+7)(n-2)=0\qquad\therefore n=2\ (\because n>0)$$

10-2 目 3

|해결 전략| 적어도 1개는 검은 바둑돌이 나오는 사건의 여사건은 2개 모두 흰 바둑돌이 나오는 사건이다.

적어도 1개는 검은 바둑돌이 나올 확률이 $\dfrac{5}{11}$이므로 2개 모두 흰 바둑돌이 나올 확률은 $1-\dfrac{5}{11}=\dfrac{6}{11}$

이때, 2개 모두 흰 바둑돌이 나올 확률은 $\dfrac{{}_9\mathrm{C}_2}{{}_{n+9}\mathrm{C}_2}$이므로

$$\frac{{}_9\mathrm{C}_2}{{}_{n+9}\mathrm{C}_2}=\frac{6}{11},\ \frac{72}{(n+9)(n+8)}=\frac{6}{11}$$

$$(n+9)(n+8)=132,\ n^2+17n-60=0$$

$$(n+20)(n-3)=0\qquad\therefore n=3\ (\because n>0)$$

11-1 目 $\dfrac{26}{35}$

|해결 전략| P지점과 Q지점을 이은 빨간색 구간을 지나지 않는 사건의 여사건은 P지점과 Q지점을 이은 빨간색 구간을 지나는 사건이다.

A지점에서 B지점까지 최단 거리로 가는 경우의 수는

$$\frac{8!}{4!\,4!}=70$$

P지점과 Q지점을 이은 빨간색 구간을 지나 최단 거리로 가는 경우의 수는

$$\frac{4!}{2!\,2!}\times\frac{3!}{2!}=6\times3=18$$

P지점과 Q지점을 이은 빨간색 구간을 지나지 않는 사건을 A라 하면 A^C는 P지점과 Q지점을 이은 빨간색 구간을 지나는 사건이므로

$$\mathrm{P}(A^C)=\frac{18}{70}=\frac{9}{35}$$

따라서 구하는 확률은

$$\mathrm{P}(A)=1-\mathrm{P}(A^C)=1-\frac{9}{35}=\frac{26}{35}$$

11-2 目 $\dfrac{9}{10}$

|해결 전략| 공에 적힌 숫자의 합이 0 이상인 사건의 여사건은 공에 적힌 숫자의 합이 0보다 작은 사건이다.

공에 적힌 숫자의 합이 0 이상인 사건을 A라 하면 A^C는 공에 적힌 숫자의 합이 0보다 작은 사건이므로 공에 적힌 숫자가 -2, 0인 경우뿐이다.

$$\therefore \mathrm{P}(A^C)=\frac{1}{{}_5\mathrm{C}_2}=\frac{1}{10}$$

따라서 구하는 확률은

$$\mathrm{P}(A)=1-\mathrm{P}(A^C)=1-\frac{1}{10}=\frac{9}{10}$$

3 | 조건부확률

1 조건부확률

개념 확인
66쪽~67쪽

1 (1) $\dfrac{1}{2}$ (2) $\dfrac{1}{4}$ **2** $\dfrac{2}{5}$ **3** (1) $\dfrac{1}{12}$ (2) $\dfrac{1}{4}$

1 (1) $P(B|A) = \dfrac{P(A \cap B)}{P(A)} = \dfrac{0.2}{0.4} = \dfrac{1}{2}$

　(2) $P(A|B) = \dfrac{P(A \cap B)}{P(B)} = \dfrac{0.2}{0.8} = \dfrac{1}{4}$

2 $P(A \cap B) = P(A)P(B|A) = \dfrac{3}{5} \times \dfrac{2}{3} = \dfrac{2}{5}$

3 (1) $P(A \cap B) = P(A)P(B|A) = \dfrac{1}{4} \times \dfrac{1}{3} = \dfrac{1}{12}$

　(2) $P(A|B) = \dfrac{P(A \cap B)}{P(B)} = \dfrac{\frac{1}{12}}{\frac{1}{3}} = \dfrac{1}{4}$

STEP 1 개념 드릴
68쪽

개념 check

1-1 $3, 3, 2, \dfrac{1}{10}, \dfrac{1}{10}, \dfrac{1}{4}$

2-1 $\dfrac{3}{5}, \dfrac{5}{9}, \dfrac{1}{3}$

스스로 check

1-2 답 (1) $\dfrac{1}{9}$ (2) $\dfrac{5}{12}$

(1) $P(A \cup B) = P(A) + P(B) - P(A \cap B)$에서

$\dfrac{3}{4} = \dfrac{9}{16} + \dfrac{1}{4} - P(A \cap B)$ $\therefore P(A \cap B) = \dfrac{1}{16}$

$\therefore P(B|A) = \dfrac{P(A \cap B)}{P(A)} = \dfrac{\frac{1}{16}}{\frac{9}{16}} = \dfrac{1}{9}$

(2) $P(B^C) = 1 - P(B) = 1 - \dfrac{2}{5} = \dfrac{3}{5}$

두 사건 A, B가 서로 배반사건이므로

$A \cap B = \varnothing$ $\therefore A \subset B^C$

따라서 $A \cap B^C = A$이므로 $P(A \cap B^C) = P(A) = \dfrac{1}{4}$

$\therefore P(A|B^C) = \dfrac{P(A \cap B^C)}{P(B^C)} = \dfrac{\frac{1}{4}}{\frac{3}{5}} = \dfrac{5}{12}$

2-2 답 (1) $\dfrac{4}{5}$ (2) $\dfrac{2}{9}$ (3) $\dfrac{8}{45}$

(1) $\underline{P(A) = \dfrac{8}{10} = \dfrac{4}{5}}$ ⟶ 첫 번째에 정품이 나올 확률

(2) 첫 번째에 정품이 나왔을 때, 두 번째에 불량품이 나올 확률은

$P(B|A) = \dfrac{2}{9}$

(3) $\underline{P(A \cap B) = P(A)P(B|A) = \dfrac{4}{5} \times \dfrac{2}{9} = \dfrac{8}{45}}$
⟶ 첫 번째에는 정품이 나오고, 두 번째에는 불량품이 나올 확률

STEP 2 필수 유형
69쪽~71쪽

01-1 답 $\dfrac{2}{3}$

| 해결 전략 | 홀수의 눈이 나올 확률과 홀수인 소수의 눈이 나올 확률을 각각 구하여 조건부확률을 이용한다.

홀수의 눈이 나오는 사건을 A, 소수의 눈이 나오는 사건을 B라 하면

$A = \{1, 3, 5\}$, $B = \{2, 3, 5\}$, $A \cap B = \{3, 5\}$

$\therefore P(A) = \dfrac{3}{6} = \dfrac{1}{2}$, $P(A \cap B) = \dfrac{2}{6} = \dfrac{1}{3}$

따라서 구하는 확률은

$P(B|A) = \dfrac{P(A \cap B)}{P(A)} = \dfrac{\frac{1}{3}}{\frac{1}{2}} = \dfrac{2}{3}$

01-2 답 $\dfrac{12}{17}$

| 해결 전략 | 급식 메뉴에 불만족하다고 답한 학생일 확률과 급식 메뉴에 불만족하다고 답한 여학생일 확률을 각각 구하여 조건부확률을 이용한다.

임의로 뽑은 한 명이 오늘의 급식 메뉴에 불만족하다고 답한 학생인 사건을 A, 여학생인 사건을 B라 하면

$P(A) = \dfrac{17}{30}$, $P(A \cap B) = \dfrac{12}{30} = \dfrac{2}{5}$

따라서 구하는 확률은

$P(B|A) = \dfrac{P(A \cap B)}{P(A)} = \dfrac{\frac{2}{5}}{\frac{17}{30}} = \dfrac{12}{17}$

02-1 🔲 0.68

|해결 전략| $P(B)=P(A\cap B)+P(A^C\cap B)$임을 이용한다.

내일 선수 B가 출전하는 경기에 선수 A가 같이 출전하는 사건을 A, 선수 B가 내일 자유투를 성공하는 사건을 B라 하면

(ⅰ) 선수 A가 경기에 출전하고, 선수 B가 자유투를 성공할 확률은

$$P(A\cap B)=P(A)P(B|A)=0.4\times 0.8=0.32$$

(ⅱ) 선수 A가 경기에 출전하지 않고, 선수 B가 자유투를 성공할 확률은

$$P(A^C\cap B)=P(A^C)P(B|A^C)=0.6\times 0.6=0.36$$

(ⅰ), (ⅱ)에서 구하는 확률은

$$P(B)=P(A\cap B)+P(A^C\cap B)=0.32+0.36=0.68$$

03-1 🔲 $\frac{1}{4}$

|해결 전략| $P(A|E)=\dfrac{P(A\cap E)}{P(A\cap E)+P(A^C\cap E)}$임을 이용한다.

주머니 A를 택하는 사건을 A, 주머니 B를 택하는 사건을 B, 2개 모두 흰 공이 나오는 사건을 E라 하면

(ⅰ) 주머니 A를 택하여 2개 모두 흰 공이 나올 확률은

$$P(A\cap E)=P(A)P(E|A)=\frac{1}{2}\times\frac{{}_3C_2}{{}_5C_2}=\frac{3}{20}$$

(ⅱ) 주머니 B를 택하여 2개 모두 흰 공이 나올 확률은

$$P(B\cap E)=P(B)P(E|B)=\frac{1}{2}\times\frac{{}_2C_2}{{}_5C_2}=\frac{1}{20}$$

(ⅰ), (ⅱ)에서 두 사건 $A\cap E$, $B\cap E$는 서로 배반사건이므로 2개 모두 흰 공이 나올 확률은

$$P(E)=P(A\cap E)+P(B\cap E)=\frac{3}{20}+\frac{1}{20}=\frac{1}{5}$$

따라서 구하는 확률은

$$P(B|E)=\frac{P(B\cap E)}{P(E)}=\frac{\frac{1}{20}}{\frac{1}{5}}=\frac{1}{4}$$

2 사건의 독립과 종속

개념 확인	72쪽~75쪽

1 (1) $\frac{1}{3}$ (2) $\frac{1}{2}$

2 (1) 독립 (2) 종속

3 $\frac{3}{8}$

1 (1) $P(B|A)=P(B)=\frac{1}{3}$

(2) $P(A|B)=P(A)=\frac{1}{2}$

---

2 (1) $P(A\cap B)=\frac{1}{4}$, $P(A)P(B)=\frac{1}{3}\times\frac{3}{4}=\frac{1}{4}$이므로

$$P(A\cap B)=P(A)P(B)$$

따라서 두 사건 A, B는 서로 독립이다.

(2) $P(A\cap B)=\frac{1}{12}$, $P(A)P(B)=\frac{1}{4}\times\frac{1}{5}=\frac{1}{20}$이므로

$$P(A\cap B)\neq P(A)P(B)$$

따라서 두 사건 A, B는 서로 종속이다.

3 동전을 1번 던질 때 앞면이 나올 확률은 $\frac{1}{2}$이므로 동전을 3번 던질 때 앞면이 2번 나올 확률은

$${}_3C_2\left(\frac{1}{2}\right)^2\left(1-\frac{1}{2}\right)^{3-2}={}_3C_1\times\frac{1}{8}=\frac{3}{8}$$

STEP ① 개념 드릴 | 76쪽 |

개념 check

1-1 (1) B, $\frac{1}{3}$ (2) A, $\frac{2}{5}$ (3) B, $\frac{1}{3}$, $\frac{1}{5}$ (4) A, $\frac{3}{5}$, $\frac{2}{5}$

2-1 B, B, B, $\frac{5}{3}$, $\frac{2}{5}$

스스로 check

1-2 🔲 (1) $\frac{1}{2}$ (2) $\frac{5}{6}$ (3) $\frac{1}{12}$ (4) $\frac{1}{12}$

(1) $P(B^C|A)=P(B^C)=1-\frac{1}{2}=\frac{1}{2}$

(2) $P(A|B^C)=P(A)=\frac{5}{6}$

(3) $P(A^C\cap B)=P(A^C)P(B)$

$$=\left(1-\frac{5}{6}\right)\times\frac{1}{2}=\frac{1}{6}\times\frac{1}{2}=\frac{1}{12}$$

(4) $P(A^C\cap B^C)=P(A^C)P(B^C)$

$$=\left(1-\frac{5}{6}\right)\left(1-\frac{1}{2}\right)=\frac{1}{6}\times\frac{1}{2}=\frac{1}{12}$$

2-2 🔲 (1) $\frac{3}{10}$ (2) $\frac{5}{6}$

(1) 두 사건 A, B가 서로 독립이므로

$$P(A\cap B)=P(A)P(B)$$

$$\frac{7}{30}=\frac{1}{3}P(B) \qquad \therefore P(B)=\frac{7}{10}$$

$$\therefore P(B^C)=1-P(B)=1-\frac{7}{10}=\frac{3}{10}$$

(2) 두 사건 A, B가 서로 독립이면 A, B^C도 서로 독립이므로
$$P(A \cap B^C) = P(A)P(B^C)$$
이때, $P(B^C) = 1 - P(B) = 1 - \dfrac{1}{3} = \dfrac{2}{3}$이므로
$$\dfrac{1}{9} = P(A) \times \dfrac{2}{3} \qquad \therefore P(A) = \dfrac{1}{6}$$
$$\therefore P(A^C) = 1 - P(A) = 1 - \dfrac{1}{6} = \dfrac{5}{6}$$

(ii) B만 자유투를 성공할 확률은
$$P(A^C \cap B) = P(A^C)P(B)$$
$$= \left(1 - \dfrac{3}{4}\right) \times \dfrac{5}{6}$$
$$= \dfrac{1}{4} \times \dfrac{5}{6} = \dfrac{5}{24}$$
(i), (ii)에서 구하는 확률은
$$\dfrac{1}{8} + \dfrac{5}{24} = \dfrac{1}{3}$$
(2) 두 선수 중 어느 누구도 자유투를 성공하지 못할 확률은
$$P(A^C \cap B^C) = P(A^C)P(B^C)$$
$$= \left(1 - \dfrac{3}{4}\right)\left(1 - \dfrac{5}{6}\right)$$
$$= \dfrac{1}{4} \times \dfrac{1}{6} = \dfrac{1}{24}$$

STEP **2** 필수 유형 ────────── | 77쪽~79쪽 |

01-1 답 ㄱ, ㄴ

|해결 전략| 두 사건 A, B가 독립인지 알아보려면 $P(A \cap B) = P(A)P(B)$가 성립하는지를 알아본다.

표본공간은 $\{1, 2, 3, \cdots, 12\}$이고,
$A = \{1, 3, 5, 7, 9, 11\}$, $B = \{3, 6, 9, 12\}$, $C = \{11, 12\}$
$\therefore A \cap B = \{3, 9\}$, $A \cap C = \{11\}$, $B \cap C = \{12\}$

ㄱ. $P(A) = \dfrac{1}{2}$, $P(B) = \dfrac{1}{3}$, $P(A \cap B) = \dfrac{1}{6}$이므로
$$P(A \cap B) = P(A)P(B)$$
따라서 A와 B는 서로 독립이다.

ㄴ. $P(A) = \dfrac{1}{2}$, $P(C) = \dfrac{1}{6}$, $P(A \cap C) = \dfrac{1}{12}$이므로
$$P(A \cap C) = P(A)P(C)$$
따라서 A와 C는 서로 독립이다.

ㄷ. $P(B) = \dfrac{1}{3}$, $P(C) = \dfrac{1}{6}$, $P(B \cap C) = \dfrac{1}{12}$이므로
$$P(B \cap C) \neq P(B)P(C)$$
따라서 B와 C는 서로 종속이다.

따라서 서로 독립인 것은 ㄱ, ㄴ이다.

02-1 답 (1) $\dfrac{1}{3}$ (2) $\dfrac{1}{24}$

|해결 전략| 두 농구 선수가 자유투를 성공하는 사건은 서로 독립이다.

두 농구 선수 A, B가 자유투를 성공하는 사건을 각각 A, B라 하면 A, B는 서로 독립이다.

(1) (i) A만 자유투를 성공할 확률은
$$P(A \cap B^C) = P(A)P(B^C)$$
$$= \dfrac{3}{4}\left(1 - \dfrac{5}{6}\right)$$
$$= \dfrac{3}{4} \times \dfrac{1}{6} = \dfrac{1}{8}$$

03-1 답 $\dfrac{5}{16}$

|해결 전략| 문제를 3개 맞힐 확률과 4개 맞힐 확률을 구하여 확률의 덧셈정리를 이용한다.

문제를 맞힐 확률은 $\dfrac{1}{2}$이므로 맞히지 못할 확률은 $\dfrac{1}{2}$이다.

(i) 문제를 3개 맞힐 확률은
$$_4C_3 \left(\dfrac{1}{2}\right)^3 \left(\dfrac{1}{2}\right)^1 = \dfrac{1}{4}$$

(ii) 문제를 4개 맞힐 확률은
$$_4C_4 \left(\dfrac{1}{2}\right)^4 \left(\dfrac{1}{2}\right)^0 = \dfrac{1}{16}$$

(i), (ii)에서 구하는 확률은
$$\dfrac{1}{4} + \dfrac{1}{16} = \dfrac{5}{16}$$

03-2 답 $\dfrac{7}{27}$

|해결 전략| 두 번 또는 세 번 경기하면 우승팀이 결정된다.

(i) 두 번 경기하여 A반이 우승하는 경우
A반이 첫 번째, 두 번째 경기를 모두 이기는 경우이므로 그 확률은
$$_2C_2 \left(\dfrac{1}{3}\right)^2 \left(\dfrac{2}{3}\right)^0 = \dfrac{1}{9}$$

(ii) 세 번 경기하여 A반이 우승하는 경우
A반이 첫 번째, 두 번째 경기 중 한 경기만 이기고 세 번째 경기를 이기는 경우이므로 그 확률은
$$_2C_1 \left(\dfrac{1}{3}\right)^1 \left(\dfrac{2}{3}\right)^1 \times \dfrac{1}{3} = \dfrac{4}{27}$$

(i), (ii)에서 구하는 확률은
$$\dfrac{1}{9} + \dfrac{4}{27} = \dfrac{7}{27}$$

1-1 답 $\dfrac{10}{19}$

|해결 전략| 주어진 조건을 표로 나타내어 조건부확률을 이용한다.

주어진 조건을 표로 나타내면 오른
쪽과 같다.

	남학생	여학생	합계
참가	15	7	22
불참가	18	20	38
합계	33	27	60

임의로 뽑은 한 명이 수학경시대회
에 참가하지 않는 학생인 사건을
A, 여학생인 사건을 B라 하면

$$P(A)=\frac{38}{60}=\frac{19}{30},\ P(A\cap B)=\frac{20}{60}=\frac{1}{3}$$

따라서 구하는 확률은

$$P(B|A)=\frac{P(A\cap B)}{P(A)}=\frac{\dfrac{1}{3}}{\dfrac{19}{30}}=\frac{10}{19}$$

> **다른 풀이**
>
> $n(A)=38,\ n(A\cap B)=20$이므로
> 구하는 확률은
>
> $$P(B|A)=\frac{n(A\cap B)}{n(A)}=\frac{20}{38}=\frac{10}{19}$$

1-2 답 $\dfrac{2}{3}$

|해결 전략| 주어진 조건을 벤다이어그램으로 나타내어 조건부확률을 이용한다.

임의로 뽑은 한 명이 도서 A를 읽은 학생인
사건을 A, 도서 B를 읽은 학생인 사건을 B
라 할 때, 두 사건 A, B가 일어나는 경우의
수를 벤다이어그램으로 나타내면 오른쪽과
같으므로

$$P(A)=\frac{24}{40}=\frac{3}{5},\ P(A\cap B^{c})=\frac{16}{40}=\frac{2}{5}$$

따라서 구하는 확률은

$$P(B^{c}|A)=\frac{P(A\cap B^{c})}{P(A)}=\frac{\dfrac{2}{5}}{\dfrac{3}{5}}=\frac{2}{3}$$

> **다른 풀이**
>
> $n(A)=24,\ n(A\cap B^{c})=16$이므로
> 구하는 확률은
>
> $$P(B^{c}|A)=\frac{n(A\cap B^{c})}{n(A)}=\frac{16}{24}=\frac{2}{3}$$

2-1 답 150

|해결 전략| 사건 A가 일어났을 때의 사건 B의 조건부확률은
$P(B|A)=\dfrac{P(A\cap B)}{P(A)}$ 이다.

임의로 뽑은 한 명이 청소년인 사건을 A, 액션 영화를 선호하는 사건
을 B라 하면

$$P(A)=\frac{x+30}{3x+45},\ P(A\cap B)=\frac{30}{3x+45}$$

$$\therefore P(B|A)=\frac{P(A\cap B)}{P(A)}=\frac{\dfrac{30}{3x+45}}{\dfrac{x+30}{3x+45}}=\frac{30}{x+30}$$

따라서 $\dfrac{30}{x+30}=\dfrac{1}{6}$이므로 $x+30=180$

$$\therefore x=150$$

2-2 답 5

|해결 전략| 사건 A가 일어났을 때의 사건 B의 조건부확률은
$P(B|A)=\dfrac{P(A\cap B)}{P(A)}$ 이다.

임의로 뽑은 한 명이 여자 회원인 사건을 A, M라켓을 선호하는 회
원인 사건을 B라 하면

$$P(A)=\frac{x+25}{x+43},\ P(A\cap B)=\frac{x}{x+43}$$

$$\therefore P(B|A)=\frac{P(A\cap B)}{P(A)}=\frac{\dfrac{x}{x+43}}{\dfrac{x+25}{x+43}}=\frac{x}{x+25}$$

따라서 $\dfrac{x}{x+25}=\dfrac{1}{6}$이므로 $6x=x+25$

$$\therefore x=5$$

3-1 답 $\dfrac{3}{8}$

|해결 전략| 두 사건 A, B에 대하여 사건 B가 일어날 확률은
$P(B)=P(A\cap B)+P(A^{c}\cap B)$이다.

첫 번째에 흰 공이 나오는 사건을 A, 두 번째에 흰 공이 나오는 사건
을 B라 하면

(i) 첫 번째에 흰 공이 나오고 두 번째에도 흰 공이 나올 확률은

$$P(A\cap B)=P(A)P(B|A)$$
$$=\frac{3}{8}\times\frac{2}{7}=\frac{3}{28}$$

(ii) 첫 번째에 빨간 공이 나오고 두 번째에 흰 공이 나올 확률은

$$P(A^{c}\cap B)=P(A^{c})P(B|A^{c})$$
$$=\frac{5}{8}\times\frac{3}{7}=\frac{15}{56}$$

(i), (ii)에서 구하는 확률은

$$P(B)=P(A\cap B)+P(A^{c}\cap B)$$
$$=\frac{3}{28}+\frac{15}{56}$$
$$=\frac{21}{56}=\frac{3}{8}$$

3-2 답 $\dfrac{5}{12}$

|해결 전략| 두 사건 A, B에 대하여 사건 B가 일어날 확률은 $P(B)=P(A\cap B)+P(A^c\cap B)$이다.

진호가 화요일에 지각하는 사건을 A, 수요일에 지각하는 사건을 B라 하면

(ⅰ) 화요일에 지각하고 수요일에 지각할 확률은

$$P(A\cap B)=P(A)P(B\,|\,A)$$
$$=\frac{1}{2}\times\frac{1}{3}=\frac{1}{6}$$

(ⅱ) 화요일에 지각하지 않고 수요일에 지각할 확률은

$$P(A^c\cap B)=P(A^c)P(B\,|\,A^c)$$
$$=\frac{1}{2}\times\frac{1}{2}=\frac{1}{4}$$

(ⅰ), (ⅱ)에서 구하는 확률은

$$P(B)=P(A\cap B)+P(A^c\cap B)$$
$$=\frac{1}{6}+\frac{1}{4}=\frac{5}{12}$$

4-1 답 $\dfrac{14}{23}$

|해결 전략| 사건 E가 일어났을 때의 사건 A의 조건부확률은 $P(A\,|\,E)=\dfrac{P(A\cap E)}{P(E)}=\dfrac{P(A\cap E)}{P(A\cap E)+P(A^c\cap E)}$ 이다.

A기계에서 생산된 제품을 택하는 사건을 A, B기계에서 생산된 제품을 택하는 사건을 B, 불량품을 택하는 사건을 E라 하면 $P(A)=0.7$, $P(B)=0.3$, $P(E\,|\,A)=0.02$, $P(E\,|\,B)=0.03$ 이므로

$$P(A\cap E)=P(A)P(E\,|\,A)$$
$$=0.7\times0.02=0.014$$
$$P(B\cap E)=P(B)P(E\,|\,B)$$
$$=0.3\times0.03=0.009$$
$$\therefore P(E)=P(A\cap E)+P(B\cap E)$$
$$=0.014+0.009=0.023$$

따라서 구하는 확률은

$$P(A\,|\,E)=\frac{P(A\cap E)}{P(E)}=\frac{0.014}{0.023}=\frac{14}{23}$$

4-2 답 $\dfrac{32}{35}$

|해결 전략| 사건 E가 일어났을 때의 사건 A의 조건부확률은 $P(A\,|\,E)=\dfrac{P(A\cap E)}{P(E)}=\dfrac{P(A\cap E)}{P(A\cap E)+P(A^c\cap E)}$ 이다.

감정원이 진품을 뽑는 사건을 A, 모조품을 뽑는 사건을 B, 진품으로 판정하는 사건을 E라 하면

$$P(A)=\frac{8}{10}=\frac{4}{5},\ P(B)=\frac{2}{10}=\frac{1}{5},$$
$$P(E\,|\,A)=\frac{8}{9},\ P(E\,|\,B)=1-\frac{2}{3}=\frac{1}{3}$$

이므로

$$P(A\cap E)=P(A)P(E\,|\,A)$$
$$=\frac{4}{5}\times\frac{8}{9}=\frac{32}{45}$$
$$P(B\cap E)=P(B)P(E\,|\,B)$$
$$=\frac{1}{5}\times\frac{1}{3}=\frac{1}{15}$$
$$\therefore P(E)=P(A\cap E)+P(B\cap E)$$
$$=\frac{32}{45}+\frac{1}{15}=\frac{7}{9}$$

따라서 구하는 확률은

$$P(A\,|\,E)=\frac{P(A\cap E)}{P(E)}=\frac{\dfrac{32}{45}}{\dfrac{7}{9}}=\frac{32}{35}$$

5-1 답 $\dfrac{2}{3}$

|해결 전략| 수컷과 암컷이 10년 후까지 생존하는 사건을 각각 A, B라 하면 두 마리 중 어떤 것도 10년 후까지 생존하지 못할 확률은 $P(A^c\cap B^c)=P(A^c)P(B^c)$ 이다.

수컷과 암컷이 10년 후까지 생존하는 사건을 각각 A, B라 하면 A, B는 서로 독립이므로 A^c와 B^c도 서로 독립이다.

두 마리 중 어떤 것도 10년 후까지 생존하지 못할 확률은

$$P(A^c\cap B^c)=P(A^c)P(B^c)$$
$$=\left(1-\frac{1}{4}\right)\{1-P(B)\}$$
$$=\frac{3}{4}\{1-P(B)\}$$

따라서 적어도 한 마리가 10년 후까지 생존할 확률은

$$1-P(A^c\cap B^c)=1-\frac{3}{4}\{1-P(B)\}=\frac{3}{4}$$
$$\therefore P(B)=\frac{2}{3}$$

따라서 암컷이 10년 후까지 생존할 확률은 $\dfrac{2}{3}$ 이다.

5-2 답 $\dfrac{9}{20}$

|해결 전략| 세 양궁 선수 A, B, C가 10점을 맞히는 사건을 각각 A, B, C라 하면 A, B, C는 서로 독립이다.

세 양궁 선수 A, B, C가 10점을 맞히는 사건을 각각 A, B, C라 하면 A, B, C는 서로 독립이다.

(ⅰ) A와 B만 10점을 맞힐 확률은

$$P(A\cap B\cap C^c)=P(A)P(B)P(C^c)$$
$$=\frac{4}{5}\times\frac{3}{4}\times\left(1-\frac{3}{5}\right)=\frac{6}{25}$$

(ⅱ) B와 C만 10점을 맞힐 확률은

$$P(A^c\cap B\cap C)=P(A^c)P(B)P(C)$$
$$=\left(1-\frac{4}{5}\right)\times\frac{3}{4}\times\frac{3}{5}=\frac{9}{100}$$

(iii) A와 C만 10점을 맞힐 확률은

$$P(A \cap B^C \cap C) = P(A)P(B^C)P(C)$$
$$= \frac{4}{5} \times \left(1 - \frac{3}{4}\right) \times \frac{3}{5} = \frac{3}{25}$$

(i), (ii), (iii)에서 구하는 확률은

$$\frac{6}{25} + \frac{9}{100} + \frac{3}{25} = \frac{9}{20}$$

> **LECTURE**
>
> 세 사건 A, B, C가 서로 독립이기 위한 필요충분조건은
> $$P(A \cap B \cap C) = P(A)P(B)P(C)$$
> $$(단, P(A) > 0, P(B) > 0, P(C) > 0)$$

6-1 답 $\frac{1}{5}$

|해결 전략| 소수가 적힌 공이 나오고, 동전을 3번 던져서 3번 모두 앞면이 나오는 경우와 소수가 아닌 수가 적힌 공이 나오고, 동전을 4번 던져서 앞면이 3번 나오는 경우로 나누어 생각한다.

공을 1개 꺼낼 때, 소수가 적힌 공이 나올 확률은 $\frac{4}{10} = \frac{2}{5}$, 소수가 아닌 수가 적힌 공이 나올 확률은 $\frac{6}{10} = \frac{3}{5}$이다.

1개의 동전을 던질 때, 앞면이 나올 확률은 $\frac{1}{2}$이므로

(i) 소수가 적힌 공이 나오고, 동전을 3번 던져서 3번 모두 앞면이 나올 확률은

$$\frac{2}{5} \times {}_3C_3\left(\frac{1}{2}\right)^3\left(\frac{1}{2}\right)^0 = \frac{1}{20}$$

(ii) 소수가 아닌 수가 적힌 공이 나오고, 동전을 4번 던져서 앞면이 3번 나올 확률은

$$\frac{3}{5} \times {}_4C_3\left(\frac{1}{2}\right)^3\left(\frac{1}{2}\right)^1 = \frac{3}{20}$$

(i), (ii)에서 구하는 확률은

$$\frac{1}{20} + \frac{3}{20} = \frac{1}{5}$$

6-2 답 $\frac{3}{8}$

|해결 전략| A 선수가 우승하는 경우와 B 선수가 우승하는 경우로 나누어 생각한다.
4세트에서 우승이 결정되려면 우승하는 선수는 3세트까지의 경기에서 2승 1패를 하고 마지막 4세트의 경기에서 이겨야 한다.
이때, 두 선수의 실력이 같은 정도로 기대되므로 A, B 두 선수가 이길 확률은 각각 $\frac{1}{2}$, $\frac{1}{2}$이다.

(i) A 선수가 우승할 확률
A 선수가 3세트까지 2승을 거둘 확률은

$${}_3C_2\left(\frac{1}{2}\right)^2\left(\frac{1}{2}\right)^1 = \frac{3}{8}$$

이므로 A 선수가 3세트까지 2승 1패를 하고, 4세트에서 이길 확률은

$$\frac{3}{8} \times \frac{1}{2} = \frac{3}{16}$$

(ii) B 선수가 우승할 확률
B 선수가 3세트까지 2승을 거둘 확률은

$${}_3C_2\left(\frac{1}{2}\right)^2\left(\frac{1}{2}\right)^1 = \frac{3}{8}$$

이므로 B 선수가 3세트까지 2승 1패를 하고, 4세트에서 이길 확률은

$$\frac{3}{8} \times \frac{1}{2} = \frac{3}{16}$$

(i), (ii)에서 구하는 확률은

$$\frac{3}{16} + \frac{3}{16} = \frac{3}{8}$$

7-1 답 $\frac{3}{8}$

|해결 전략| 꼭짓점 A에서 출발하여 다시 꼭짓점 A로 돌아오려면 움직인 거리가 4의 배수이어야 한다.

1개의 동전을 던질 때, 앞면이 나올 확률은 $\frac{1}{2}$, 뒷면이 나올 확률은 $\frac{1}{2}$이다.
동전을 3번 던질 때 앞면이 나오는 횟수를 x라 하면 뒷면이 나오는 횟수는 $3-x$이다.
꼭짓점 A를 출발한 점 P가 다시 꼭짓점 A로 돌아올 때까지 움직인 거리는 4이므로
$$2x + (3-x) = 4 \qquad \therefore x = 1$$
따라서 동전을 3번 던질 때 앞면이 1번, 뒷면이 2번 나와야 하므로 구하는 확률은

$${}_3C_1\left(\frac{1}{2}\right)^1\left(\frac{1}{2}\right)^2 = \frac{3}{8}$$

7-2 답 $\frac{32}{81}$

|해결 전략| 주사위를 4번 던져서 점 A가 2를 나타내는 점에 있으려면 6의 약수의 눈이 몇 번 나와야 하는지 구한다.

한 개의 주사위를 던질 때 6의 약수의 눈이 나올 확률은 $\frac{2}{3}$, 그 이외의 눈이 나올 확률은 $\frac{1}{3}$이다.

주사위를 4번 던질 때 6의 약수의 눈이 나오는 횟수를 x라 하면 그 이외의 눈이 나오는 횟수는 $4-x$이므로
$$x - (4-x) = 2 \qquad \therefore x = 3$$
따라서 주사위를 4번 던질 때 6의 약수의 눈이 3번, 그 이외의 눈이 1번 나와야 하므로 구하는 확률은

$${}_4C_3\left(\frac{2}{3}\right)^3\left(\frac{1}{3}\right)^1 = \frac{32}{81}$$

4 │확률분포

1 확률질량함수

1 0, 1, 2   **2** $\frac{1}{6}, \frac{1}{3}, \frac{1}{2}$

3 (1) 0.05   (2) 0.45   (3) 0.15   (4) 0.55

1 확률변수 X가 가질 수 있는 값은 0, 1, 2이다.

2 확률변수 X가 가질 수 있는 값은 1, 2, 3이다.
  (ⅰ) $X=1$인 경우는 1가지이므로

    $P(X=1)=\frac{1}{6}$

  (ⅱ) $X=2$인 경우는 2가지이므로

    $P(X=2)=\frac{2}{6}=\frac{1}{3}$

  (ⅲ) $X=3$인 경우는 3가지이므로

    $P(X=3)=\frac{3}{6}=\frac{1}{2}$

따라서 X의 확률분포를 표로 나타내면 다음과 같다.

X	1	2	3	합계
$P(X=x)$	$\frac{1}{6}$	$\frac{1}{3}$	$\frac{1}{2}$	1

3 (1) $P(X=4)=0.05$
  (2) $P(X<2)=P(X=0)+P(X=1)$
             $=0.15+0.3=0.45$
  (3) $P(X\geq3)=P(X=3)+P(X=4)$
             $=0.1+0.05=0.15$
  (4) $P(2\leq X\leq4)=P(X=2)+P(X=3)+P(X=4)$
                  $=0.4+0.1+0.05=0.55$

STEP ❶ 개념 드릴 ────────── │87쪽│

개념 check

1-1 (1) 2   (2) $\frac{5}{6}, \frac{5}{36}, \frac{5}{18}, 2$ (3) (윗줄부터) 2, $\frac{5}{18}$

2-1 1, 1, 1, 1, 10

스스로 check

1-2 📘 (1) 0, 1, 2   (2) $P(X=0)=\frac{4}{9}$, $P(X=1)=\frac{4}{9}$, $P(X=2)=\frac{1}{9}$
     (3) 풀이 참조

(1) 확률변수 X가 가질 수 있는 값은 0, 1, 2이다.

(2) 한 개의 주사위를 한 번 던질 때, 2 이하의 눈이 나올 확률은 $\frac{1}{3}$,

    2 이하의 눈이 나오지 않을 확률은 $\frac{2}{3}$이므로

    $P(X=0)=\frac{2}{3}\times\frac{2}{3}=\frac{4}{9}$,

    $P(X=1)=\frac{1}{3}\times\frac{2}{3}+\frac{2}{3}\times\frac{1}{3}=\frac{2}{9}+\frac{2}{9}=\frac{4}{9}$,

    $P(X=2)=\frac{1}{3}\times\frac{1}{3}=\frac{1}{9}$

(3)

X	0	1	2	합계
$P(X=x)$	$\frac{4}{9}$	$\frac{4}{9}$	$\frac{1}{9}$	1

2-2 📘 $\frac{1}{7}$

확률의 총합은 1이므로

$P(X=1)+P(X=2)+P(X=3)+\cdots+P(X=6)=1$

$\frac{a}{3}+\frac{2a}{3}+\frac{3a}{3}+\frac{4a}{3}+\frac{5a}{3}+\frac{6a}{3}=1$

$7a=1$ $\therefore a=\frac{1}{7}$

STEP ❷ 필수 유형 ────────── │88쪽~89쪽│

01-1 📘 $\frac{7}{12}$

|해결 전략| 확률의 총합이 1임을 이용하여 a의 값을 구한 후,
$P(X=x_i$ 또는 $X=x_j)=P(X=x_i)+P(X=x_j)$임을 이용한다.

확률의 총합은 1이므로

$\frac{1}{4}+\frac{1}{6}+a+\frac{1}{12}=1$ $\therefore a=\frac{1}{2}$

이때, $X^2-3X+2=0$에서 $(X-1)(X-2)=0$이므로

$X=1$ 또는 $X=2$

$\therefore P(X^2-3X+2=0)=P(X=1$ 또는 $X=2)$

                   $=P(X=1)+P(X=2)$

                   $=a+\frac{1}{12}=\frac{1}{2}+\frac{1}{12}=\frac{7}{12}$

01-2 답 $\dfrac{1}{3}$

|해결 전략| $P(2 \le X \le 3) = P(X=2) + P(X=3)$임을 이용하여 b의 값을 구한 후, 확률의 총합이 1임을 이용하여 a의 값을 구한다.

$P(2 \le X \le 3) = \dfrac{5}{6}$에서

$P(X=2) + P(X=3) = \dfrac{1}{3} + b = \dfrac{5}{6}$ $\therefore b = \dfrac{1}{2}$

또, 확률의 총합은 1이므로

$a + \dfrac{1}{3} + \dfrac{1}{2} = 1$ $\therefore a = \dfrac{1}{6}$

$\therefore b - a = \dfrac{1}{2} - \dfrac{1}{6} = \dfrac{1}{3}$

02-1 답 (1) 0, 1, 2 (2) 풀이 참조 (3) $\dfrac{5}{6}$

|해결 전략| 확률변수 X가 가질 수 있는 값을 모두 구하고, 각 값을 가질 확률을 구한다.

(1) 확률변수 X가 가질 수 있는 값은 0, 1, 2이다.

(2) X가 각 값을 가질 확률은 다음과 같다.

$P(X=0) = \dfrac{{}_2C_0 \times {}_2C_2}{{}_4C_2} = \dfrac{1}{6}$,

$P(X=1) = \dfrac{{}_2C_1 \times {}_2C_1}{{}_4C_2} = \dfrac{2}{3}$,

$P(X=2) = \dfrac{{}_2C_2 \times {}_2C_0}{{}_4C_2} = \dfrac{1}{6}$

따라서 X의 확률분포를 표로 나타내면 다음과 같다.

X	0	1	2	합계
$P(X=x)$	$\dfrac{1}{6}$	$\dfrac{2}{3}$	$\dfrac{1}{6}$	1

(3) 흰 공을 1개 이하로 꺼낼 확률은 $P(X \le 1)$이므로

$P(X \le 1) = P(X=0) + P(X=1)$

$= \dfrac{1}{6} + \dfrac{2}{3} = \dfrac{5}{6}$

02-2 답 $\dfrac{22}{35}$

|해결 전략| 확률변수 X가 가질 수 있는 값을 모두 구하고, 각 값을 가질 확률을 구한다.

확률변수 X가 가질 수 있는 값은 0, 1, 2, 3이고, 각 값을 가질 확률은

$P(X=0) = \dfrac{{}_4C_0 \times {}_3C_3}{{}_7C_3} = \dfrac{1}{35}$,

$P(X=1) = \dfrac{{}_4C_1 \times {}_3C_2}{{}_7C_3} = \dfrac{12}{35}$,

$P(X=2) = \dfrac{{}_4C_2 \times {}_3C_1}{{}_7C_3} = \dfrac{18}{35}$,

$P(X=3) = \dfrac{{}_4C_3 \times {}_3C_0}{{}_7C_3} = \dfrac{4}{35}$

이므로 X의 확률분포를 표로 나타내면 다음과 같다.

X	0	1	2	3	합계
$P(X=x)$	$\dfrac{1}{35}$	$\dfrac{12}{35}$	$\dfrac{18}{35}$	$\dfrac{4}{35}$	1

이때, 남학생이 적어도 2명 뽑힐 확률은 $P(X \ge 2)$이므로

$P(X \ge 2) = P(X=2) + P(X=3)$

$= \dfrac{18}{35} + \dfrac{4}{35} = \dfrac{22}{35}$

2 이산확률변수의 기댓값과 표준편차

개념 확인   90쪽~91쪽

1 $E(X)=20$, $V(X)=80$, $\sigma(X)=4\sqrt{5}$

2 (1) 11 (2) -11

3 (1) 36 (2) 81 (3) 6 (4) 9

1 $E(X) = 10 \times \dfrac{2}{5} + 20 \times \dfrac{1}{5} + 30 \times \dfrac{2}{5} = 20$

$V(X) = (10-20)^2 \times \dfrac{2}{5} + (20-20)^2 \times \dfrac{1}{5} + (30-20)^2 \times \dfrac{2}{5}$

$= 100 \times \dfrac{2}{5} + 0 \times \dfrac{1}{5} + 100 \times \dfrac{2}{5} = 80$

$\sigma(X) = \sqrt{V(X)} = \sqrt{80} = 4\sqrt{5}$

다른 풀이

$E(X^2) = 10^2 \times \dfrac{2}{5} + 20^2 \times \dfrac{1}{5} + 30^2 \times \dfrac{2}{5} = 480$

이므로

$V(X) = E(X^2) - \{E(X)\}^2 = 480 - 20^2 = 80$

2 (1) $E(2X+3) = 2E(X) + 3 = 2 \times 4 + 3 = 11$

(2) $E(-3X+1) = -3E(X) + 1 = -3 \times 4 + 1 = -11$

3 (1) $V(2X+3) = 2^2 V(X) = 4 \times 9 = 36$

(2) $V(-3X+1) = (-3)^2 V(X) = 9 \times 9 = 81$

(3) $V(X) = 9$에서 $\sigma(X) = 3$

$\sigma(2X+3) = |2| \sigma(X) = 2 \times 3 = 6$

(4) $V(X) = 9$에서 $\sigma(X) = 3$

$\sigma(-3X+1) = |-3| \sigma(X) = 3 \times 3 = 9$

개념 check

1-1 (1) 1, 2 (2) 3, $\dfrac{14}{3}$, $\dfrac{14}{3}$

2-1 4, 4, 4, 2, 4, $-\dfrac{1}{2}$, $\dfrac{1}{2}$

스스로 check

1-2 답 (1) 4 (2) 4

$\mathrm{E}(X)=0\times\dfrac{2}{5}+2\times\dfrac{3}{10}+4\times\dfrac{1}{5}+6\times\dfrac{1}{10}=2$

(1) $\mathrm{V}(X)$

$=(0-2)^2\times\dfrac{2}{5}+(2-2)^2\times\dfrac{3}{10}+(4-2)^2\times\dfrac{1}{5}+(6-2)^2\times\dfrac{1}{10}$

$=4$

(2) $\mathrm{E}(X^2)=0^2\times\dfrac{2}{5}+2^2\times\dfrac{3}{10}+4^2\times\dfrac{1}{5}+6^2\times\dfrac{1}{10}=8$이므로

$\mathrm{V}(X)=\mathrm{E}(X^2)-\{\mathrm{E}(X)\}^2=8-2^2=4$

2-2 답 (1) $\mathrm{E}(Y)=15$, $\mathrm{V}(Y)=16$, $\sigma(Y)=4$

(2) $\mathrm{E}(Y)=-9$, $\mathrm{V}(Y)=16$, $\sigma(Y)=4$

(3) $\mathrm{E}(Y)=16$, $\mathrm{V}(Y)=64$, $\sigma(Y)=8$

(4) $\mathrm{E}(Y)=-17$, $\mathrm{V}(Y)=64$, $\sigma(Y)=8$

$\mathrm{E}(X)=10$, $\mathrm{V}(X)=16$, $\sigma(X)=4$

(1) $\mathrm{E}(Y)=\mathrm{E}(X+5)=\mathrm{E}(X)+5=10+5=15$

$\mathrm{V}(Y)=\mathrm{V}(X+5)=\mathrm{V}(X)=16$

$\sigma(Y)=\sigma(X+5)=\sigma(X)=4$

(2) $\mathrm{E}(Y)=\mathrm{E}(-X+1)=-\mathrm{E}(X)+1=-10+1=-9$

$\mathrm{V}(Y)=\mathrm{V}(-X+1)=(-1)^2\mathrm{V}(X)=16$

$\sigma(Y)=\sigma(-X+1)=|-1|\sigma(X)=4$

(3) $\mathrm{E}(Y)=\mathrm{E}(2X-4)=2\mathrm{E}(X)-4=2\times10-4=16$

$\mathrm{V}(Y)=\mathrm{V}(2X-4)=2^2\mathrm{V}(X)=4\times16=64$

$\sigma(Y)=\sigma(2X-4)=|2|\sigma(X)=2\times4=8$

(4) $\mathrm{E}(Y)=\mathrm{E}(-2X+3)=-2\mathrm{E}(X)+3=-2\times10+3=-17$

$\mathrm{V}(Y)=\mathrm{V}(-2X+3)=(-2)^2\mathrm{V}(X)=4\times16=64$

$\sigma(Y)=\sigma(-2X+3)=|-2|\sigma(X)=2\times4=8$

01-1 답 $\dfrac{1}{2}$

|해결 전략| 확률의 총합이 1임을 이용하여 a의 값을 구한 후,
$\mathrm{E}(X)=x_1p_1+x_2p_2+x_3p_3+\cdots+x_np_n$, $\mathrm{V}(X)=\mathrm{E}(X^2)-\{\mathrm{E}(X)\}^2$임
을 이용한다.

확률의 총합은 1이므로

$\dfrac{1}{4}+\dfrac{1}{2}+a=1$ $\therefore a=\dfrac{1}{4}$

따라서 확률변수 X에 대하여

$\mathrm{E}(X)=(-1)\times\dfrac{1}{4}+0\times\dfrac{1}{2}+1\times\dfrac{1}{4}=0$

$\mathrm{V}(X)=\mathrm{E}(X^2)-\{\mathrm{E}(X)\}^2$

$=(-1)^2\times\dfrac{1}{4}+0^2\times\dfrac{1}{2}+1^2\times\dfrac{1}{4}-0^2$

$=\dfrac{1}{2}$

$\therefore \mathrm{E}(X)+\mathrm{V}(X)=0+\dfrac{1}{2}=\dfrac{1}{2}$

01-2 답 $\dfrac{19}{12}$

|해결 전략| 확률의 총합이 1임을 이용하여 a,b 사이의 관계식을 구한 후,
$\mathrm{E}(X)=\dfrac{3}{2}$임을 이용하여 b의 값을 구한다.

확률의 총합은 1이므로

$a+b+\dfrac{1}{6}+\dfrac{1}{3}=1$ $\therefore a+b=\dfrac{1}{2}$ ······㉠

$\mathrm{E}(X)=\dfrac{3}{2}$이므로

$\mathrm{E}(X)=0\times a+1\times b+2\times\dfrac{1}{6}+3\times\dfrac{1}{3}=b+\dfrac{1}{3}+1=\dfrac{3}{2}$

$\therefore b=\dfrac{1}{6}$

$b=\dfrac{1}{6}$을 ㉠에 대입하여 풀면 $a=\dfrac{1}{3}$

$\therefore \mathrm{V}(X)=\mathrm{E}(X^2)-\{\mathrm{E}(X)\}^2$

$=0^2\times\dfrac{1}{3}+1^2\times\dfrac{1}{6}+2^2\times\dfrac{1}{6}+3^2\times\dfrac{1}{3}-\left(\dfrac{3}{2}\right)^2$

$=\dfrac{19}{12}$

02-1 답 $\dfrac{2}{5}$

|해결 전략| 확률변수 X의 확률분포를 표로 나타낸 후, $\mathrm{V}(X)$를 구한다.

확률변수 X가 가질 수 있는 값은 0, 1, 2이고, 각 값을 가질 확률은

$\mathrm{P}(X=0)=\dfrac{_3\mathrm{C}_0\times_3\mathrm{C}_2}{_6\mathrm{C}_2}=\dfrac{1}{5}$,

$\mathrm{P}(X=1)=\dfrac{_3\mathrm{C}_1\times_3\mathrm{C}_1}{_6\mathrm{C}_2}=\dfrac{3}{5}$,

$\mathrm{P}(X=2)=\dfrac{_3\mathrm{C}_2\times_3\mathrm{C}_0}{_6\mathrm{C}_2}=\dfrac{1}{5}$

이므로 X의 확률분포를 표로 나타내면 다음과 같다.

X	0	1	2	합계
$\mathrm{P}(X=x)$	$\dfrac{1}{5}$	$\dfrac{3}{5}$	$\dfrac{1}{5}$	1

이때, 확률변수 X에 대하여

$\mathrm{E}(X)=0\times\dfrac{1}{5}+1\times\dfrac{3}{5}+2\times\dfrac{1}{5}=1$

$\therefore\mathrm{V}(X)=\mathrm{E}(X^2)-\{\mathrm{E}(X)\}^2$

$\qquad=0^2\times\dfrac{1}{5}+1^2\times\dfrac{3}{5}+2^2\times\dfrac{1}{5}-1^2=\dfrac{2}{5}$

03-1 답 168

|해결 전략| 확률의 총합이 1임을 이용하여 a의 값을 구하고, $\mathrm{V}(X)$를 구하여 $\mathrm{V}(aX+b)=a^2\mathrm{V}(X)$임을 이용한다.

확률의 총합은 1이므로

$\dfrac{5}{12}+\dfrac{1}{3}+a+2a=1$ $\qquad\therefore a=\dfrac{1}{12}$

따라서 확률변수 X에 대하여

$\mathrm{E}(X)=0\times\dfrac{5}{12}+2\times\dfrac{1}{3}+4\times\dfrac{1}{12}+6\times\dfrac{1}{6}=2$

$\mathrm{V}(X)=\mathrm{E}(X^2)-\{\mathrm{E}(X)\}^2$

$\qquad=0^2\times\dfrac{5}{12}+2^2\times\dfrac{1}{3}+4^2\times\dfrac{1}{12}+6^2\times\dfrac{1}{6}-2^2$

$\qquad=\dfrac{14}{3}$

$\therefore\mathrm{V}(6X+10)=6^2\mathrm{V}(X)=36\times\dfrac{14}{3}=168$

03-2 답 70

|해결 전략| 확률변수 X의 확률분포를 표로 나타낸 다음 $\mathrm{E}(X)$를 구하여 $\mathrm{E}(aX+b)=a\mathrm{E}(X)+b$임을 이용한다.

확률변수 X가 가질 수 있는 값은 0, 1, 2, 3, 4, 5이고, 2개의 주사위를 던지는 경우의 수는 $6\times6=36$이다.

(ⅰ) $X=0$인 경우는

$\quad(1,1),(2,2),(3,3),(4,4),(5,5),(6,6)$

(ⅱ) $X=1$인 경우는

$\quad(1,2),(2,3),(3,4),(4,5),(5,6),(2,1),(3,2),(4,3),$
$\quad(5,4),(6,5)$

(ⅲ) $X=2$인 경우는

$\quad(1,3),(2,4),(3,5),(4,6),(3,1),(4,2),(5,3),(6,4)$

(ⅳ) $X=3$인 경우는

$\quad(1,4),(2,5),(3,6),(4,1),(5,2),(6,3)$

(ⅴ) $X=4$인 경우는

$\quad(1,5),(2,6),(5,1),(6,2)$

(ⅵ) $X=5$인 경우는

$\quad(1,6),(6,1)$

따라서 X가 각 값을 가질 확률은

$\mathrm{P}(X=0)=\dfrac{6}{36}=\dfrac{1}{6},$

$\mathrm{P}(X=1)=\dfrac{10}{36}=\dfrac{5}{18},$

$\mathrm{P}(X=2)=\dfrac{8}{36}=\dfrac{2}{9},$

$\mathrm{P}(X=3)=\dfrac{6}{36}=\dfrac{1}{6},$

$\mathrm{P}(X=4)=\dfrac{4}{36}=\dfrac{1}{9},$

$\mathrm{P}(X=5)=\dfrac{2}{36}=\dfrac{1}{18}$

이므로 X의 확률분포를 표로 나타내면 다음과 같다.

X	0	1	2	3	4	5	합계
$\mathrm{P}(X=x)$	$\dfrac{1}{6}$	$\dfrac{5}{18}$	$\dfrac{2}{9}$	$\dfrac{1}{6}$	$\dfrac{1}{9}$	$\dfrac{1}{18}$	1

이때, 확률변수 X에 대하여

$\mathrm{E}(X)=0\times\dfrac{1}{6}+1\times\dfrac{5}{18}+2\times\dfrac{2}{9}+3\times\dfrac{1}{6}+4\times\dfrac{1}{9}+5\times\dfrac{1}{18}$

$\qquad=\dfrac{35}{18}$

$\therefore\mathrm{E}(36X)=36\mathrm{E}(X)=36\times\dfrac{35}{18}=70$

3 이항분포

개념 확인   97쪽~98쪽

1 (1) $\mathrm{B}\left(10,\dfrac{1}{2}\right)$ (2) $\mathrm{B}\left(100,\dfrac{1}{2}\right)$

2 (1) $\mathrm{E}(X)=50,\ \mathrm{V}(X)=25,\ \sigma(X)=5$

$\quad$ (2) $\mathrm{E}(X)=6,\ \mathrm{V}(X)=4,\ \sigma(X)=2$

1 (1) 한 개의 동전을 10번 던지므로 10회의 독립시행이고, 1회의 시행에서 앞면이 나올 확률은 $\dfrac{1}{2}$이므로 확률변수 X는 이항분포 $\mathrm{B}\left(10,\dfrac{1}{2}\right)$을 따른다.

$\quad$ (2) 한 개의 주사위를 100번 던지므로 100회의 독립시행이고, 1회의 시행에서 홀수의 눈이 나올 확률은 $\dfrac{1}{2}$이므로 확률변수 X는 이항분포 $\mathrm{B}\left(100,\dfrac{1}{2}\right)$을 따른다.

2 (1) $\mathrm{E}(X)=100\times\dfrac{1}{2}=50$

$\quad\mathrm{V}(X)=100\times\dfrac{1}{2}\times\dfrac{1}{2}=25$

$\quad\sigma(X)=\sqrt{\mathrm{V}(X)}=\sqrt{25}=5$

$\quad$ (2) $\mathrm{E}(X)=18\times\dfrac{1}{3}=6$

$\quad\mathrm{V}(X)=18\times\dfrac{1}{3}\times\dfrac{2}{3}=4$

$\quad\sigma(X)=\sqrt{\mathrm{V}(X)}=\sqrt{4}=2$

개념 check

1-1 (1) $\dfrac{1}{4}$, 4, $\dfrac{1}{4}$, 4, $\dfrac{1}{4}$, $\dfrac{3}{4}$, 4 (2) 2, $\dfrac{1}{4}$, $\dfrac{3}{4}$, $\dfrac{27}{128}$

2-1 3, 3, $\dfrac{3}{2}$, 3, $\dfrac{1}{2}$

스스로 check

1-2 답 (1) $P(X=x)={}_4C_x\left(\dfrac{1}{6}\right)^x\left(\dfrac{5}{6}\right)^{4-x}$ ($x=0, 1, 2, 3, 4$)

   (2) $\dfrac{125}{324}$

(1) 한 개의 주사위를 4번 던지므로 4회의 독립시행이고, 1회의 시행에

   서 5의 눈이 나올 확률은 $\dfrac{1}{6}$이므로 확률변수 X는 이항분포

   $B\left(4, \dfrac{1}{6}\right)$을 따른다.

   따라서 X의 확률질량함수는

   $P(X=x)={}_4C_x\left(\dfrac{1}{6}\right)^x\left(\dfrac{5}{6}\right)^{4-x}$ ($x=0, 1, 2, 3, 4$)

(2) $P(X=1)={}_4C_1\left(\dfrac{1}{6}\right)^1\left(\dfrac{5}{6}\right)^3=\dfrac{125}{324}$

2-2 답 (1) $\dfrac{10}{3}$ (2) $\dfrac{20}{9}$ (3) $\dfrac{2\sqrt{5}}{3}$

확률변수 X는 이항분포 $B\left(10, \dfrac{1}{3}\right)$을 따르므로

(1) $E(X)=10\times\dfrac{1}{3}=\dfrac{10}{3}$

(2) $V(X)=10\times\dfrac{1}{3}\times\dfrac{2}{3}=\dfrac{20}{9}$

(3) $\sigma(X)=\sqrt{V(X)}=\sqrt{\dfrac{20}{9}}=\dfrac{2\sqrt{5}}{3}$

01-1 답 $\dfrac{57}{64}$

|해결 전략| 이항분포 $B(n, p)$를 따르는 확률변수 X의 확률질량함수는
$P(X=x)={}_nC_x p^x(1-p)^{n-x}$ ($x=0, 1, 2, \cdots, n$)이다.

확률변수 X가 이항분포 $B\left(6, \dfrac{1}{2}\right)$을 따르므로 X의 확률질량함수는

$P(X=x)={}_6C_x\left(\dfrac{1}{2}\right)^x\left(\dfrac{1}{2}\right)^{6-x}$ ($x=0, 1, 2, \cdots, 6$)

$\therefore P(X\geq2)=1-P(X<2)$

$\qquad\qquad\quad =1-\{P(X=0)+P(X=1)\}$

$\qquad\qquad\quad =1-\left\{{}_6C_0\left(\dfrac{1}{2}\right)^6+{}_6C_1\left(\dfrac{1}{2}\right)^1\left(\dfrac{1}{2}\right)^5\right\}$

$\qquad\qquad\quad =1-\left(\dfrac{1}{64}+\dfrac{6}{64}\right)=\dfrac{57}{64}$

01-2 답 $\dfrac{837}{10000}$

|해결 전략| 이항분포 $B(n, p)$를 따르는 확률변수 X의 확률질량함수는
$P(X=x)={}_nC_x p^x(1-p)^{n-x}$ ($x=0, 1, 2, \cdots, n$)이다.

4번의 타석에서 안타를 치는 횟수를 확률변수 X라 하면 X는 이항분

포 $B\left(4, \dfrac{3}{10}\right)$을 따르므로 X의 확률질량함수는

$P(X=x)={}_4C_x\left(\dfrac{3}{10}\right)^x\left(\dfrac{7}{10}\right)^{4-x}$ ($x=0, 1, 2, 3, 4$)

따라서 이 선수가 4번의 타석에서 3번 이상 안타를 칠 확률은

$P(X\geq3)=P(X=3)+P(X=4)$

$\qquad\quad =4C_3\left(\dfrac{3}{10}\right)^3\left(\dfrac{7}{10}\right)+4C_4\left(\dfrac{3}{10}\right)^4$

$\qquad\quad =\dfrac{756}{10000}+\dfrac{81}{10000}=\dfrac{837}{10000}$

02-1 답 $\dfrac{4}{3}$

|해결 전략| 확률변수 X가 이항분포 $B(n, p)$를 따르면 $E(X)=np$,
$V(X)=np(1-p)$이다.

$E(X)=2$이므로

$E(X)=\dfrac{1}{3}n=2$ $\qquad\therefore n=6$

$\therefore V(X)=6\times\dfrac{1}{3}\times\dfrac{2}{3}=\dfrac{4}{3}$

02-2 답 $\dfrac{28}{5}$

|해결 전략| $E(X), V(X)$를 구하고 $E(X^2)=V(X)+\{E(X)\}^2$임을 이용한다.

확률변수 X가 이항분포 $B\left(10, \dfrac{1}{5}\right)$을 따르므로

$E(X)=10\times\dfrac{1}{5}=2$, $V(X)=10\times\dfrac{1}{5}\times\dfrac{4}{5}=\dfrac{8}{5}$

이때, $V(X)=E(X^2)-\{E(X)\}^2$이므로

$E(X^2)=V(X)+\{E(X)\}^2=\dfrac{8}{5}+2^2=\dfrac{28}{5}$

03-1 답 $E(X)=40, V(X)=8$

|해결 전략| 시행 횟수 n과 1회의 시행에서 자유투를 성공할 확률 p를 각각 구하여 $B(n, p)$ 꼴로 나타낸다.

자유투를 50번 던지므로 50회의 독립시행이고, 1회의 시행에서 자유투

를 성공할 확률은 $\dfrac{4}{5}$이므로 확률변수 X는 이항분포 $B\left(50, \dfrac{4}{5}\right)$를 따

른다.

$$\therefore \mathrm{E}(X)=50 \times \frac{4}{5}=40$$

$$\mathrm{V}(X)=50 \times \frac{4}{5} \times \frac{1}{5}=8$$

03-2 目 $\mathrm{E}(X)=30, \mathrm{V}(X)=27$

|해결 전략| 시행 횟수 n과 1명의 주문자가 구매를 취소할 확률 p를 각각 구하여 $\mathrm{B}(n, p)$ 꼴로 나타낸다.

홈쇼핑의 주문자가 300명이므로 300회의 독립시행이고, 1명의 주문자가 구매를 취소할 확률은 $\frac{1}{10}$ 이므로 확률변수 X는 이항분포 $\mathrm{B}\left(300, \frac{1}{10}\right)$을 따른다.

$$\therefore \mathrm{E}(X)=300 \times \frac{1}{10}=30$$

$$\mathrm{V}(X)=300 \times \frac{1}{10} \times \frac{9}{10}=27$$

04-1 目 432

|해결 전략| 확률변수 X가 따르는 이항분포 $\mathrm{B}(n, p)$를 찾아 $\mathrm{V}(X)$를 구한 후, $\mathrm{V}(aX+b)=a^2\mathrm{V}(X)$임을 이용한다.

식당의 손님이 200명이므로 200회의 독립시행이고, 1명의 손님이 라면을 주문할 확률이 $\frac{2}{5}$이므로 확률변수 X는 이항분포 $\mathrm{B}\left(200, \frac{2}{5}\right)$를 따른다.

$$\therefore \mathrm{V}(X)=200 \times \frac{2}{5} \times \frac{3}{5}=48$$

따라서 확률변수 $3X+5$에 대하여

$$\mathrm{V}(3X+5)=3^2\mathrm{V}(X)=9 \times 48=432$$

04-2 目 40

|해결 전략| 확률변수 X가 따르는 이항분포 $\mathrm{B}(n, p)$를 찾아 $\mathrm{E}(X)$를 구한 후, $\mathrm{E}(aX+b)=a\mathrm{E}(X)+b$임을 이용한다.

민호와 재율이가 가위바위보를 15번 하므로 15회의 독립시행이고, 1회의 시행에서 민호가 재율이를 이길 확률은 $\frac{1}{3}$이므로 확률변수 X는 이항분포 $\mathrm{B}\left(15, \frac{1}{3}\right)$을 따른다.

$$\therefore \mathrm{E}(X)=15 \times \frac{1}{3}=5$$

이때, $\mathrm{E}(2X+k)=50$이므로

$$\begin{aligned}\mathrm{E}(2X+k)&=2\mathrm{E}(X)+k\\&=2 \times 5+k\\&=10+k=50\end{aligned}$$

$$\therefore k=40$$

1-1 目 $\frac{1}{3}$

|해결 전략| 확률의 총합이 1임을 이용하여 k의 값을 구한다.

확률의 총합은 1이므로

$$\frac{k}{12}+\frac{2+k}{12}+\frac{4+k}{12}=1$$

$$\frac{3k+6}{12}=1, 3k+6=12 \qquad \therefore k=2$$

$$\therefore \mathrm{P}(X=1)=\frac{2+2}{12}=\frac{1}{3}$$

1-2 目 $\frac{1}{20}$

|해결 전략| 확률의 총합이 1임을 이용한다.

확률의 총합은 1이므로

$$\left(k+\frac{1}{2}\right)+k+\left(k+\frac{1}{10}\right)+\left(k+\frac{1}{5}\right)=1$$

$$4k+\frac{4}{5}=1, 4k=\frac{1}{5} \qquad \therefore k=\frac{1}{20}$$

2-1 目 $\frac{13}{8}$

|해결 전략| 확률의 총합이 1임을 이용하여 a, b의 값을 구한 후, $\mathrm{P}(X \geq 3)$을 구한다.

확률의 총합은 1이므로 $b=1$

$$\frac{1}{8}+\frac{1}{2}+a+\frac{1}{8}=1 \qquad \therefore a=\frac{1}{4}$$

또, $\mathrm{P}(X \geq 3)=\mathrm{P}(X=3)+\mathrm{P}(X=4)=\frac{1}{4}+\frac{1}{8}=\frac{3}{8}$이므로

$$c=\frac{3}{8}$$

$$\therefore a+b+c=\frac{1}{4}+1+\frac{3}{8}=\frac{13}{8}$$

2-2 目 $\frac{5}{18}$

|해결 전략| 확률의 총합이 1임을 이용하여 a의 값을 구한 후, $\mathrm{P}(X^2 < a^2)$을 구한다.

확률의 총합은 1이므로

$$\frac{1}{6}a+\left(a^2+\frac{1}{2}a\right)+\frac{2}{3}=1, a^2+\frac{2}{3}a-\frac{1}{3}=0$$

$$3a^2+2a-1=0, (a+1)(3a-1)=0$$

$0 \leq \mathrm{P}(X=-1) \leq 1$이어야 하므로 $a=\frac{1}{3}$

이때, $X^2 < \frac{1}{9}$에서 $\left(X+\frac{1}{3}\right)\left(X-\frac{1}{3}\right)<0$이므로

$$-\frac{1}{3}<X<\frac{1}{3}$$

$$\therefore \mathrm{P}(X^2<a^2)=\mathrm{P}\left(X^2<\frac{1}{9}\right)$$

$$=\mathrm{P}\left(-\frac{1}{3}<X<\frac{1}{3}\right)=\mathrm{P}(X=0)$$

$$=\left(\frac{1}{3}\right)^2+\frac{1}{2}\times\frac{1}{3}=\frac{1}{9}+\frac{1}{6}=\frac{5}{18}$$

> **LECTURE**
>
> 이차함수 $y=ax^2+bx+c\,(a,\,b,\,c$는 실수, $a>0)$가 x축과 만나는 서로 다른 두 점의 x좌표가 $\alpha,\,\beta\,(\alpha<\beta)$일 때
> ❶ x에 대한 이차부등식 $ax^2+bx+c>0$의 해는 $x<\alpha$ 또는 $x>\beta$
> ❷ x에 대한 이차부등식 $ax^2+bx+c<0$의 해는 $\alpha<x<\beta$

3-1 답 $\frac{1}{3}$

|해결 전략| 확률변수 X가 가질 수 있는 모든 값을 구하고, 각 값을 가질 확률을 구한다.

확률변수 X가 가질 수 있는 값은 1, 2, 3, 4, 5이고, 4장의 카드 중에서 2장을 뽑는 경우의 수는 $_4\mathrm{C}_2=6$이다.

이때, 나오는 두 수를 $a,\,b\,(a<b)$라 하자.

(ⅰ) $X=1$인 경우는 $(0,\,1)$

(ⅱ) $X=2$인 경우는 $(0,\,2)$

(ⅲ) $X=3$인 경우는 $(0,\,3),\,(1,\,2)$

(ⅳ) $X=4$인 경우는 $(1,\,3)$

(ⅴ) $X=5$인 경우는 $(2,\,3)$

따라서 X가 각 값을 가질 확률은

$$\mathrm{P}(X=1)=\frac{1}{6},$$

$$\mathrm{P}(X=2)=\frac{1}{6},$$

$$\mathrm{P}(X=3)=\frac{2}{6}=\frac{1}{3},$$

$$\mathrm{P}(X=4)=\frac{1}{6},$$

$$\mathrm{P}(X=5)=\frac{1}{6}$$

이므로 X의 확률분포를 표로 나타내면 다음과 같다.

X	1	2	3	4	5	합계
$\mathrm{P}(X=x)$	$\frac{1}{6}$	$\frac{1}{6}$	$\frac{1}{3}$	$\frac{1}{6}$	$\frac{1}{6}$	1

이때, $|X-1|\le 1$에서

$-1\le X-1\le 1$이므로 $0\le X\le 2$

$$\therefore \mathrm{P}(|X-1|\le 1)=\mathrm{P}(0\le X\le 2)$$

$$=\mathrm{P}(X=1)+\mathrm{P}(X=2)$$

$$=\frac{1}{6}+\frac{1}{6}=\frac{1}{3}$$

> **LECTURE**
>
> **절댓값 기호를 포함한 일차부등식**
> ❶ $|x|<a \Longleftrightarrow -a<x<a$ (단, $a>0$)
> ❷ $|x-a|<b \Longleftrightarrow a-b<x<a+b$ (단, $b>0$)

3-2 답 2

|해결 전략| 확률변수 X가 가질 수 있는 모든 값을 구하고, 각 값을 가질 확률을 구한다.

확률변수 X가 가질 수 있는 값은 0, 1, 2, 3이고, 각 값을 가질 확률은

$$\mathrm{P}(X=0)=\frac{_3\mathrm{C}_0\times{}_5\mathrm{C}_3}{_8\mathrm{C}_3}=\frac{5}{28},$$

$$\mathrm{P}(X=1)=\frac{_3\mathrm{C}_1\times{}_5\mathrm{C}_2}{_8\mathrm{C}_3}=\frac{15}{28},$$

$$\mathrm{P}(X=2)=\frac{_3\mathrm{C}_2\times{}_5\mathrm{C}_1}{_8\mathrm{C}_3}=\frac{15}{56},$$

$$\mathrm{P}(X=3)=\frac{_3\mathrm{C}_3\times{}_5\mathrm{C}_0}{_8\mathrm{C}_3}=\frac{1}{56}$$

이므로 X의 확률분포를 표로 나타내면 다음과 같다.

X	0	1	2	3	합계
$\mathrm{P}(X=x)$	$\frac{5}{28}$	$\frac{15}{28}$	$\frac{15}{56}$	$\frac{1}{56}$	1

이때, $\mathrm{P}(X=2)+\mathrm{P}(X=3)=\frac{15}{56}+\frac{1}{56}=\frac{2}{7}$이므로

$$\mathrm{P}(X\ge 2)=\frac{2}{7} \qquad \therefore k=2$$

4-1 답 $\frac{2}{3}$

|해결 전략| $\mathrm{P}(0\le X\le 2)=\mathrm{P}(X=0)+\mathrm{P}(X=1)+\mathrm{P}(X=2)$임을 이용하여 a의 값을 구한 후, $\mathrm{E}(X)=x_1p_1+x_2p_2+x_3p_3+\cdots+x_np_n$임을 이용한다.

$\mathrm{P}(0\le X\le 2)=\frac{5}{6}$이므로

$$\mathrm{P}(0\le X\le 2)=\mathrm{P}(X=0)+\mathrm{P}(X=1)+\mathrm{P}(X=2)$$

$$=\frac{1}{6}+\frac{2+a}{6}+\frac{1}{6}$$

$$=\frac{4+a}{6}=\frac{5}{6}$$

$$\therefore a=1$$

$$\therefore \mathrm{E}(X)=-1\times\frac{1}{6}+0\times\frac{1}{6}+1\times\frac{3}{6}+2\times\frac{1}{6}=\frac{2}{3}$$

4-2 답 $\frac{7}{16}$

|해결 전략| $\mathrm{P}(0\le X\le 1)=\mathrm{P}(X=0)+\mathrm{P}(X=1)$임을 이용하여 a의 값을 구한 후, $\mathrm{V}(X)$를 구한다.

$\mathrm{P}(0\le X\le 1)=\frac{5}{8}$이므로

$$\mathrm{P}(0\le X\le 1)=\mathrm{P}(X=0)+\mathrm{P}(X=1)$$

$$=\frac{2-a}{8}+\frac{1}{2}$$

$$=\frac{6-a}{8}=\frac{5}{8}$$

$$\therefore a=1$$

따라서 $\mathrm{E}(X)=0\times\frac{1}{8}+1\times\frac{1}{2}+2\times\frac{3}{8}=\frac{5}{4}$이므로

$$\mathrm{V}(X)=\mathrm{E}(X^2)-\{\mathrm{E}(X)\}^2$$

$$=0^2\times\frac{1}{8}+1^2\times\frac{1}{2}+2^2\times\frac{3}{8}-\left(\frac{5}{4}\right)^2=\frac{7}{16}$$

5-1 답 43

|해결 전략| 확률변수 X의 확률분포를 표로 나타낸 다음 $V(X)$를 구한다.

확률변수 X가 가질 수 있는 값은 0, 1, 2이고, 각 값을 가질 확률은

$$P(X=0)=\frac{{}_4C_0 \times {}_6C_2}{{}_{10}C_2}=\frac{1}{3},$$

$$P(X=1)=\frac{{}_4C_1 \times {}_6C_1}{{}_{10}C_2}=\frac{8}{15},$$

$$P(X=2)=\frac{{}_4C_2 \times {}_6C_0}{{}_{10}C_2}=\frac{2}{15}$$

이므로 X의 확률분포를 표로 나타내면 다음과 같다.

X	0	1	2	합계
$P(X=x)$	$\frac{1}{3}$	$\frac{8}{15}$	$\frac{2}{15}$	1

이때, 확률변수 X에 대하여

$$E(X)=0\times\frac{1}{3}+1\times\frac{8}{15}+2\times\frac{2}{15}=\frac{4}{5}$$

$$\therefore V(X)=E(X^2)-\{E(X)\}^2$$
$$=0^2\times\frac{1}{3}+1^2\times\frac{8}{15}+2^2\times\frac{2}{15}-\left(\frac{4}{5}\right)^2=\frac{32}{75}$$

따라서 $p=75$, $q=32$이므로

$$p-q=75-32=43$$

5-2 답 $\frac{15}{8}$

|해결 전략| 확률변수 X의 확률분포를 표로 나타낸 다음 $E(X)$를 구한다.

확률변수 X가 가질 수 있는 값은 1, 2, 3, 4이고, 4장의 카드 중 1장을 꺼내어 확인하고 넣은 후, 다시 1장을 꺼내는 경우의 수는
$4\times4=16$이다.

(i) $X=1$인 경우는
  $(1, 1), (1, 2), (1, 3), (1, 4), (2, 1), (3, 1), (4, 1)$
(ii) $X=2$인 경우는
  $(2, 2), (2, 3), (2, 4), (3, 2), (4, 2)$
(iii) $X=3$인 경우는
  $(3, 3), (3, 4), (4, 3)$
(iv) $X=4$인 경우는
  $(4, 4)$

따라서 X가 각 값을 가질 확률은

$$P(X=1)=\frac{7}{16},$$

$$P(X=2)=\frac{5}{16},$$

$$P(X=3)=\frac{3}{16},$$

$$P(X=4)=\frac{1}{16}$$

이므로 X의 확률분포를 표로 나타내면 다음과 같다.

X	1	2	3	4	합계
$P(X=x)$	$\frac{7}{16}$	$\frac{5}{16}$	$\frac{3}{16}$	$\frac{1}{16}$	1

$$\therefore E(X)=1\times\frac{7}{16}+2\times\frac{5}{16}+3\times\frac{3}{16}+4\times\frac{1}{16}=\frac{15}{8}$$

6-1 답 175원

|해결 전략| 확률변수 X의 확률분포를 표로 나타낸 다음
$E(X)=x_1p_1+x_2p_2+x_3p_3+\cdots+x_np_n$임을 이용한다.

(i) 50원짜리와 100원짜리 동전이 각각 1개씩 나오는 경우
  $X=150$이므로

$$P(X=150)=\frac{{}_1C_1 \times {}_3C_1}{{}_4C_2}=\frac{1}{2}$$

(ii) 100원짜리 동전만 2개 나오는 경우
  $X=200$이므로

$$P(X=200)=\frac{{}_1C_0 \times {}_3C_2}{{}_4C_2}=\frac{1}{2}$$

(i), (ii)에 의하여 확률변수 X의 확률분포를 표로 나타내면 다음과 같다.

X	150	200	합계
$P(X=x)$	$\frac{1}{2}$	$\frac{1}{2}$	1

$$\therefore E(X)=150\times\frac{1}{2}+200\times\frac{1}{2}=175$$

따라서 구하는 X의 기댓값은 175원이다.

6-2 답 100원

|해결 전략| 100원짜리 동전 한 개를 두 번 던져서 받을 수 있는 금액을 확률변수 X라 하고 X의 확률분포를 표로 나타낸다.

동전의 앞면을 H, 동전의 뒷면을 T라 할 때, 100원짜리 동전 한 개를 두 번 던져서 받을 수 있는 금액은 각각 다음과 같다.

$(H, H) \Rightarrow 2\times100+2\times100=400(원)$
$(H, T) \Rightarrow 2\times100-100=100(원)$
$(T, H) \Rightarrow -100+2\times100=100(원)$
$(T, T) \Rightarrow -100-100=-200(원)$

100원짜리 동전 한 개를 두 번 던져서 받을 수 있는 금액을 확률변수 X라 하면 X가 가질 수 있는 값은 -200, 100, 400이고 X의 확률분포를 표로 나타내면 다음과 같다.

X	-200	100	400	합계
$P(X=x)$	$\frac{1}{4}$	$\frac{1}{2}$	$\frac{1}{4}$	1

$$\therefore E(X)=-200\times\frac{1}{4}+100\times\frac{1}{2}+400\times\frac{1}{4}=100$$

따라서 구하는 기댓값은 100원이다.

7-1 답 3

|해결 전략| $E(aX+b)=aE(X)+b$, $V(aX+b)=a^2V(X)$임을 이용한다.

$V(X)=2$, $V(aX+b)=8$이므로

$$V(aX+b)=a^2V(X)=2a^2=8$$

$a^2=4$이므로 $a=2$ ($\because a>0$)

또, $E(X)=1$, $E(aX+b)=3$이므로

$$E(aX+b)=aE(X)+b=2\times1+b=3$$

$$\therefore b=1$$

$$\therefore a+b=2+1=3$$

7-2 답 $\dfrac{4\sqrt{3}}{3}$

|해결 전략| 확률의 총합이 1이고, $E(X)=x_1p_1+x_2p_2+x_3p_3+\cdots+x_np_n$ 임을 이용하여 a, b의 값을 구한 후, $\sigma(X)$를 구한다.

확률의 총합은 1이므로

$\dfrac{1}{8}+a+\dfrac{3}{8}+b=1$

$\therefore a+b=\dfrac{1}{2}$ ...... ㉠

또, $E(X)=\dfrac{5}{2}$이므로

$E(X)=1\times\dfrac{1}{8}+2\times a+3\times\dfrac{3}{8}+4\times b=\dfrac{5}{2}$

$\therefore 2a+4b=\dfrac{5}{4}$ ...... ㉡

㉠, ㉡을 연립하여 풀면 $a=\dfrac{3}{8}, b=\dfrac{1}{8}$

이때, 확률변수 X에 대하여

$V(X)=E(X^2)-\{E(X)\}^2$

$\qquad=1^2\times\dfrac{1}{8}+2^2\times\dfrac{3}{8}+3^2\times\dfrac{3}{8}+4^2\times\dfrac{1}{8}-\left(\dfrac{5}{2}\right)^2=\dfrac{3}{4}$

$\sigma(X)=\sqrt{V(X)}=\sqrt{\dfrac{3}{4}}=\dfrac{\sqrt{3}}{2}$

$\therefore \sigma\left(\dfrac{1}{a}X\right)=\sigma\left(\dfrac{8}{3}X\right)=\left|\dfrac{8}{3}\right|\sigma(X)$

$\qquad=\dfrac{8}{3}\times\dfrac{\sqrt{3}}{2}=\dfrac{4\sqrt{3}}{3}$

8-1 답 $\sqrt{6}$

|해결 전략| 확률변수 X의 확률분포를 표로 나타내어 $\sigma(X)$를 구한 후, $\sigma(aX+b)=|a|\sigma(X)$임을 이용한다.

확률변수 X가 가질 수 있는 값 0, 1이고, 각 값을 가질 확률은

$P(X=0)=\dfrac{{}_1C_0\times{}_4C_2}{{}_5C_2}=\dfrac{3}{5}$,

$P(X=1)=\dfrac{{}_1C_1\times{}_4C_1}{{}_5C_2}=\dfrac{2}{5}$

이므로 X의 확률분포를 표로 나타내면 다음과 같다.

X	0	1	합계
$P(X=x)$	$\dfrac{3}{5}$	$\dfrac{2}{5}$	1

이때, 확률변수 X에 대하여

$E(X)=0\times\dfrac{3}{5}+1\times\dfrac{2}{5}=\dfrac{2}{5}$

$V(X)=E(X^2)-\{E(X)\}^2$

$\qquad=0^2\times\dfrac{3}{5}+1^2\times\dfrac{2}{5}-\left(\dfrac{2}{5}\right)^2=\dfrac{6}{25}$

$\sigma(X)=\sqrt{V(X)}=\sqrt{\dfrac{6}{25}}=\dfrac{\sqrt{6}}{5}$

$\therefore \sigma(5X)=|5|\sigma(X)$

$\qquad=5\times\dfrac{\sqrt{6}}{5}=\sqrt{6}$

8-2 답 17

|해결 전략| 확률변수 X의 확률분포를 표로 나타내어 $E(X)$를 구한 후, $E(aX+b)=aE(X)+b$임을 이용한다.

확률변수 X가 가질 수 있는 값은 1, 2, 3, 4이고, 주머니 속에 들어 있는 구슬의 총 개수는 10이므로 X의 확률분포를 표로 나타내면 다음과 같다.

X	1	2	3	4	합계
$P(X=x)$	$\dfrac{1}{10}$	$\dfrac{2}{10}$	$\dfrac{3}{10}$	$\dfrac{4}{10}$	1

이때, 확률변수 X에 대하여

$E(X)=1\times\dfrac{1}{10}+2\times\dfrac{2}{10}+3\times\dfrac{3}{10}+4\times\dfrac{4}{10}=3$

$\therefore E(5X+2)=5E(X)+2=5\times3+2=17$

9-1 답 ⑤

|해결 전략| 이항분포 $B(n, p)$를 따르는 확률변수 X의 확률질량함수는 $P(X=x)={}_nC_xp^x(1-p)^{n-x} (x=0, 1, 2, \cdots, n)$이다.

2개의 동전을 동시에 던지는 시행을 4번 반복하므로 4회의 독립시행이고, 1회의 시행에서 앞면과 뒷면이 한 개씩 나올 확률은 $\dfrac{1}{2}$이므로 확률변수 X는 이항분포 $B\left(4, \dfrac{1}{2}\right)$을 따른다.

따라서 X의 확률질량함수는

$P(X=x)={}_4C_x\left(\dfrac{1}{2}\right)^x\left(\dfrac{1}{2}\right)^{4-x} (x=0, 1, 2, 3, 4)$

$\therefore P(X\geq1)=1-P(X<1)=1-P(X=0)$

$\qquad=1-{}_4C_0\left(\dfrac{1}{2}\right)^4=1-\dfrac{1}{16}=\dfrac{15}{16}$

9-2 답 ⑤

|해결 전략| 확률변수 X의 확률질량함수를 구하고, $P(X\leq3)=1-P(X>3)$임을 이용한다.

5명의 고객이 운동화를 구입하므로 5회의 독립시행이고, 3명 중 2명 꼴로 흰색 운동화를 구입하므로 1명의 고객이 검은색 운동화를 구입할 확률은 $\dfrac{1}{3}$이다.

따라서 확률변수 X는 이항분포 $B\left(5, \dfrac{1}{3}\right)$을 따르므로 X의 확률질량 함수는

$P(X=x)={}_5C_x\left(\dfrac{1}{3}\right)^x\left(\dfrac{2}{3}\right)^{5-x} (x=0, 1, 2, \cdots, 5)$

$\therefore P(X\leq3)=1-P(X>3)=1-\{P(X=4)+P(X=5)\}$

$\qquad=1-\left\{{}_5C_4\left(\dfrac{1}{3}\right)^4\left(\dfrac{2}{3}\right)+{}_5C_5\left(\dfrac{1}{3}\right)^5\right\}$

$\qquad=1-\left(\dfrac{10}{243}+\dfrac{1}{243}\right)=\dfrac{232}{243}$

10-1 답 ④

|해결 전략| 확률변수 X가 이항분포 $B(n, p)$를 따르면 $E(X) = np$, $V(X) = np(1-p)$이다.

확률변수 X가 이항분포 $B\left(25, \dfrac{1}{5}\right)$을 따르므로

$$E(X) = 25 \times \dfrac{1}{5} = 5$$

$$V(X) = 25 \times \dfrac{1}{5} \times \dfrac{4}{5} = 4$$

이때, $V(X) = E(X^2) - \{E(X)\}^2$이므로

$$E(X^2) = V(X) + \{E(X)\}^2$$
$$= 4 + 5^2 = 29$$

10-2 답 9

|해결 전략| 확률변수 X가 이항분포 $B(n, p)$를 따르면 $E(X) = np$, $V(X) = np(1-p)$임을 이용하여 n, p의 값을 구한다.

$E(X) = \dfrac{1}{2}$, $V(X) = \dfrac{9}{20}$이므로

$$E(X) = np = \dfrac{1}{2} \qquad\qquad \cdots\cdots \text{㉠}$$

$$V(X) = np(1-p) = \dfrac{9}{20} \qquad\qquad \cdots\cdots \text{㉡}$$

㉠을 ㉡에 대입하면 $\dfrac{1}{2}(1-p) = \dfrac{9}{20}$

$$1 - p = \dfrac{9}{10} \qquad \therefore p = \dfrac{1}{10}$$

$p = \dfrac{1}{10}$ 을 ㉠에 대입하면

$$\dfrac{1}{10} n = \dfrac{1}{2} \qquad \therefore n = 5$$

따라서 확률변수 X는 이항분포 $B\left(5, \dfrac{1}{10}\right)$을 따르므로 X의 확률질량함수는

$$P(X = x) = {}_5C_x \left(\dfrac{1}{10}\right)^x \left(\dfrac{9}{10}\right)^{5-x} (x = 0, 1, 2, \cdots, 5)$$

$$\therefore \dfrac{P(X = 2)}{P(X = 3)} = \dfrac{{}_5C_2 \left(\dfrac{1}{10}\right)^2 \left(\dfrac{9}{10}\right)^3}{{}_5C_3 \left(\dfrac{1}{10}\right)^3 \left(\dfrac{9}{10}\right)^2} = \dfrac{\dfrac{10 \times 9^3}{10^5}}{\dfrac{10 \times 9^2}{10^5}} = 9$$

11-1 답 3

|해결 전략| 1회의 시행에서 사건 A가 일어날 확률이 p일 때, n회의 독립시행에서 사건 A가 일어나는 횟수를 확률변수 X라 하면 X는 이항분포 $B(n, p)$를 따른다. 이때, $\sigma(X) = \sqrt{np(1-p)}$ 이다.

100명의 환자를 치료했으므로 100회의 독립시행이고, 1명의 환자를 치료할 때 완치될 확률이 $\dfrac{9}{10}$ 이므로 확률변수 X는 이항분포 $B\left(100, \dfrac{9}{10}\right)$를 따른다.

$$\therefore \sigma(X) = \sqrt{100 \times \dfrac{9}{10} \times \dfrac{1}{10}} = \sqrt{9} = 3$$

11-2 답 $3\sqrt{10}$

|해결 전략| 1회의 시행에서 사건 A가 일어날 확률이 p일 때, n회의 독립시행에서 사건 A가 일어나는 횟수를 확률변수 X라 하면 X는 이항분포 $B(n, p)$를 따른다. 이때, $\sigma(X) = \sqrt{np(1-p)}$ 이다.

3개의 동전을 동시에 던지는 시행을 384번 반복하므로 384회의 독립시행이고, 1회의 시행에서 앞면이 1개, 뒷면이 2개 나올 확률이

$${}_3C_1 \left(\dfrac{1}{2}\right)^1 \left(\dfrac{1}{2}\right)^2 = \dfrac{3}{8}$$

이므로 확률변수 X는 이항분포 $B\left(384, \dfrac{3}{8}\right)$을 따른다.

$$\therefore \sigma(X) = \sqrt{384 \times \dfrac{3}{8} \times \dfrac{5}{8}} = \sqrt{90} = 3\sqrt{10}$$

12-1 답 119

|해결 전략| 확률변수 X가 따르는 이항분포 $B(n, p)$를 찾아 $E(X)$, $V(X)$를 구한 후, $V(X) = E(X^2) - \{E(X)\}^2$임을 이용한다.

100개의 제품을 택하므로 100회의 독립시행이고, 이 공장에서 생산된 제품 1개가 불량품일 확률이 $\dfrac{1}{20}$이므로 확률변수 X는 이항분포 $B\left(100, \dfrac{1}{20}\right)$을 따른다.

$$\therefore E(X) = 100 \times \dfrac{1}{20} = 5,$$

$$V(X) = 100 \times \dfrac{1}{20} \times \dfrac{19}{20} = \dfrac{19}{4}$$

이때, $V(X) = E(X^2) - \{E(X)\}^2$이므로

$$E(X^2) = V(X) + \{E(X)\}^2 = \dfrac{19}{4} + 5^2 = \dfrac{119}{4}$$

$$\therefore E(4X^2) = 4E(X^2)$$
$$= 4 \times \dfrac{119}{4} = 119$$

12-2 답 ②

|해결 전략| 확률변수 X가 따르는 이항분포 $B(n, p)$를 찾아 $E(X)$, $V(X)$를 구한 후, $V(X) = E(X^2) - \{E(X)\}^2$임을 이용한다.

항공권을 예약한 사람이 100명이므로 100회의 독립시행이고, 이 항공사에서 항공권을 예약한 사람 1명이 비행기를 타지 않을 확률이 $\dfrac{1}{10}$ 이므로 확률변수 X는 이항분포 $B\left(100, \dfrac{1}{10}\right)$을 따른다.

$$\therefore E(X) = 100 \times \dfrac{1}{10} = 10$$

$$V(X) = 100 \times \dfrac{1}{10} \times \dfrac{9}{10} = 9$$

이때, $V(X) = E(X^2) - \{E(X)\}^2$이므로

$$E(X^2) = V(X) + \{E(X)\}^2 = 9 + 10^2 = 109$$

$$\therefore E(2X^2 + 2) = 2E(X^2) + 2$$
$$= 2 \times 109 + 2 = 220$$

5 | 정규분포

1 확률밀도함수

개념 확인 ──────────────────── 110쪽

1 (1) 확률밀도함수가 될 수 있다.
　 (2) 확률밀도함수가 될 수 없다.

1 (1) $0 \leq x \leq 3$에서 $f(x) \geq 0$이고, 함수
　 $y = f(x)$의 그래프와 x축 및 두 직선
　 $x = 0$, $x = 3$으로 둘러싸인 부분의 넓
　 이가 $3 \times \dfrac{1}{3} = 1$이므로 확률밀도함수
　 가 될 수 있다.

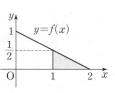

　 (2) $0 \leq x \leq 3$에서 $f(x) \geq 0$이지만 함수
　 $y = f(x)$의 그래프와 x축 및 직선
　 $x = 3$으로 둘러싸인 부분의 넓이가
　 $\dfrac{1}{2} \times 3 \times 1 = \dfrac{3}{2}$이므로 확률밀도함수
　 가 될 수 없다.

STEP 1 개념 드릴 ──────────────── | 112쪽 |

개념 check

1-1 이산확률변수, 연속확률변수

2-1 (1) $1, 3, \dfrac{1}{5}, \dfrac{2}{5}$　 (2) $1, 3, \dfrac{3}{8}, 2, \dfrac{1}{2}$

스스로 check

1-2 답 (1) 이산확률변수　 (2) 연속확률변수　 (3) 연속확률변수
　　　　(4) 연속확률변수

(1) 확률변수가 가질 수 있는 값을 셀 수 있으므로 이산확률변수이다.

(2), (3), (4) 확률변수가 어떤 범위에 속하는 모든 실수의 값을 가지므
로 연속확률변수이다.

2-2 답 (1) $\dfrac{1}{2}$　 (2) $\dfrac{1}{4}$

(1) $P(1 \leq X \leq 2)$는 함수 $y = f(x)$의 그래
　 프와 x축 및 두 직선 $x = 1$, $x = 2$로 둘
　 러싸인 부분의 넓이와 같으므로

$$P(1 \leq X \leq 2) = 1 \times \dfrac{1}{2} = \dfrac{1}{2}$$

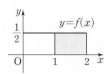

(2) $P(1 \leq X \leq 2)$는 함수 $y = f(x)$의 그
　 래프와 x축 및 직선 $x = 1$로 둘러싸인
　 부분의 넓이와 같으므로

$$P(1 \leq X \leq 2) = \dfrac{1}{2} \times 1 \times \dfrac{1}{2} = \dfrac{1}{4}$$

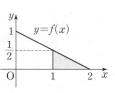

STEP 2 필수 유형 ──────────── | 113쪽 ~ 114쪽 |

01-1 답 1

| 해결 전략 | 연속확률변수 X의 확률밀도함수가 $f(x)$ $(\alpha \leq x \leq \beta)$이면 $y = f(x)$의 그래프와 x축 및 두 직선 $x = \alpha$, $x = \beta$로 둘러싸인 부분의 넓이는 1이다.

함수 $y = f(x)$의 그래프와 x축으로 둘러싸인 부분의 넓이가 1이므로

$$\dfrac{1}{2} \times 2 \times k = 1 \qquad \therefore k = 1$$

01-2 답 $\dfrac{1}{4}$

| 해결 전략 | 연속확률변수 X의 확률밀도함수가 $f(x) (\alpha \leq x \leq \beta)$이면 $y = f(x)$의 그래프와 x축 및 두 직선 $x = \alpha$, $x = \beta$로 둘러싸인 부분의 넓이는 1이다.

함수 $y = f(x)$의 그래프는 오른쪽 그
림과 같다.

함수 $y = f(x)$의 그래프와 x축 및 두
직선 $x = -1$, $x = 2$로 둘러싸인 부
분의 넓이가 1이므로

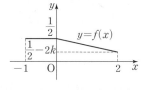

$$1 \times \dfrac{1}{2} + \dfrac{1}{2} \times \left(\dfrac{1}{2} + \dfrac{1}{2} - 2k \right) \times 2 = 1$$

$$\dfrac{3}{2} - 2k = 1$$

$$2k = \dfrac{1}{2} \qquad \therefore k = \dfrac{1}{4}$$

02-1 답 $\dfrac{19}{30}$

| 해결 전략 | $P(a \leq X \leq b)$는 $y = f(x)$의 그래프와 x축 및 두 직선 $x = a$, $x = b$로 둘러싸인 부분의 넓이와 같다.

주어진 함수 $y = f(x)$의 그래프에서

$$f(x) = \begin{cases} \dfrac{1}{5}x & (0 \leq x \leq 2) \\ -\dfrac{2}{15}x + \dfrac{2}{3} & (2 \leq x \leq 5) \end{cases}$$

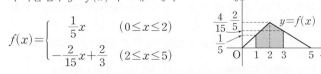

이때, $P(1 \leq X \leq 3)$은 위의 그림의 색칠한 부분의 넓이와 같으므로

$$P(1 \leq X \leq 3) = \dfrac{1}{2} \times \left(\dfrac{1}{5} + \dfrac{2}{5} \right) \times 1 + \dfrac{1}{2} \times \left(\dfrac{2}{5} + \dfrac{4}{15} \right) \times 1$$

$$= \dfrac{3}{10} + \dfrac{1}{3} = \dfrac{19}{30}$$

$$P(1 \le X \le 3) = 1 - P(0 \le X \le 1) - P(3 \le X \le 5)$$
$$= 1 - \frac{1}{2} \times 1 \times \frac{1}{5} - \frac{1}{2} \times 2 \times \frac{4}{15}$$
$$= 1 - \frac{1}{10} - \frac{4}{15} = \frac{19}{30}$$

02-2 답 $\frac{3}{4}$

| 해결 전략 | $y = f(x)$의 그래프와 x축 및 직선 $x = 0$으로 둘러싸인 부분의 넓이가 1임을 이용하여 k의 값을 구한다.

함수 $y = f(x)$의 그래프와 x축 및 직선 $x = 0$으로 둘러싸인 부분의 넓이가 1이므로

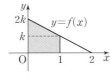

$$\frac{1}{2} \times 2 \times 2k = 1 \qquad \therefore k = \frac{1}{2}$$

이때, $P(0 \le X \le 1)$은 위의 그림의 색칠한 부분의 넓이와 같으므로

$$P(0 \le X \le 1) = \frac{1}{2} \times \left(1 + \frac{1}{2}\right) \times 1 = \frac{3}{4}$$

$$P(0 \le X \le 1) = 1 - P(1 \le X \le 2) = 1 - \frac{1}{2} \times 1 \times \frac{1}{2} = \frac{3}{4}$$

2 정규분포

| 개념 확인 | 115쪽~119쪽 |

1 $N(15, 7^2)$ **2** $N(10, 5^2)$

3 (1) (가) (2) (나) **4** (1) 0.3085 (2) 0.383

5 (1) $Z = \dfrac{X-11}{3}$ (2) $Z = \dfrac{X+20}{5}$

6 (1) $N(18, 3^2)$ (2) $N(20, 4^2)$

1 평균이 15이고 표준편차가 7이므로 확률변수 X는 정규분포 $N(15, 7^2)$을 따른다.

2 분산이 25이므로 표준편차는 $\sqrt{25} = 5$이다.
즉, 평균이 10이고 표준편차가 5이므로 확률변수 X는 정규분포 $N(10, 5^2)$을 따른다.

3 (1) m의 값이 일정할 때, σ의 값이 커지면 곡선의 가운데 부분이 낮아지면서 양쪽으로 퍼진다.
(2) σ의 값이 일정할 때, m의 값이 커지면 대칭축이 오른쪽으로 이동한다.

4 (1) $P(Z \ge 0.5) = P(Z \ge 0) - P(0 \le Z \le 0.5)$
$$= 0.5 - 0.1915 = 0.3085$$
(2) $P(-0.5 \le Z \le 0.5) = P(0 \le Z \le 0.5) + P(0 \le Z \le 0.5)$
$$= 2P(0 \le Z \le 0.5)$$
$$= 2 \times 0.1915 = 0.383$$

5 (1) $m = 11$, $\sigma = 3$이므로 $Z = \dfrac{X-11}{3}$

(2) $m = -20$, $\sigma = 5$이므로 $Z = \dfrac{X-(-20)}{5} = \dfrac{X+20}{5}$

6 (1) $E(X) = 36 \times \dfrac{1}{2} = 18$

$$\sigma(X) = \sqrt{36 \times \frac{1}{2} \times \frac{1}{2}} = 3$$

이때, 36은 충분히 큰 수이므로 X는 근사적으로 정규분포 $N(18, 3^2)$을 따른다.

(2) $E(X) = 100 \times \dfrac{1}{5} = 20$

$$\sigma(X) = \sqrt{100 \times \frac{1}{5} \times \frac{4}{5}} = 4$$

이때, 100은 충분히 큰 수이므로 X는 근사적으로 정규분포 $N(20, 4^2)$을 따른다.

STEP 1 개념 드릴 ───────────── | 120쪽~121쪽 |

개념 check

1-1 (1) 10, 2, 10, 15, 2, 4 (2) 15, 4, 15, 4^2
2-1 (1) m_1, m_3 (2) σ_1, σ_3
3-1 (1) 2, 2, 0.6826 (2) 0, 1, 0.5, 0.1587
　　　(3) -0.5, 1.5, 0.5, 1.5
4-1 (1) 50, 50, 0, 1 (2) 10, 10, 3
5-1 0.4, 60, 150, 0.6, 6, 60, 6

스스로 check

1-2 답 (1) $E(Y) = -242$, $\sigma(Y) = 35$ (2) $N(-242, 35^2)$

(1) 확률변수 X가 정규분포 $N(50, 7^2)$을 따르므로
$E(X) = 50$, $\sigma(X) = 7$
$$\therefore E(Y) = E(-5X+8) = -5E(X) + 8$$
$$= -5 \times 50 + 8 = -242$$
$$\sigma(Y) = \sigma(-5X+8) = |-5|\sigma(X) = 5 \times 7 = 35$$
(2) $E(Y) = -242$, $\sigma(Y) = 35$이므로 확률변수 Y는 정규분포 $N(-242, 35^2)$을 따른다.

2-2 답 (1) $m_1 < m_2 = m_3$ (2) $\sigma_1 = \sigma_2 < \sigma_3$

(1) 세 곡선 A, B, C는 각각 직선 $x = m_1$, $x = m_2$, $x = m_3$에 대하여 대칭이므로
$$m_1 < m_2 = m_3$$
(2) 표준편차가 클수록 곡선의 가운데 부분이 낮아지면서 양쪽으로 퍼지므로
$$\sigma_1 = \sigma_2 < \sigma_3$$

3-2 답 (1) 0.9544 (2) 0.0668 (3) 0.5328

(1) $P(-2 \leq Z \leq 2) = 2P(0 \leq Z \leq 2)$
$$= 2 \times 0.4772 = 0.9544$$

(2) $P(Z \leq -1.5) = P(Z \geq 1.5) = P(Z \geq 0) - P(0 \leq Z \leq 1.5)$
$$= 0.5 - 0.4332 = 0.0668$$

(3) $P(-1 \leq Z \leq 0.5) = P(-1 \leq Z \leq 0) + P(0 \leq Z \leq 0.5)$
$$= P(0 \leq Z \leq 1) + P(0 \leq Z \leq 0.5)$$
$$= 0.3413 + 0.1915 = 0.5328$$

4-2 답 (1) $P(1 \leq Z \leq 3)$ (2) $P(Z \leq 2)$

(1) $P(-2 \leq X \leq 4) = P\left(\dfrac{-2+5}{3} \leq \dfrac{X+5}{3} \leq \dfrac{4+5}{3} \right)$
$$= P(1 \leq Z \leq 3)$$

(2) $P(X \leq 1) = P\left(\dfrac{X+5}{3} \leq \dfrac{1+5}{3} \right)$
$$= P(Z \leq 2)$$

5-2 답 $N(80, 8^2)$

$E(X) = 400 \times 0.2 = 80$

$\sigma(X) = \sqrt{400 \times 0.2 \times 0.8} = 8$

이때, 400은 충분히 큰 수이므로 X는 근사적으로 정규분포 $N(80, 8^2)$을 따른다.

ㄴ. 표준편차가 클수록 곡선의 가운데 부분이 낮아지고 양쪽으로 퍼지므로 $V(X_1) < V(X_2) < V(X_3)$

ㄷ. 각 곡선과 x축 사이의 넓이가 1이고 직선 $x = ($평균$)$에 대하여 대칭이므로
$$P(X_1 \leq m_1) = P(X_3 \geq m_2) = 0.5$$

따라서 옳은 것은 ㄱ, ㄴ이다.

02-1 답 (1) 0.6826 (2) 0.8664

|해결 전략| 정규분포 $N(m, \sigma^2)$을 따르는 확률변수 X를 $Z = \dfrac{X-m}{\sigma}$으로 표준화하여 확률을 구한다.

확률변수 X가 정규분포 $N(20, 1^2)$을 따르므로 $Z = X - 20$으로 놓으면 확률변수 Z는 표준정규분포 $N(0, 1)$을 따른다.

(1) $P(19 \leq X \leq 21) = P(19 - 20 \leq X - 20 \leq 21 - 20)$
$$= P(-1 \leq Z \leq 1)$$
$$= P(-1 \leq Z \leq 0) + P(0 \leq Z \leq 1)$$
$$= 2P(0 \leq Z \leq 1)$$
$$= 2 \times 0.3413 = 0.6826$$

(2) $P(|X - 20| \leq 1.5) = P(-1.5 \leq X - 20 \leq 1.5)$
$$= P(-1.5 \leq Z \leq 1.5)$$
$$= P(-1.5 \leq Z \leq 0) + P(0 \leq Z \leq 1.5)$$
$$= 2P(0 \leq Z \leq 1.5)$$
$$= 2 \times 0.4332 = 0.8664$$

03-1 답 0.8413

|해결 전략| 승용차 한 대를 세차하는 데 걸리는 시간을 확률변수 X로 놓고 X가 따르는 정규분포를 찾은 후, $Z = \dfrac{X-m}{\sigma}$으로 표준화하여 확률을 구한다.

승용차 한 대를 세차하는 데 걸리는 시간을 확률변수 X라 하면 X는 정규분포 $N(30, 4^2)$을 따르므로 $Z = \dfrac{X-30}{4}$으로 놓으면 확률변수 Z는 표준정규분포 $N(0, 1)$을 따른다.

따라서 세차 시간이 26분 이상일 확률은
$P(X \geq 26) = P\left(\dfrac{X-30}{4} \geq \dfrac{26-30}{4} \right)$
$$= P(Z \geq -1)$$
$$= P(-1 \leq Z \leq 0) + P(Z \geq 0)$$
$$= P(0 \leq Z \leq 1) + P(Z \geq 0)$$
$$= 0.3413 + 0.5 = 0.8413$$

01-1 답 12

|해결 전략| 정규분포 $N(m, \sigma^2)$을 따르는 확률변수 X의 정규분포 곡선은 직선 $x = m$에 대하여 대칭이다.

확률변수 X의 정규분포 곡선은 직선 $x = m$에 대하여 대칭이고, $P(X \leq 11) = P(X \geq 13)$이므로
$$m = \dfrac{11+13}{2} = 12$$

01-2 답 ㄱ, ㄴ

|해결 전략| 정규분포 $N(m, \sigma^2)$을 따르는 확률변수 X의 정규분포 곡선은 직선 $x = m$에 대하여 대칭이고, 평균 m과 표준편차 σ에 따라 대칭축의 위치와 모양이 정해진다.

ㄱ. 세 확률변수 X_1, X_2, X_3의 정규분포 곡선이 각각 직선 $x = m_1$, $x = m_1$, $x = m_2$에 대하여 대칭이므로
$E(X_1) = E(X_2) = m_1$, $E(X_3) = m_2$
이때, $m_1 < m_2$이므로 $E(X_1) = E(X_2) < E(X_3)$

03-2 답 2.28 %

|해결 전략| 학생의 일주일 동안의 독서 시간을 확률변수 X로 놓고 X가 따르는 정규분포를 찾은 후, $Z = \dfrac{X-m}{\sigma}$으로 표준화하여 확률을 구한다.

학생의 일주일 동안의 독서 시간을 확률변수 X라 하면 X는 정규분포 $N(8, 1.5^2)$을 따르므로 $Z = \dfrac{X-8}{1.5}$로 놓으면 확률변수 Z는 표준정규분포 $N(0, 1)$을 따른다.

$$\therefore \text{P}(X \geq 11) = \text{P}\left(\frac{X-8}{1.5} \geq \frac{11-8}{1.5}\right)$$
$$= \text{P}(Z \geq 2)$$
$$= \text{P}(Z \geq 0) - \text{P}(0 \leq Z \leq 2)$$
$$= 0.5 - 0.4772 = 0.0228$$

따라서 일주일 동안의 독서 시간이 11시간 이상인 학생은 전체의 2.28 %이다.

04-1 답 48

|해결 전략| 몸무게가 3 kg 이하일 확률을 구한 다음 전체 도수와 곱한다.

신생아의 몸무게를 확률변수 X라 하면 X는 정규분포 $\text{N}(3.4, 0.4^2)$을 따르므로 $Z = \dfrac{X-3.4}{0.4}$로 놓으면 확률변수 Z는 표준정규분포 $\text{N}(0, 1)$을 따른다.

$$\therefore \text{P}(X \leq 3) = \text{P}\left(\frac{X-3.4}{0.4} \leq \frac{3-3.4}{0.4}\right)$$
$$= \text{P}(Z \leq -1) = \text{P}(Z \geq 1)$$
$$= \text{P}(Z \geq 0) - \text{P}(0 \leq Z \leq 1)$$
$$= 0.5 - 0.34 = 0.16$$

따라서 몸무게가 3 kg 이하인 신생아 수는
$$300 \times 0.16 = 48$$

04-2 답 6687

|해결 전략| 무게가 170 g 이상 220 g 이하일 확률을 구한 다음 전체 도수와 곱한다.

인형의 무게를 확률변수 X라 하면 X는 정규분포 $\text{N}(180, 20^2)$을 따르므로 $Z = \dfrac{X-180}{20}$으로 놓으면 확률변수 Z는 표준정규분포 $\text{N}(0, 1)$을 따른다.

$$\therefore \text{P}(170 \leq X \leq 220) = \text{P}\left(\frac{170-180}{20} \leq \frac{X-180}{20} \leq \frac{220-180}{20}\right)$$
$$= \text{P}(-0.5 \leq Z \leq 2)$$
$$= \text{P}(-0.5 \leq Z \leq 0) + \text{P}(0 \leq Z \leq 2)$$
$$= \text{P}(0 \leq Z \leq 0.5) + \text{P}(0 \leq Z \leq 2)$$
$$= 0.1915 + 0.4772 = 0.6687$$

따라서 무게가 170 g 이상 220 g 이하인 인형의 개수는
$$10000 \times 0.6687 = 6687$$

05-1 답 92.8점

|해결 전략| 상위 $a \%$ 이내에 속하는 확률변수 X의 최솟값을 k라 하면 $\text{P}(X \geq k) = \dfrac{a}{100}$이다.

응시자의 시험 점수를 확률변수 X라 하면 X는 정규분포 $\text{N}(80, 10^2)$을 따르므로 $Z = \dfrac{X-80}{10}$으로 놓으면 확률변수 Z는 표준정규분포 $\text{N}(0, 1)$을 따른다.

합격자의 최저 점수를 k점이라 하면
$$\text{P}(X \geq k) = \frac{25}{250} = 0.1$$에서
$$\text{P}(X \geq k) = \text{P}\left(\frac{X-80}{10} \geq \frac{k-80}{10}\right)$$
$$= \text{P}\left(Z \geq \frac{k-80}{10}\right)$$
$$= 0.5 - \text{P}\left(0 \leq Z \leq \frac{k-80}{10}\right) = 0.1$$
$$\therefore \text{P}\left(0 \leq Z \leq \frac{k-80}{10}\right) = 0.4$$

이때, $\text{P}(0 \leq Z \leq 1.28) = 0.4$이므로
$$\frac{k-80}{10} = 1.28 \qquad \therefore k = 92.8$$

따라서 합격자의 최저 점수는 92.8점이다.

05-2 답 72.75점

|해결 전략| 상위 $a \%$ 이내에 속하는 확률변수 X의 최솟값을 k라 하면 $\text{P}(X \geq k) = \dfrac{a}{100}$이다.

학생의 영어 시험 점수를 확률변수 X라 하면 X는 정규분포 $\text{N}(36, 21^2)$을 따르므로 $Z = \dfrac{X-36}{21}$으로 놓으면 확률변수 Z는 표준정규분포 $\text{N}(0, 1)$을 따른다.

상위 4 % 이내인 학생의 최저 점수를 k점이라 하면
$$\text{P}(X \geq k) = 0.04$$에서
$$\text{P}(X \geq k) = \text{P}\left(\frac{X-36}{21} \geq \frac{k-36}{21}\right)$$
$$= \text{P}\left(Z \geq \frac{k-36}{21}\right)$$
$$= 0.5 - \text{P}\left(0 \leq Z \leq \frac{k-36}{21}\right) = 0.04$$
$$\therefore \text{P}\left(0 \leq Z \leq \frac{k-36}{21}\right) = 0.46$$

이때, $\text{P}(0 \leq Z \leq 1.75) = 0.46$이므로
$$\frac{k-36}{21} = 1.75 \qquad \therefore k = 72.75$$

따라서 상위 4 % 이내인 학생의 최저 점수는 72.75점이다.

06-1 답 1

|해결 전략| 확률변수 X가 이항분포 $\text{B}(n, p)$를 따르고 n이 충분히 크면 X는 근사적으로 정규분포 $\text{N}(np, npq)$를 따른다. (단, $q = 1-p$)

확률변수 X가 이항분포 $\text{B}\left(450, \dfrac{1}{3}\right)$을 따르므로
$$\text{E}(X) = 450 \times \frac{1}{3} = 150, \ \sigma(X) = \sqrt{450 \times \frac{1}{3} \times \frac{2}{3}} = 10$$

이때, 450은 충분히 큰 수이므로 X는 근사적으로 정규분포 $\text{N}(150, 10^2)$을 따른다.

따라서 $Z=\dfrac{X-150}{10}$으로 놓으면 확률변수 Z는 표준정규분포 $N(0, 1)$을 따르므로

$$P(140 \le X \le 150) = P\left(\dfrac{140-150}{10} \le \dfrac{X-150}{10} \le \dfrac{150-150}{10}\right)$$
$$= P(-1 \le Z \le 0)$$
$$= P(0 \le Z \le 1)$$

$\therefore k=1$

06-2 答 0.4987

|해결 전략| 확률변수 X가 이항분포 $B(n, p)$를 따르고 n이 충분히 크면 X는 근사적으로 정규분포 $N(np, npq)$를 따른다. (단, $q=1-p$)

확률변수 X가 이항분포 $B\left(100, \dfrac{4}{5}\right)$를 따르므로

$$E(X)=100 \times \dfrac{4}{5}=80, \ \sigma(X)=\sqrt{100 \times \dfrac{4}{5} \times \dfrac{1}{5}}=4$$

이때, 100은 충분히 큰 수이므로 X는 근사적으로 정규분포 $N(80, 4^2)$을 따른다.

따라서 $Z=\dfrac{X-80}{4}$으로 놓으면 확률변수 Z는 표준정규분포 $N(0, 1)$을 따르므로

$$P(80 \le X \le 92) = P\left(\dfrac{80-80}{4} \le \dfrac{X-80}{4} \le \dfrac{92-80}{4}\right)$$
$$= P(0 \le Z \le 3)$$
$$= 0.4987$$

07-1 答 0.1587

|해결 전략| 동전 2개가 모두 앞면이 나오는 횟수를 확률변수 X로 놓고 X가 따르는 이항분포 $B(n, p)$를 찾은 후, X가 근사적으로 따르는 정규분포 $N(np, np(1-p))$를 구한다.

동전 2개가 모두 앞면이 나오는 횟수를 확률변수 X라 하면 동전 2개를 동시에 한 번 던질 때, 2개 모두 앞면이 나올 확률은 $\dfrac{1}{4}$이므로 X는 이항분포 $B\left(48, \dfrac{1}{4}\right)$을 따른다.

$$\therefore E(X)=48 \times \dfrac{1}{4}=12, \ \sigma(X)=\sqrt{48 \times \dfrac{1}{4} \times \dfrac{3}{4}}=3$$

이때, 48은 충분히 큰 수이므로 X는 근사적으로 정규분포 $N(12, 3^2)$을 따른다.

따라서 $Z=\dfrac{X-12}{3}$로 놓으면 확률변수 Z는 표준정규분포 $N(0, 1)$을 따르므로

$$P(X \le 9) = P\left(\dfrac{X-12}{3} \le \dfrac{9-12}{3}\right)$$
$$= P(Z \le -1) = P(Z \ge 1)$$
$$= P(Z \ge 0) - P(0 \le Z \le 1)$$
$$= 0.5 - 0.3413$$
$$= 0.1587$$

07-2 答 0.0668

|해결 전략| 치료되는 환자의 수를 확률변수 X로 놓고 X가 따르는 이항분포 $B(n, p)$를 찾은 후, X가 근사적으로 따르는 정규분포 $N(np, np(1-p))$를 구한다.

치료되는 환자의 수를 확률변수 X라 하면 환자 한 명이 치료될 확률은 0.6이므로 X는 이항분포 $B(150, 0.6)$을 따른다.

$$\therefore E(X)=150 \times 0.6=90, \ \sigma(X)=\sqrt{150 \times 0.6 \times 0.4}=6$$

이때, 150은 충분히 큰 수이므로 X는 근사적으로 정규분포 $N(90, 6^2)$을 따른다.

따라서 $Z=\dfrac{X-90}{6}$으로 놓으면 확률변수 Z는 표준정규분포 $N(0, 1)$을 따르므로

$$P(X \ge 99) = P\left(\dfrac{X-90}{6} \ge \dfrac{99-90}{6}\right)$$
$$= P(Z \ge 1.5)$$
$$= P(Z \ge 0) - P(0 \le Z \le 1.5)$$
$$= 0.5 - 0.4332$$
$$= 0.0668$$

STEP 3 유형 드릴 ———————— | 129쪽~131쪽 |

1-1 答 ①

|해결 전략| 연속확률변수 X의 확률밀도함수가 $f(x) \ (\alpha \le x \le \beta)$이면 $f(x) \ge 0$이고, $y=f(x)$의 그래프와 x축 및 두 직선 $x=\alpha$, $x=\beta$로 둘러싸인 부분의 넓이는 1이다.

① $-1 \le x \le 1$에서 $f(x) \ge 0$이고, 함수 $y=f(x)$의 그래프와 x축 및 두 직선 $x=-1$, $x=1$로 둘러싸인 부분의 넓이가 $\dfrac{1}{2} \times 1 \times 1 + \dfrac{1}{2} \times 1 \times 1 = 1$이므로 확률밀도함수의 그래프가 될 수 있다.

②, ③, ⑤ $-1 \le x \le 1$에서 $f(x) < 0$인 x의 값이 있으므로 확률밀도함수의 그래프가 될 수 없다.

④ $-1 \le x \le 1$에서 $f(x) \ge 0$이지만 함수 $y=f(x)$의 그래프와 x축 및 두 직선 $x=-1$, $x=1$로 둘러싸인 부분의 넓이가 $2 \times 1 = 2$이므로 확률밀도함수의 그래프가 될 수 없다.

1-2 答 ④

|해결 전략| 연속확률변수 X의 확률밀도함수가 $f(x) \ (\alpha \le x \le \beta)$이면 $f(x) \ge 0$이고, $y=f(x)$의 그래프와 x축 및 두 직선 $x=\alpha$, $x=\beta$로 둘러싸인 부분의 넓이는 1이다.

① $0 \le x \le 2$에서 $f(x) \ge 0$이지만 함수 $y=f(x)$의 그래프와 x축으로 둘러싸인 부분의 넓이가 $\dfrac{1}{2} \times 2 \times \dfrac{1}{2} = \dfrac{1}{2}$이므로 확률밀도함수의 그래프가 될 수 없다.

② $0 \le x \le 2$에서 $f(x) \ge 0$이지만 함수 $y=f(x)$의 그래프와 x축 및

직선 $x=2$로 둘러싸인 부분의 넓이가 $\frac{1}{2} \times (1+2) \times \frac{1}{2} = \frac{3}{4}$이므

로 확률밀도함수의 그래프가 될 수 없다.

③, ⑤ $0 \le x \le 2$에서 $f(x) < 0$인 x의 값이 있으므로 확률밀도함수의

그래프가 될 수 없다.

④ $0 \le x \le 2$에서 $f(x) \ge 0$이고, 함수 $y=f(x)$의 그래프와 x축 및

직선 $x=2$로 둘러싸인 부분의 넓이가 $\frac{1}{2} \times 2 \times 1 = 1$이므로 확률밀

도함수의 그래프가 될 수 있다.

2-1 답 $\frac{1}{2}$

|해결 전략| 확률밀도함수 $y=f(x)$의 그래프를 그리고, $\mathrm{P}(a \le X \le b)$는
$y=f(x)$의 그래프와 x축 및 두 직선 $x=a$, $x=b$로 둘러싸인 부분의 넓이와 같
음을 이용한다.

함수 $y=f(x)$의 그래프는 오른쪽 그림과 같고,

$\mathrm{P}(0 \le X \le k)$는 $y=f(x)$의 그래프와 x축 및

직선 $x=k$로 둘러싸인 부분의 넓이와 같으므로

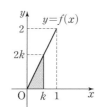

$\mathrm{P}(0 \le X \le k) = \frac{1}{2} \times k \times 2k = \frac{1}{4}$

$k^2 = \frac{1}{4}$이므로 $k = \frac{1}{2}$ $(\because 0 \le k \le 1)$

2-2 답 1

|해결 전략| $\mathrm{P}(a \le X \le b)$는 $y=f(x)$의 그래프와 x축 및 두 직선 $x=a$, $x=b$
로 둘러싸인 부분의 넓이와 같다.

$\mathrm{P}(2 \le X \le 4)$는 $y=f(x)$의 그래프와 x축

및 직선 $x=2$로 둘러싸인 부분의 넓이와

같으므로

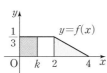

$\mathrm{P}(2 \le X \le 4) = \frac{1}{2} \times 2 \times \frac{1}{3} = \frac{1}{3}$

$\mathrm{P}(0 \le X \le k)$는 $y=f(x)$의 그래프와 x축 및 두 직선 $x=0$, $x=k$

로 둘러싸인 부분의 넓이와 같으므로

$\mathrm{P}(0 \le X \le k) = k \times \frac{1}{3} = \frac{k}{3}$

이때, $\mathrm{P}(0 \le X \le k) = \mathrm{P}(2 \le X \le 4)$이므로

$\frac{k}{3} = \frac{1}{3}$ $\therefore k=1$

3-1 답 ②

|해결 전략| 정규분포 $\mathrm{N}(m, \sigma^2)$을 따르는 확률변수 X의 정규분포 곡선은 직선
$x=m$에 대하여 대칭이고, 평균 m과 표준편차 σ의 값에 따라 대칭축의 위치와
모양이 정해진다.

② $x=m$일 때 최댓값을 갖는다.

3-2 답 ②

|해결 전략| 정규분포 $\mathrm{N}(m, \sigma^2)$을 따르는 확률변수 X의 정규분포 곡선은 평균
m과 표준편차 σ의 값에 따라 대칭축의 위치와 모양이 정해진다.

평균이 커질수록 대칭축이 오른쪽에 위치하므로 평균이 가장 큰 학
교는 B이다.

또, 표준편차가 커질수록 곡선의 가운데 부분이 낮아지면서 양쪽으
로 퍼지므로 표준편차가 가장 큰 학교는 C이다.

4-1 답 34

|해결 전략| 두 확률변수 X, Y를 각각 $Z_X = \frac{X-8}{2}$, $Z_Y = \frac{Y-25}{6}$로 표준화
한다.

두 확률변수 X, Y가 각각 정규분포 $\mathrm{N}(8, 2^2)$, $\mathrm{N}(25, 6^2)$을 따르므

로 $Z_X = \frac{X-8}{2}$, $Z_Y = \frac{Y-25}{6}$로 놓으면 두 확률변수 Z_X, Z_Y는 모

두 표준정규분포 $\mathrm{N}(0, 1)$을 따른다.

$\mathrm{P}(6 \le X \le 11) = \mathrm{P}(19 \le Y \le k)$에서

$\mathrm{P}\left(\frac{6-8}{2} \le \frac{X-8}{2} \le \frac{11-8}{2}\right) = \mathrm{P}\left(\frac{19-25}{6} \le \frac{Y-25}{6} \le \frac{k-25}{6}\right)$

$\mathrm{P}(-1 \le Z_X \le 1.5) = \mathrm{P}\left(-1 \le Z_Y \le \frac{k-25}{6}\right)$

따라서 $\frac{k-25}{6} = 1.5$이므로 $k=34$

4-2 답 17

|해결 전략| 두 확률변수 X, Y를 각각 $Z_X = \frac{X-11}{3}$, $Z_Y = \frac{Y-21}{2}$로 표준
화한다.

두 확률변수 X, Y가 각각 정규분포 $\mathrm{N}(11, 3^2)$, $\mathrm{N}(21, 2^2)$을 따르므

로 $Z_X = \frac{X-11}{3}$, $Z_Y = \frac{Y-21}{2}$로 놓으면 두 확률변수 Z_X, Z_Y는

모두 표준정규분포 $\mathrm{N}(0, 1)$을 따른다.

$\mathrm{P}(X \le k) = \mathrm{P}(Y \ge k)$에서

$\mathrm{P}\left(\frac{X-11}{3} \le \frac{k-11}{3}\right) = \mathrm{P}\left(\frac{Y-21}{2} \ge \frac{k-21}{2}\right)$

$\mathrm{P}\left(Z_X \le \frac{k-11}{3}\right) = \mathrm{P}\left(Z_Y \ge \frac{k-21}{2}\right)$

따라서 $\frac{k-11}{3} = -\frac{k-21}{2}$이므로 $2(k-11) = -3(k-21)$

$5k=85$ $\therefore k=17$ ← 표준정규분포를 따르는 확률변수 Z의 확률밀도함수
$f(z)$의 그래프는 직선 $z=0$에 대하여 대칭이다.

5-1 답 0.3446

|해결 전략| $\mathrm{E}(aX+b) = a\mathrm{E}(X)+b$, $\sigma(aX+b) = |a|\sigma(X)$임을 이용하
여 $\mathrm{E}(Y)$, $\sigma(Y)$를 구한 다음 확률변수 Y를 표준정규분포 $\mathrm{N}(0, 1)$을 따르는 확
률변수 Z로 표준화한다.

$\mathrm{E}(X) = 3$, $\sigma(X) = 5$이므로

$\mathrm{E}(Y) = \mathrm{E}(2X+1) = 2\mathrm{E}(X)+1 = 2 \times 3 + 1 = 7$

$\sigma(Y) = \sigma(2X+1) = |2|\sigma(X) = 2 \times 5 = 10$

즉, 확률변수 Y는 정규분포 $\mathrm{N}(7, 10^2)$을 따른다.

이때, $Z=\dfrac{Y-7}{10}$로 놓으면 확률변수 Z는 표준정규분포 $N(0,1)$을 따르므로

$$P(Y\le 3)=P\left(\dfrac{Y-7}{10}\le\dfrac{3-7}{10}\right)$$
$$=P(Z\le -0.4)=P(Z\ge 0.4)$$
$$=P(Z\ge 0)-P(0\le Z\le 0.4)$$
$$=0.5-0.1554=0.3446$$

다른 풀이

$Y=2X+1$이므로
$$P(Y\le 3)=P(2X+1\le 3)=P(X\le 1)$$

이때, 확률변수 X가 정규분포 $N(3,5^2)$을 따르므로 $Z=\dfrac{X-3}{5}$으로 놓으면 확률변수 Z는 표준정규분포 $N(0,1)$을 따른다.

$$\therefore P(Y\le 3)=P(X\le 1)=P\left(\dfrac{X-3}{5}\le\dfrac{1-3}{5}\right)$$
$$=P(Z\le -0.4)=P(Z\ge 0.4)$$
$$=P(Z\ge 0)-P(0\le Z\le 0.4)$$
$$=0.5-0.1554=0.3446$$

5-2 답 0.9104

|해결 전략| $E(aX+b)=aE(X)+b$, $\sigma(aX+b)=|a|\sigma(X)$임을 이용하여 $E(Y)$, $\sigma(Y)$를 구한 다음 확률변수 Y를 표준정규분포 $N(0,1)$을 따르는 확률변수 Z로 표준화한다.

$E(X)=10$, $\sigma(X)=3$이므로
$$E(Y)=E(2X-3)=2E(X)-3=2\times 10-3=17$$
$$\sigma(Y)=\sigma(2X-3)=|2|\sigma(X)=2\times 3=6$$
즉, 확률변수 Y는 정규분포 $N(17,6^2)$을 따른다.

이때, $Z=\dfrac{Y-17}{6}$로 놓으면 확률변수 Z는 표준정규분포 $N(0,1)$을 따르므로

$$P(8\le Y\le 29)=P\left(\dfrac{8-17}{6}\le\dfrac{Y-17}{6}\le\dfrac{29-17}{6}\right)$$
$$=P(-1.5\le Z\le 2)$$
$$=P(-1.5\le Z\le 0)+P(0\le Z\le 2)$$
$$=P(0\le Z\le 1.5)+P(0\le Z\le 2)$$
$$=0.4332+0.4772=0.9104$$

다른 풀이

$Y=2X-3$이므로
$$P(8\le Y\le 29)=P(8\le 2X-3\le 29)=P(5.5\le X\le 16)$$

이때, 확률변수 X가 정규분포 $N(10,3^2)$을 따르므로 $Z=\dfrac{X-10}{3}$으로 놓으면 확률변수 Z는 표준정규분포 $N(0,1)$을 따른다.

$$\therefore P(8\le Y\le 29)=P(5.5\le X\le 16)$$
$$=P\left(\dfrac{5.5-10}{3}\le\dfrac{X-10}{3}\le\dfrac{16-10}{3}\right)$$
$$=P(-1.5\le Z\le 2)$$
$$=P(-1.5\le Z\le 0)+P(0\le Z\le 2)$$
$$=P(0\le Z\le 1.5)+P(0\le Z\le 2)$$
$$=0.4332+0.4772=0.9104$$

6-1 답 10

|해결 전략| 확률변수 X를 $Z=\dfrac{X-m}{\sigma}$으로 표준화하여 주어진 확률을 Z에 대한 확률로 나타낸 후, 표준정규분포표에서 이를 만족시키는 값을 찾는다.

확률변수 X가 정규분포 $N(12,2^2)$을 따르므로 $Z=\dfrac{X-12}{2}$로 놓으면 확률변수 Z는 표준정규분포 $N(0,1)$을 따른다.

$P(k\le X\le 12)=0.3413$에서

$$P(k\le X\le 12)=P\left(\dfrac{k-12}{2}\le\dfrac{X-12}{2}\le\dfrac{12-12}{2}\right)$$
$$=P\left(\dfrac{k-12}{2}\le Z\le 0\right)$$
$$=P\left(0\le Z\le -\dfrac{k-12}{2}\right)=0.3413$$

이때, $P(0\le Z\le 1)=0.3413$이므로
$$-\dfrac{k-12}{2}=1 \qquad \therefore k=10$$

6-2 답 3

|해결 전략| 확률변수 X를 $Z=\dfrac{X-m}{\sigma}$으로 표준화하여 주어진 확률을 Z에 대한 확률로 나타낸 후, 표준정규분포표에서 이를 만족시키는 값을 찾는다.

확률변수 X가 정규분포 $N(10,\sigma^2)$을 따르므로 $Z=\dfrac{X-10}{\sigma}$으로 놓으면 확률변수 Z는 표준정규분포 $N(0,1)$을 따른다.

$P(X\le 13)=0.8413$에서

$$P(X\le 13)=P\left(\dfrac{X-10}{\sigma}\le\dfrac{13-10}{\sigma}\right)$$
$$=P\left(Z\le\dfrac{3}{\sigma}\right)$$
$$=0.5+P\left(0\le Z\le\dfrac{3}{\sigma}\right)=0.8413$$

$$\therefore P\left(0\le Z\le\dfrac{3}{\sigma}\right)=0.3413$$

이때, $P(0\le Z\le 1)=0.3413$이므로
$$\dfrac{3}{\sigma}=1 \qquad \therefore \sigma=3$$

7-1 답 15.74 %

|해결 전략| 신입생의 키를 확률변수 X로 놓고 X가 따르는 정규분포를 찾은 후, $Z=\dfrac{X-m}{\sigma}$으로 표준화하여 확률을 구한다.

신입생의 키를 확률변수 X라 하면 X는 정규분포 $N(165,5^2)$을 따르므로 $Z=\dfrac{X-165}{5}$로 놓으면 확률변수 Z는 표준정규분포 $N(0,1)$을 따른다.

$$\therefore P(170\le X\le 180)=P\left(\dfrac{170-165}{5}\le\dfrac{X-165}{5}\le\dfrac{180-165}{5}\right)$$
$$=P(1\le Z\le 3)$$
$$=P(0\le Z\le 3)-P(0\le Z\le 1)$$
$$=0.4987-0.3413=0.1574$$

따라서 키가 170 cm 이상 180 cm 이하인 신입생은 전체의 15.74 %이다.

7-2 🖋 0.0456

|해결 전략| 사과 한 개의 무게를 확률변수 X로 놓고 X가 따르는 정규분포를 찾은 후, $Z=\dfrac{X-m}{\sigma}$으로 표준화하여 확률을 구한다.

사과 한 개의 무게를 확률변수 X라 하면 X는 정규분포 $\mathrm{N}(240,\,12^2)$을 따르므로 $Z=\dfrac{X-240}{12}$으로 놓으면 확률변수 Z는 표준정규분포 $\mathrm{N}(0,\,1)$을 따른다.

$$\begin{aligned}\therefore \mathrm{P}(X\le216)&=\mathrm{P}\left(\frac{X-240}{12}\le\frac{216-240}{12}\right)\\&=\mathrm{P}(Z\le-2)=\mathrm{P}(Z\ge2)\\&=\mathrm{P}(Z\ge0)-\mathrm{P}(0\le Z\le2)\\&=0.5-0.4772=0.0228\end{aligned}$$

$$\begin{aligned}\mathrm{P}(X\ge264)&=\mathrm{P}\left(\frac{X-240}{12}\ge\frac{264-240}{12}\right)\\&=\mathrm{P}(Z\ge2)\\&=\mathrm{P}(Z\ge0)-\mathrm{P}(0\le Z\le2)\\&=0.5-0.4772=0.0228\end{aligned}$$

따라서 구하는 확률은
$0.0228+0.0228=0.0456$

8-1 🖋 1587

|해결 전략| 휴대전화 배터리가 불량품으로 분류될 확률을 구한 다음 전체 도수와 곱한다.

휴대전화 배터리의 지속 시간을 확률변수 X라 하면 X는 정규분포 $\mathrm{N}(60,\,5^2)$을 따르므로 $Z=\dfrac{X-60}{5}$으로 놓으면 확률변수 Z는 표준정규분포 $\mathrm{N}(0,\,1)$을 따른다.

$$\begin{aligned}\therefore \mathrm{P}(X\le55)&=\mathrm{P}\left(\frac{X-60}{5}\le\frac{55-60}{5}\right)\\&=\mathrm{P}(Z\le-1)=\mathrm{P}(Z\ge1)\\&=\mathrm{P}(Z\ge0)-\mathrm{P}(0\le Z\le1)\\&=0.5-0.3413=0.1587\end{aligned}$$

따라서 불량품으로 분류된 배터리의 개수는
$10000\times0.1587=1587$

8-2 🖋 2일

|해결 전략| 오전 7시 36분에 출발하므로 등교하는 데 걸리는 시간이 24분을 넘으면 지각하게 된다.

준서가 등교하는 데 걸리는 시간을 확률변수 X라 하면 X는 정규분포 $\mathrm{N}(20,\,2^2)$을 따르므로 $Z=\dfrac{X-20}{2}$으로 놓으면 확률변수 Z는 표준정규분포 $\mathrm{N}(0,\,1)$을 따른다.

$X>24$일 때 지각하게 되므로 지각할 확률은

$$\begin{aligned}\mathrm{P}(X>24)&=\mathrm{P}\left(\frac{X-20}{2}>\frac{24-20}{2}\right)\\&=\mathrm{P}(Z>2)\\&=\mathrm{P}(Z\ge0)-\mathrm{P}(0\le Z\le2)\\&=0.5-0.48=0.02\end{aligned}$$

따라서 준서가 100일 동안 지각한 날은
$100\times0.02=2$(일)

9-1 🖋 46시간

|해결 전략| 상위 $a\,\%$ 이내에 속하는 확률변수 X의 최솟값을 k라 하면 $\mathrm{P}(X\ge k)=\dfrac{a}{100}$이다.

일 년 동안 봉사 활동을 한 시간을 확률변수 X라 하면 X는 정규분포 $\mathrm{N}(30,\,8^2)$을 따르므로 $Z=\dfrac{X-30}{8}$으로 놓으면 확률변수 Z는 표준정규분포 $\mathrm{N}(0,\,1)$을 따른다.

봉사상을 받기 위해서는 400명의 학생 중 상위 8명 안에 들어야 하므로 봉사상을 받을 수 있는 최저 봉사 활동 시간을 k시간이라 하면

$\mathrm{P}(X\ge k)=\dfrac{8}{400}=0.02$에서

$$\begin{aligned}\mathrm{P}(X\ge k)&=\mathrm{P}\left(\frac{X-30}{8}\ge\frac{k-30}{8}\right)\\&=\mathrm{P}\left(Z\ge\frac{k-30}{8}\right)\\&=0.5-\mathrm{P}\left(0\le Z\le\frac{k-30}{8}\right)=0.02\end{aligned}$$

$\therefore \mathrm{P}\left(0\le Z\le\dfrac{k-30}{8}\right)=0.48$

이때, $\mathrm{P}(0\le Z\le2)=0.48$이므로

$\dfrac{k-30}{8}=2$ $\therefore k=46$

따라서 봉사상을 받으려면 일 년 동안 봉사 활동을 최소 46시간 이상 해야 한다.

9-2 🖋 130

|해결 전략| 상위 $a\,\%$ 이내에 속하는 확률변수 X의 최솟값을 k라 하면 $\mathrm{P}(X\ge k)=\dfrac{a}{100}$이다.

어느 반 학생들의 IQ를 확률변수 X라 하면 X는 정규분포 $\mathrm{N}(118,\,8^2)$을 따르므로 $Z=\dfrac{X-118}{8}$로 놓으면 확률변수 Z는 표준정규분포 $\mathrm{N}(0,\,1)$을 따른다.

상위 7 % 이내에 속하기 위한 최저 IQ를 k라 하면
$\mathrm{P}(X\ge k)=0.07$에서

$$\begin{aligned}\mathrm{P}(X\ge k)&=\mathrm{P}\left(\frac{X-118}{8}\ge\frac{k-118}{8}\right)\\&=\mathrm{P}\left(Z\ge\frac{k-118}{8}\right)\\&=0.5-\mathrm{P}\left(0\le Z\le\frac{k-118}{8}\right)\\&=0.07\end{aligned}$$

$\therefore \mathrm{P}\left(0\le Z\le\dfrac{k-118}{8}\right)=0.43$

이때, $\mathrm{P}(0\le Z\le1.5)=0.43$이므로

$\dfrac{k-118}{8}=1.5$ $\therefore k=130$

따라서 상위 7 % 이내에 속하는 학생의 최저 IQ는 130이다.

10-1 답 0.86

|해결 전략| 확률변수 X가 따르는 이항분포 $\mathrm{B}(n,\,p)$를 구하고, X가 근사적으로 정규분포를 따름을 이용한다.

확률변수 X가 이항분포 $\mathrm{B}\!\left(150,\,\dfrac{2}{5}\right)$를 따르므로

$\mathrm{E}(X)=150\times\dfrac{2}{5}=60,\ \sigma(X)=\sqrt{150\times\dfrac{2}{5}\times\dfrac{3}{5}}=6$

이때, 150은 충분히 큰 수이므로 X는 근사적으로 정규분포 $\mathrm{N}(60,\,6^2)$을 따른다.

따라서 $Z=\dfrac{X-60}{6}$으로 놓으면 확률변수 Z는 표준정규분포 $\mathrm{N}(0,\,1)$을 따르므로

$$\begin{aligned}
\mathrm{P}(51\le X\le 69)&=\mathrm{P}\!\left(\frac{51-60}{6}\le \frac{X-60}{6}\le \frac{69-60}{6}\right)\\
&=\mathrm{P}(-1.5\le Z\le 1.5)\\
&=\mathrm{P}(-1.5\le Z\le 0)+\mathrm{P}(0\le Z\le 1.5)\\
&=2\mathrm{P}(0\le Z\le 1.5)\\
&=2\times 0.43=0.86
\end{aligned}$$

10-2 답 51

|해결 전략| 확률변수 X가 이항분포 $\mathrm{B}(n,\,p)$를 따르고 n이 충분히 크면 X는 근사적으로 정규분포 $\mathrm{N}(np,\,npq)$를 따른다. (단, $q=1-p$)

확률변수 X가 이항분포 $\mathrm{B}\!\left(225,\,\dfrac{1}{5}\right)$을 따르므로

$\mathrm{E}(X)=225\times\dfrac{1}{5}=45,\ \sigma(X)=\sqrt{225\times\dfrac{1}{5}\times\dfrac{4}{5}}=6$

이때, 225는 충분히 큰 수이므로 X는 근사적으로 정규분포 $\mathrm{N}(45,\,6^2)$을 따른다.

따라서 $Z=\dfrac{X-45}{6}$로 놓으면 확률변수 Z는 표준정규분포 $\mathrm{N}(0,\,1)$을 따르므로

$$\begin{aligned}
\mathrm{P}(X\le k)&=\mathrm{P}\!\left(\frac{X-45}{6}\le \frac{k-45}{6}\right)\\
&=\mathrm{P}\!\left(Z\le \frac{k-45}{6}\right)\\
&=0.5+\mathrm{P}\!\left(0\le Z\le \frac{k-45}{6}\right)=0.8413
\end{aligned}$$

$\therefore \mathrm{P}\!\left(0\le Z\le \dfrac{k-45}{6}\right)=0.3413$

이때, $\mathrm{P}(0\le Z\le 1)=0.3413$이므로

$\dfrac{k-45}{6}=1 \qquad \therefore k=51$

11-1 답 0.9332

|해결 전략| 예약을 취소하는 사람 수를 확률변수 X로 놓고 탑승객이 정원을 초과하지 않으려면 $X\ge 68$이어야 함을 이용한다.

예약을 취소하는 사람 수를 확률변수 X라 하면 X는 이항분포 $\mathrm{B}(400,\,0.2)$를 따르므로

$\mathrm{E}(X)=400\times 0.2=80,\ \sigma(X)=\sqrt{400\times 0.2\times 0.8}=8$

이때, 400은 충분히 큰 수이므로 X는 근사적으로 정규분포 $\mathrm{N}(80,\,8^2)$을 따른다.

따라서 $Z=\dfrac{X-80}{8}$으로 놓으면 확률변수 Z는 표준정규분포 $\mathrm{N}(0,\,1)$을 따른다.

탑승객이 정원을 초과하지 않으려면 예약을 취소하는 사람 수가 $400-332=68$ 이상이어야 하므로 구하는 확률은

$$\begin{aligned}
\mathrm{P}(X\ge 68)&=\mathrm{P}\!\left(\frac{X-80}{8}\ge \frac{68-80}{8}\right)\\
&=\mathrm{P}(Z\ge -1.5)\\
&=\mathrm{P}(Z\le 1.5)\\
&=\mathrm{P}(Z\le 0)+\mathrm{P}(0\le Z\le 1.5)\\
&=0.5+0.4332=0.9332
\end{aligned}$$

11-2 답 216

|해결 전략| 자유투를 시도하여 성공한 횟수를 확률변수 X로 놓고 X가 따르는 이항분포 $\mathrm{B}(n,\,p)$를 찾은 후, X가 근사적으로 따르는 정규분포 $\mathrm{N}(np,\,np(1-p))$를 구한다.

자유투를 시도하여 성공한 횟수를 확률변수 X라 하면 X는 이항분포 $\mathrm{B}\!\left(600,\,\dfrac{2}{5}\right)$를 따르므로

$\mathrm{E}(X)=600\times\dfrac{2}{5}=240,\ \sigma(X)=\sqrt{600\times\dfrac{2}{5}\times\dfrac{3}{5}}=12$

이때, 600은 충분히 큰 수이므로 X는 근사적으로 정규분포 $\mathrm{N}(240,\,12^2)$을 따른다.

따라서 $Z=\dfrac{X-240}{12}$으로 놓으면 확률변수 Z는 표준정규분포 $\mathrm{N}(0,\,1)$을 따르므로 $\mathrm{P}(X\ge k)=0.98$에서

$$\begin{aligned}
\mathrm{P}(X\ge k)&=\mathrm{P}\!\left(\frac{X-240}{12}\ge \frac{k-240}{12}\right)\\
&=\mathrm{P}\!\left(Z\ge \frac{k-240}{12}\right)\\
&=\mathrm{P}\!\left(Z\le -\frac{k-240}{12}\right)\\
&=0.5+\mathrm{P}\!\left(0\le Z\le -\frac{k-240}{12}\right)=0.98
\end{aligned}$$

$\therefore \mathrm{P}\!\left(0\le Z\le -\dfrac{k-240}{12}\right)=0.48$

이때, $\mathrm{P}(0\le Z\le 2)=0.48$이므로

$-\dfrac{k-240}{12}=2 \qquad \therefore k=216$

6 │ 통계적 추정

1 모집단과 표본

개념 확인 134쪽~137쪽

1 ㄱ, ㄷ, ㄹ
2 $\overline{X}=4$, $S^2=1$, $S=1$
3 $E(\overline{X})=20$, $V(\overline{X})=\dfrac{16}{9}$, $\sigma(\overline{X})=\dfrac{4}{3}$
4 10

1 ㄱ. 한강의 모든 물을 조사하는 것은 매우 오랜 시간이 걸리기 때문에 표본조사가 적합하다.

ㄴ. 학급의 시험 성적은 시간이 지나도 변하지 않는 값이고, 조사 대상도 많지 않아 충분히 전체를 조사할 수 있으므로 전수조사가 적합하다.

ㄷ. TV 프로그램을 시청하고 있는 시청자를 모두 찾아내는 것은 어려우므로 표본조사가 적합하다.

ㄹ. 모든 과일의 당도를 조사하면 판매할 수 있는 과일이 없으므로 표본조사가 적합하다.

따라서 표본조사가 적합한 것은 ㄱ, ㄷ, ㄹ이다.

2 표본평균은

$$\overline{X}=\frac{1}{3}(3+4+5)=4$$

표본분산은

$$S^2=\frac{1}{3-1}\{(3-4)^2+(4-4)^2+(5-4)^2\}=1$$

표본표준편차는

$$S=\sqrt{1}=1$$

3 모평균이 20, 모표준편차가 4, 표본의 크기가 9이므로

$$E(\overline{X})=20, \ V(\overline{X})=\frac{4^2}{9}=\frac{16}{9}, \ \sigma(\overline{X})=\frac{4}{\sqrt{9}}=\frac{4}{3}$$

4 모집단이 정규분포 $N(10, 3^2)$을 따르고 표본의 크기가 9이므로

$$E(\overline{X})=10, \ \sigma(\overline{X})=\frac{3}{\sqrt{9}}=1$$

즉, 표본평균 $\overline{X}$는 정규분포 $N(10, 1^2)$을 따른다.

따라서 $a=10$, $b=1$이므로 $ab=10\times1=10$

STEP 1 개념 드릴 138쪽

개념 check

1-1 (1) 5, 5, 5, 25 (2) 4, 4, 20 (3) 2, 2, 2, 10
2-1 (1) 50, 100, 1 (2) 1, 1, 1, 1, -2, 2, 0.4772, 0.9772

스스로 check

1-2 📋 (1) 125 (2) 60 (3) 10

(1) 첫 번째 꺼내는 경우의 수가 5, 그 각각에 대하여 두 번째 꺼내는 경우의 수가 5, 그 각각에 대하여 세 번째 꺼내는 경우의 수도 5이므로

$$_5\Pi_3=5^3=125$$

(2) 첫 번째 꺼내는 경우의 수가 5, 그 각각에 대하여 두 번째 꺼내는 경우의 수가 4, 그 각각에 대하여 세 번째 꺼내는 경우의 수가 3이므로

$$_5P_3=5\times4\times3=60$$

(3) 동시에 3개를 꺼내는 경우의 수는 서로 다른 5개에서 3개를 택하는 조합의 수와 같으므로

$$_5C_3={}_5C_2=\frac{5\times4}{2\times1}=10$$

2-2 📋 (1) $E(\overline{X})=50$, $\sigma(\overline{X})=2$ (2) 0.1587

(1) 모평균이 50, 모표준편차가 10, 표본의 크기가 25이므로

$$E(\overline{X})=50, \ \sigma(\overline{X})=\frac{10}{\sqrt{25}}=2$$

(2) 표본평균 $\overline{X}$는 정규분포 $N(50, 2^2)$을 따르므로 $Z=\dfrac{\overline{X}-50}{2}$으로 놓으면 확률변수 Z는 표준정규분포 $N(0, 1)$을 따른다.

$$\therefore P(\overline{X}\geq52)=P\left(\frac{\overline{X}-50}{2}\geq\frac{52-50}{2}\right)$$
$$=P(Z\geq1)=P(Z\geq0)-P(0\leq Z\leq1)$$
$$=0.5-0.3413=0.1587$$

LECTURE

표본평균 $\overline{X}$가 정규분포 $N\left(m, \dfrac{\sigma^2}{n}\right)$을 따를 때, $Z=\dfrac{\overline{X}-m}{\dfrac{\sigma}{\sqrt{n}}}$으로 놓으면 확률변수 Z는 표준정규분포 $N(0, 1)$을 따른다.

STEP 2 필수 유형 139쪽~142쪽

01-1 📋 $\dfrac{\sqrt{6}}{6}$

|해결 전략| 모평균이 m, 모표준편차가 σ, 표본의 크기가 n이면 $E(\overline{X})=m$, $V(\overline{X})=\dfrac{\sigma^2}{n}$, $\sigma(\overline{X})=\dfrac{\sigma}{\sqrt{n}}$ 임을 이용한다.

확률변수 X에 대하여

$$\mathrm{E}(X)=(-2)\times\frac{1}{8}+(-1)\times\frac{1}{4}+0\times\frac{1}{4}+1\times\frac{1}{4}+2\times\frac{1}{8}=0$$

$$\mathrm{V}(X)=(-2)^2\times\frac{1}{8}+(-1)^2\times\frac{1}{4}+0^2\times\frac{1}{4}+1^2\times\frac{1}{4}+2^2\times\frac{1}{8}-0^2$$

$$=\frac{3}{2}$$

$$\sigma(X)=\frac{\sqrt{6}}{2}$$

이때, 표본의 크기가 9이므로

$$\mathrm{E}(\overline{X})=0,\ \sigma(\overline{X})=\frac{\frac{\sqrt{6}}{2}}{\sqrt{9}}=\frac{\sqrt{6}}{6}$$

$$\therefore\ \mathrm{E}(\overline{X})+\sigma(\overline{X})=0+\frac{\sqrt{6}}{6}=\frac{\sqrt{6}}{6}$$

02-1 답 $\mathrm{E}(\overline{X})=\frac{5}{2},\ \mathrm{V}(\overline{X})=\frac{1}{4}$

|해결 전략| 모집단의 확률분포를 표로 나타낸 후, 모평균과 모분산을 구한다.
주머니에서 임의로 1장의 카드를 꺼낼 때, 카드에 적힌 숫자를 확률변수 X라 하고 X의 확률분포를 표로 나타내면 다음과 같다.

X	1	2	3	4	합계
$\mathrm{P}(X=x)$	$\frac{1}{4}$	$\frac{1}{4}$	$\frac{1}{4}$	$\frac{1}{4}$	1

확률변수 X에 대하여

$$\mathrm{E}(X)=1\times\frac{1}{4}+2\times\frac{1}{4}+3\times\frac{1}{4}+4\times\frac{1}{4}=\frac{5}{2}$$

$$\mathrm{V}(X)=1^2\times\frac{1}{4}+2^2\times\frac{1}{4}+3^2\times\frac{1}{4}+4^2\times\frac{1}{4}-\left(\frac{5}{2}\right)^2=\frac{5}{4}$$

이때, 표본의 크기가 5이므로

$$\mathrm{E}(\overline{X})=\frac{5}{2},\ \mathrm{V}(\overline{X})=\frac{\frac{5}{4}}{5}=\frac{1}{4}$$

02-2 답 $\frac{7}{2}$

|해결 전략| 모집단의 확률분포를 표로 나타낸 후, 모평균과 모표준편차를 구한다.
주머니에서 임의로 1장의 카드를 꺼낼 때, 카드에 적힌 숫자를 확률변수 X라 하고 X의 확률분포를 표로 나타내면 다음과 같다.

X	1	2	3	4	합계
$\mathrm{P}(X=x)$	$\frac{1}{10}$	$\frac{1}{5}$	$\frac{3}{10}$	$\frac{2}{5}$	1

확률변수 X에 대하여

$$\mathrm{E}(X)=1\times\frac{1}{10}+2\times\frac{1}{5}+3\times\frac{3}{10}+4\times\frac{2}{5}=3$$

$$\mathrm{V}(X)=1^2\times\frac{1}{10}+2^2\times\frac{1}{5}+3^2\times\frac{3}{10}+4^2\times\frac{2}{5}-3^2=1$$

$$\sigma(X)=1$$

이때, 표본의 크기가 4이므로

$$\mathrm{E}(\overline{X})=3,\ \sigma(\overline{X})=\frac{1}{\sqrt{4}}=\frac{1}{2}$$

$$\therefore\ \mathrm{E}(\overline{X})+\sigma(\overline{X})=3+\frac{1}{2}=\frac{7}{2}$$

03-1 답 0.8185

|해결 전략| 모집단이 정규분포 $\mathrm{N}(m,\sigma^2)$을 따르고 표본의 크기가 n이면 표본평균 $\overline{X}$는 정규분포 $\mathrm{N}\!\left(m,\frac{\sigma^2}{n}\right)$을 따른다.

모집단이 정규분포 $\mathrm{N}(20,4^2)$을 따르고 표본의 크기가 64이므로

$$\mathrm{E}(\overline{X})=20,\ \sigma(\overline{X})=\frac{4}{\sqrt{64}}=\frac{1}{2}$$

따라서 표본평균 $\overline{X}$는 정규분포 $\mathrm{N}\!\left(20,\left(\frac{1}{2}\right)^2\right)$을 따른다.

이때, $Z=\dfrac{\overline{X}-20}{\frac{1}{2}}$으로 놓으면 확률변수 Z는 표준정규분포 $\mathrm{N}(0,1)$을 따르므로

$$\mathrm{P}(19\leq\overline{X}\leq20.5)=\mathrm{P}\!\left(\frac{19-20}{\frac{1}{2}}\leq\frac{\overline{X}-20}{\frac{1}{2}}\leq\frac{20.5-20}{\frac{1}{2}}\right)$$

$$=\mathrm{P}(-2\leq Z\leq1)$$
$$=\mathrm{P}(-2\leq Z\leq0)+\mathrm{P}(0\leq Z\leq1)$$
$$=\mathrm{P}(0\leq Z\leq2)+\mathrm{P}(0\leq Z\leq1)$$
$$=0.4772+0.3413=0.8185$$

03-2 답 0.6826

|해결 전략| 모집단이 정규분포 $\mathrm{N}(m,\sigma^2)$을 따르고 표본의 크기가 n이면 표본평균 $\overline{X}$는 정규분포 $\mathrm{N}\!\left(m,\frac{\sigma^2}{n}\right)$을 따른다.

모집단이 정규분포 $\mathrm{N}(30,6^2)$을 따르고 표본의 크기가 9이므로

$$\mathrm{E}(\overline{X})=30,\ \sigma(\overline{X})=\frac{6}{\sqrt{9}}=2$$

따라서 표본평균 $\overline{X}$는 정규분포 $\mathrm{N}(30,2^2)$을 따른다.

이때, $Z=\dfrac{\overline{X}-30}{2}$으로 놓으면 확률변수 Z는 표준정규분포 $\mathrm{N}(0,1)$을 따르므로

$$\mathrm{P}(28\leq\overline{X}\leq32)=\mathrm{P}\!\left(\frac{28-30}{2}\leq\frac{\overline{X}-30}{2}\leq\frac{32-30}{2}\right)$$

$$=\mathrm{P}(-1\leq Z\leq1)$$
$$=\mathrm{P}(-1\leq Z\leq0)+\mathrm{P}(0\leq Z\leq1)$$
$$=2\mathrm{P}(0\leq Z\leq1)$$
$$=2\times0.3413=0.6826$$

04-1 답 16

|해결 전략| 정규분포 $\mathrm{N}\!\left(m,\frac{\sigma^2}{n}\right)$을 따르는 표본평균 $\overline{X}$를 $Z=\dfrac{\overline{X}-m}{\frac{\sigma}{\sqrt{n}}}$으로 표준화하여 주어진 확률을 Z에 대한 확률로 나타낸 후, 이를 만족시키는 n의 값을 구한다.

모집단이 정규분포 $N(10, 2^2)$을 따르고 표본의 크기가 n이므로 표본평균 $\overline{X}$는 정규분포 $N\left(10, \dfrac{2^2}{n}\right)$을 따른다.

이때, $Z=\dfrac{\overline{X}-10}{\dfrac{2}{\sqrt{n}}}$으로 놓으면 확률변수 Z는 표준정규분포 $N(0, 1)$을 따르므로

$$\begin{aligned}
P(9\le\overline{X}\le11)&=P\left(\dfrac{9-10}{\dfrac{2}{\sqrt{n}}}\le\dfrac{\overline{X}-10}{\dfrac{2}{\sqrt{n}}}\le\dfrac{11-10}{\dfrac{2}{\sqrt{n}}}\right)\\
&=P\left(-\dfrac{\sqrt{n}}{2}\le Z\le\dfrac{\sqrt{n}}{2}\right)\\
&=P\left(-\dfrac{\sqrt{n}}{2}\le Z\le0\right)+P\left(0\le Z\le\dfrac{\sqrt{n}}{2}\right)\\
&=2P\left(0\le Z\le\dfrac{\sqrt{n}}{2}\right)\\
&=0.9544
\end{aligned}$$

$\therefore P\left(0\le Z\le\dfrac{\sqrt{n}}{2}\right)=0.4772$

이때, $P(0\le Z\le2)=0.4772$이므로

$\dfrac{\sqrt{n}}{2}=2$ $\therefore n=16$

04-2 답 25

|해결 전략| 정규분포 $N\left(m, \dfrac{\sigma^2}{n}\right)$을 따르는 표본평균 $\overline{X}$를 $Z=\dfrac{\overline{X}-m}{\dfrac{\sigma}{\sqrt{n}}}$으로

표준화하여 주어진 확률을 Z에 대한 확률로 나타낸 후, 이를 만족시키는 n의 값을 구한다.

모집단이 정규분포 $N(40, 10^2)$을 따르고 표본의 크기가 n이므로 표본평균 $\overline{X}$는 정규분포 $N\left(40, \dfrac{10^2}{n}\right)$을 따른다.

이때, $Z=\dfrac{\overline{X}-40}{\dfrac{10}{\sqrt{n}}}$으로 놓으면 확률변수 Z는 표준정규분포 $N(0, 1)$을 따르므로

$$\begin{aligned}
P(\overline{X}\ge45)&=P\left(\dfrac{\overline{X}-40}{\dfrac{10}{\sqrt{n}}}\ge\dfrac{45-40}{\dfrac{10}{\sqrt{n}}}\right)\\
&=P\left(Z\ge\dfrac{\sqrt{n}}{2}\right)\\
&=0.5-P\left(0\le Z\le\dfrac{\sqrt{n}}{2}\right)\\
&=0.0062
\end{aligned}$$

$\therefore P\left(0\le Z\le\dfrac{\sqrt{n}}{2}\right)=0.4938$

이때, $P(0\le Z\le2.5)=0.4938$이므로

$\dfrac{\sqrt{n}}{2}=2.5$ $\therefore n=25$

2 모평균의 추정

1 표본의 크기 $n=9$, 표본평균 $\overline{x}=5$, 모표준편차 $\sigma=2$이므로 모평균 m의 신뢰도 99 %인 신뢰구간은

$$5-2.58\times\dfrac{2}{\sqrt{9}}\le m\le5+2.58\times\dfrac{2}{\sqrt{9}}$$

$$5-1.72\le m\le5+1.72$$

$$\therefore 3.28\le m\le6.72$$

STEP 1 개념 드릴 —————————— |145쪽|

스스로 check

1-2 답 (1) $49.02\le m\le50.98$ (2) $48.71\le m\le51.29$

표본의 크기가 충분히 크므로 모표준편차 대신 표본표준편차를 사용할 수 있다. 표본의 크기 $n=100$, 표본평균 $\overline{x}=50$, 표본표준편차 $s=5$이므로

(1) 모평균 m의 신뢰도 95 %인 신뢰구간은

$$50-1.96\times\dfrac{5}{\sqrt{100}}\le m\le50+1.96\times\dfrac{5}{\sqrt{100}}$$

$$50-0.98\le m\le50+0.98$$

$$\therefore 49.02\le m\le50.98$$

(2) 모평균 m의 신뢰도 99 %인 신뢰구간은

$$50-2.58\times\dfrac{5}{\sqrt{100}}\le m\le50+2.58\times\dfrac{5}{\sqrt{100}}$$

$$50-1.29\le m\le50+1.29$$

$$\therefore 48.71\le m\le51.29$$

2-2 답 (1) 1.96 (2) 2.58

표본의 크기 $n=36$, 모표준편차 $\sigma=3$이므로

(1) 모평균 m의 신뢰도 95 %인 신뢰구간의 길이는

$$2\times1.96\times\dfrac{3}{\sqrt{36}}=1.96$$

(2) 모평균 m의 신뢰도 99 %인 신뢰구간의 길이는

$$2\times2.58\times\dfrac{3}{\sqrt{36}}=2.58$$

01-1 답 $148.71 \le m \le 151.29$

|해결 전략| 정규분포 $N(m, \sigma^2)$을 따르는 모집단에서 크기가 n인 표본을 임의추출할 때, 표본평균 $\overline{X}$의 값 $\overline{x}$에 대하여 모평균 m의 신뢰도 99 %인 신뢰구간은 $\overline{x} - 2.58\dfrac{\sigma}{\sqrt{n}} \le m \le \overline{x} + 2.58\dfrac{\sigma}{\sqrt{n}}$이다.

표본의 크기 $n = 64$, 표본평균 $\overline{x} = 150$, 모표준편차 $\sigma = 4$이므로 모평균 m의 신뢰도 99 %인 신뢰구간은

$150 - 2.58 \times \dfrac{4}{\sqrt{64}} \le m \le 150 + 2.58 \times \dfrac{4}{\sqrt{64}}$

$150 - 1.29 \le m \le 150 + 1.29$

$\therefore 148.71 \le m \le 151.29$

01-2 답 $54.84 \le m \le 65.16$

|해결 전략| 정규분포 $N(m, \sigma^2)$을 따르는 모집단에서 크기가 n인 표본을 임의추출할 때, 표본평균 $\overline{X}$의 값 $\overline{x}$에 대하여 모평균 m의 신뢰도 95 %인 신뢰구간은 $\overline{x} - 1.96\dfrac{\sigma}{\sqrt{n}} \le m \le \overline{x} + 1.96\dfrac{\sigma}{\sqrt{n}}$, 신뢰도 99 %인 신뢰구간은 $\overline{x} - 2.58\dfrac{\sigma}{\sqrt{n}} \le m \le \overline{x} + 2.58\dfrac{\sigma}{\sqrt{n}}$이다.

표본평균 $\overline{X}$의 값을 $\overline{x}$라 하면 표본의 크기가 n, 모표준편차가 σ이므로 모평균 m의 신뢰도 95 %인 신뢰구간은

$\overline{x} - 1.96 \times \dfrac{\sigma}{\sqrt{n}} \le m \le \overline{x} + 1.96 \times \dfrac{\sigma}{\sqrt{n}}$

이때, $56.08 \le m \le 63.92$이므로

$\overline{x} - 1.96 \times \dfrac{\sigma}{\sqrt{n}} = 56.08$ ⋯⋯㉠

$\overline{x} + 1.96 \times \dfrac{\sigma}{\sqrt{n}} = 63.92$ ⋯⋯㉡

㉠, ㉡을 연립하여 풀면

$\overline{x} = 60$, $\dfrac{\sigma}{\sqrt{n}} = 2$

따라서 모평균 m의 신뢰도 99 %인 신뢰구간은

$\overline{x} - 2.58 \times \dfrac{\sigma}{\sqrt{n}} \le m \le \overline{x} + 2.58 \times \dfrac{\sigma}{\sqrt{n}}$

$60 - 2.58 \times 2 \le m \le 60 + 2.58 \times 2$

$\therefore 54.84 \le m \le 65.16$

02-1 답 $98.04 \le m \le 101.96$

|해결 전략| 모평균의 신뢰구간을 구할 때 모표준편차 σ의 값을 알 수 없는 경우 표본의 크기 n이 충분히 크면 σ 대신 표본표준편차 s를 사용한다.

표본의 크기 100이 충분히 크므로 모표준편차 대신 표본표준편차를 사용할 수 있다.

표본의 크기 $n = 100$, 표본평균 $\overline{x} = 100$, 표본표준편차 $s = 10$이므로 모평균 m의 신뢰도 95 %인 신뢰구간은

$100 - 1.96 \times \dfrac{10}{\sqrt{100}} \le m \le 100 + 1.96 \times \dfrac{10}{\sqrt{100}}$

$100 - 1.96 \le m \le 100 + 1.96$

$\therefore 98.04 \le m \le 101.96$

02-2 답 $14.71 \le m \le 17.29$

|해결 전략| 모평균의 신뢰구간을 구할 때 모표준편차 σ의 값을 알 수 없는 경우 표본의 크기 n이 충분히 크면 σ 대신 표본표준편차 s를 사용한다.

표본의 크기 64가 충분히 크므로 모표준편차 대신 표본표준편차를 사용할 수 있다.

표본의 크기 $n = 64$, 표본평균 $\overline{x} = 16$, 표본표준편차 $s = 4$이므로 모평균 m의 신뢰도 99 %인 신뢰구간은

$16 - 2.58 \times \dfrac{4}{\sqrt{64}} \le m \le 16 + 2.58 \times \dfrac{4}{\sqrt{64}}$

$16 - 1.29 \le m \le 16 + 1.29$

$\therefore 14.71 \le m \le 17.29$

03-1 답 4

|해결 전략| 정규분포 $N(m, \sigma^2)$을 따르는 모집단에서 크기가 n인 표본을 임의추출할 때, 표본평균 $\overline{X}$의 값 $\overline{x}$에 대하여 모평균 m을 신뢰도 95 %로 추정한 신뢰구간이 $p \le m \le q$이면 $p = \overline{x} - 1.96\dfrac{\sigma}{\sqrt{n}}$, $q = \overline{x} + 1.96\dfrac{\sigma}{\sqrt{n}}$이다.

표본평균의 값을 $\overline{x}$라 하면 모분산이 9, 즉 모표준편차가 $\sqrt{9} = 3$이므로 모평균 m의 신뢰도 95 %인 신뢰구간은

$\overline{x} - 1.96 \times \dfrac{3}{\sqrt{n}} \le m \le \overline{x} + 1.96 \times \dfrac{3}{\sqrt{n}}$

이때, $9.06 \le m \le 14.94$이므로

$\overline{x} - 1.96 \times \dfrac{3}{\sqrt{n}} = 9.06$, $\overline{x} + 1.96 \times \dfrac{3}{\sqrt{n}} = 14.94$

따라서 $1.96 \times \dfrac{3}{\sqrt{n}} = 2.94$이므로

$\sqrt{n} = 2$ $\therefore n = 4$

03-2 답 100

|해결 전략| 정규분포 $N(m, \sigma^2)$을 따르는 모집단에서 크기가 n인 표본을 임의추출할 때, 표본평균 $\overline{X}$의 값 $\overline{x}$에 대하여 모평균 m을 신뢰도 99 %로 추정한 신뢰구간이 $p \le m \le q$이면 $p = \overline{x} - 2.58\dfrac{\sigma}{\sqrt{n}}$, $q = \overline{x} + 2.58\dfrac{\sigma}{\sqrt{n}}$이다.

표본평균 $\overline{x} = 100$, 모표준편차 $\sigma = 10$이므로 모평균 m의 신뢰도 99 %인 신뢰구간은

$100 - 2.58 \times \dfrac{10}{\sqrt{n}} \le m \le 100 + 2.58 \times \dfrac{10}{\sqrt{n}}$

이때, $97.42 \le m \le 102.58$이므로

$100 - 2.58 \times \dfrac{10}{\sqrt{n}} = 97.42$, $100 + 2.58 \times \dfrac{10}{\sqrt{n}} = 102.58$

따라서 $2.58 \times \dfrac{10}{\sqrt{n}} = 2.58$이므로

$\sqrt{n} = 10$ $\therefore n = 100$

04-1 답 25.8

|해결 전략| 정규분포 $N(m, \sigma^2)$을 따르는 모집단에서 크기가 n인 표본을 임의추출할 때, 모평균 m을 신뢰도 99 %로 추정한 신뢰구간의 길이는 $2 \times 2.58 \dfrac{\sigma}{\sqrt{n}}$이다.

표본의 크기 $n=64$, 모표준편차 $\sigma=40$이므로 모평균 m을 신뢰도 99 %로 추정한 신뢰구간의 길이는

$$2\times2.58\times\frac{40}{\sqrt{64}}=25.8$$

04-2 答 1537

|해결 전략| 정규분포 $N(m,\sigma^2)$을 따르는 모집단에서 크기가 n인 표본을 임의추출할 때, 모평균 m을 신뢰도 95 %로 추정한 신뢰구간의 길이는 $2\times1.96\frac{\sigma}{\sqrt{n}}$이다.

표본의 크기를 n이라 하면 모표준편차 $\sigma=10$이고, 신뢰도 95 %로 모평균을 추정할 때 신뢰구간의 길이가 $1\,\mathrm{g}$ 이하이어야 하므로

$$2\times1.96\times\frac{10}{\sqrt{n}}\leq1$$

$$\sqrt{n}\geq39.2 \qquad \therefore n\geq1536.64$$

이때, n은 자연수이므로 n의 최솟값은 1537이다.

STEP 3 유형 드릴 |150쪽~152쪽|

1-1 答 7

|해결 전략| $\mathrm{E}(X)=\mathrm{E}(\overline{X})$임을 이용하여 상수 a의 값을 구한 후, 모분산 $\mathrm{V}(X)$를 구한다.

확률변수 X와 표본평균 $\overline{X}$에 대하여

$$\mathrm{E}(X)=\mathrm{E}(\overline{X})=1$$

이므로

$$\mathrm{E}(X)=(-4)\times\frac{1}{4}+(-2)\times\frac{1}{4}+2\times\frac{1}{4}+a\times\frac{1}{4}=1$$

$$\frac{a}{4}-1=1 \qquad \therefore a=8$$

$$\therefore \mathrm{V}(X)=(-4)^2\times\frac{1}{4}+(-2)^2\times\frac{1}{4}+2^2\times\frac{1}{4}+8^2\times\frac{1}{4}-1^2=21$$

이때, 표본의 크기가 3이므로

$$\mathrm{V}(\overline{X})=\frac{21}{3}=7$$

1-2 答 1

|해결 전략| 확률의 총합이 1임을 이용하여 상수 a의 값을 구한 후, 모평균 $\mathrm{E}(X)$와 모분산 $\mathrm{V}(X)$를 구한다.

확률의 총합은 1이므로

$$a+\frac{1}{8}+\frac{1}{2}+a+\frac{1}{8}=1 \qquad \therefore a=\frac{1}{8}$$

확률변수 X에 대하여

$$\mathrm{E}(X)=(-4)\times\frac{1}{8}+(-2)\times\frac{1}{8}+0\times\frac{1}{2}+2\times\frac{1}{8}+4\times\frac{1}{8}=0$$

$$\mathrm{V}(X)=(-4)^2\times\frac{1}{8}+(-2)^2\times\frac{1}{8}+0^2\times\frac{1}{2}+2^2\times\frac{1}{8}+4^2\times\frac{1}{8}-0^2$$
$$=5$$

이때, 표본의 크기가 5이므로

$$\mathrm{E}(\overline{X})=0,\ \mathrm{V}(\overline{X})=\frac{5}{5}=1$$

따라서 $\mathrm{V}(\overline{X})=\mathrm{E}(\overline{X}^2)-\{\mathrm{E}(\overline{X})\}^2$이므로

$$\mathrm{E}(\overline{X}^2)=\mathrm{V}(\overline{X})+\{\mathrm{E}(\overline{X})\}^2=1+0^2=1$$

2-1 答 $a=14,\ \mathrm{V}(\overline{X})=\frac{126}{25}$

|해결 전략| 모집단의 확률분포를 표로 나타내고 $\mathrm{E}(X)=\mathrm{E}(\overline{X})$임을 이용하여 a의 값을 구한 후, 모분산 $\mathrm{V}(X)$를 구한다.

주머니에서 임의로 1개의 공을 꺼낼 때, 공에 적힌 숫자를 확률변수 X라 하고 X의 확률분포를 표로 나타내면 다음과 같다.

X	1	2	a	합계
$\mathrm{P}(X=x)$	$\frac{2}{5}$	$\frac{2}{5}$	$\frac{1}{5}$	1

확률변수 X와 표본평균 $\overline{X}$에 대하여

$$\mathrm{E}(X)=\mathrm{E}(\overline{X})=4$$

이므로

$$\mathrm{E}(X)=1\times\frac{2}{5}+2\times\frac{2}{5}+a\times\frac{1}{5}=4$$

$$\frac{a+6}{5}=4 \qquad \therefore a=14$$

$$\therefore \mathrm{V}(X)=1^2\times\frac{2}{5}+2^2\times\frac{2}{5}+14^2\times\frac{1}{5}-4^2=\frac{126}{5}$$

이때, 표본의 크기가 5이므로

$$\mathrm{V}(\overline{X})=\frac{\frac{126}{5}}{5}=\frac{126}{25}$$

2-2 答 $a=5,\ \sigma(\overline{X})=\frac{\sqrt{10}}{5}$

|해결 전략| 모집단의 확률분포를 표로 나타내고 $\mathrm{E}(X)=\mathrm{E}(\overline{X})$임을 이용하여 a의 값을 구한 후, 모표준편차 $\sigma(X)$를 구한다.

주머니에서 임의로 1개의 공을 꺼낼 때, 공에 적힌 숫자를 확률변수 X라 하고 X의 확률분포를 표로 나타내면 다음과 같다.

X	1	2	a	합계
$\mathrm{P}(X=x)$	$\frac{1}{5}$	$\frac{2}{5}$	$\frac{2}{5}$	1

확률변수 X와 표본평균 $\overline{X}$에 대하여

$E(X)=E(\overline{X})=3$

이므로

$E(X)=1\times\dfrac{1}{5}+2\times\dfrac{2}{5}+a\times\dfrac{2}{5}=3$

$\dfrac{2a+5}{5}=3$ $\quad\therefore a=5$

$\therefore V(X)=1^2\times\dfrac{1}{5}+2^2\times\dfrac{2}{5}+5^2\times\dfrac{2}{5}-3^2=\dfrac{14}{5}$

$\sigma(X)=\sqrt{\dfrac{14}{5}}=\dfrac{\sqrt{70}}{5}$

이때, 표본의 크기가 7이므로

$\sigma(\overline{X})=\dfrac{\dfrac{\sqrt{70}}{5}}{\sqrt{7}}=\dfrac{\sqrt{10}}{5}$

3-1 답 ⑤

|해결 전략| 모집단이 정규분포 $N(m,\sigma^2)$을 따르고 표본의 크기가 n이면 표본평균 $\overline{X}$는 정규분포 $N\left(m,\dfrac{\sigma^2}{n}\right)$을 따른다.

임의추출한 25개의 사과의 무게의 평균을 $\overline{X}$라 하면 모집단이 정규분포 $N(200,25^2)$을 따르고 표본의 크기가 25이므로

$E(\overline{X})=200,\ \sigma(\overline{X})=\dfrac{25}{\sqrt{25}}=5$

따라서 표본평균 $\overline{X}$는 정규분포 $N(200,5^2)$을 따른다.

이때, $Z=\dfrac{\overline{X}-200}{5}$으로 놓으면 확률변수 Z는 표준정규분포

$N(0,1)$을 따르므로

$P(190\le\overline{X}\le210)=P\left(\dfrac{190-200}{5}\le\dfrac{\overline{X}-200}{5}\le\dfrac{210-200}{5}\right)$

$=P(-2\le Z\le2)$

$=P(-2\le Z\le0)+P(0\le Z\le2)$

$=2P(0\le Z\le2)$

$=2\times0.4772$

$=0.9544$

3-2 답 ①

|해결 전략| 모집단이 정규분포 $N(m,\sigma^2)$을 따르고 표본의 크기가 n이면 표본평균 $\overline{X}$는 정규분포 $N\left(m,\dfrac{\sigma^2}{n}\right)$을 따른다.

임의추출한 100개의 제품의 무게의 평균을 $\overline{X}$라 하면 모집단이 정규분포 $N(24,5^2)$을 따르고 표본의 크기가 100이므로

$E(\overline{X})=24,\ \sigma(\overline{X})=\dfrac{5}{\sqrt{100}}=\dfrac{1}{2}$

따라서 표본평균 $\overline{X}$는 정규분포 $N\left(24,\left(\dfrac{1}{2}\right)^2\right)$을 따른다.

이때, $Z=\dfrac{\overline{X}-24}{\dfrac{1}{2}}$로 놓으면 확률변수 Z는 표준정규분포 $N(0,1)$

을 따르므로

$P(\overline{X}\ge25)=P\left(\dfrac{\overline{X}-24}{\dfrac{1}{2}}\ge\dfrac{25-24}{\dfrac{1}{2}}\right)$

$=P(Z\ge2)$

$=P(Z\ge0)-P(0\le Z\le2)$

$=0.5-0.4772$

$=0.0228$

4-1 답 100

|해결 전략| 정규분포 $N\left(m,\dfrac{\sigma^2}{n}\right)$을 따르는 표본평균 $\overline{X}$를 $Z=\dfrac{\overline{X}-m}{\dfrac{\sigma}{\sqrt{n}}}$으로

표준화하여 주어진 확률을 Z에 대한 확률로 나타낸 후, 이를 만족시키는 n의 값을 구한다.

모집단이 정규분포 $N(3800,200^2)$을 따르고 표본의 크기가 n이므로 표본평균 $\overline{X}$는 정규분포 $N\left(3800,\dfrac{200^2}{n}\right)$을 따른다.

이때, $Z=\dfrac{\overline{X}-3800}{\dfrac{200}{\sqrt{n}}}$으로 놓으면 확률변수 Z는 표준정규분포

$N(0,1)$을 따르므로

$P(\overline{X}\le3750)=P\left(\dfrac{\overline{X}-3800}{\dfrac{200}{\sqrt{n}}}\le\dfrac{3750-3800}{\dfrac{200}{\sqrt{n}}}\right)$

$=P\left(Z\le-\dfrac{\sqrt{n}}{4}\right)=P\left(Z\ge\dfrac{\sqrt{n}}{4}\right)$

$=0.5-P\left(0\le Z\le\dfrac{\sqrt{n}}{4}\right)$

$=0.0062$

$\therefore P\left(0\le Z\le\dfrac{\sqrt{n}}{4}\right)=0.4938$

이때, $P(0\le Z\le2.5)=0.4938$이므로

$\dfrac{\sqrt{n}}{4}=2.5$ $\quad\therefore n=100$

4-2 답 4

|해결 전략| 정규분포 $N\left(m,\dfrac{\sigma^2}{n}\right)$을 따르는 표본평균 $\overline{X}$를 $Z=\dfrac{\overline{X}-m}{\dfrac{\sigma}{\sqrt{n}}}$으로

표준화하여 주어진 확률을 Z에 대한 확률로 나타낸 후, 이를 만족시키는 n의 값을 구한다.

임의추출한 n명의 학생의 등교 시간의 평균을 $\overline{X}$라 하면 모집단이 정규분포 $N(30,10^2)$을 따르고 표본의 크기가 n이므로 표본평균 $\overline{X}$는 정규분포 $N\left(30,\dfrac{10^2}{n}\right)$을 따른다.

이때, $Z=\dfrac{\overline{X}-30}{\dfrac{10}{\sqrt{n}}}$ 으로 놓으면 확률변수 Z는 표준정규분포

$N(0, 1)$을 따르므로

$P(\overline{X}\geq40)=P\left(\dfrac{\overline{X}-30}{\dfrac{10}{\sqrt{n}}}\geq\dfrac{40-30}{\dfrac{10}{\sqrt{n}}}\right)$

$\qquad\qquad=P(Z\geq\sqrt{n})$

$\qquad\qquad=0.5-P(0\leq Z\leq\sqrt{n})$

$\qquad\qquad=0.0228$

$\therefore P(0\leq Z\leq\sqrt{n})=0.4772$

이때, $P(0\leq Z\leq2)=0.4772$이므로

$\sqrt{n}=2$ $\qquad\therefore n=4$

5-1 답 0.196

|해결 전략| 정규분포 $N(m, \sigma^2)$을 따르는 모집단에서 크기가 n인 표본을 임의추출할 때, 표본평균 $\overline{X}$의 값 $\overline{x}$에 대하여 모평균 m의 신뢰도 $95\,\%$인 신뢰구간은 $\overline{x}-1.96\dfrac{\sigma}{\sqrt{n}}\leq m\leq\overline{x}+1.96\dfrac{\sigma}{\sqrt{n}}$이다.

표본의 크기 $n=100$, 표본평균 $\overline{x}=46$, 모표준편차 $\sigma=1$이므로 모평균 m의 신뢰도 $95\,\%$인 신뢰구간은

$46-1.96\times\dfrac{1}{\sqrt{100}}\leq m\leq46+1.96\times\dfrac{1}{\sqrt{100}}$

$46-0.196\leq m\leq46+0.196$

$\therefore a=0.196$

5-2 답 1.29

|해결 전략| 정규분포 $N(m, \sigma^2)$을 따르는 모집단에서 크기가 n인 표본을 임의추출할 때, 표본평균 $\overline{X}$의 값 $\overline{x}$에 대하여 모평균 m의 신뢰도 $99\,\%$인 신뢰구간은 $\overline{x}-2.58\dfrac{\sigma}{\sqrt{n}}\leq m\leq\overline{x}+2.58\dfrac{\sigma}{\sqrt{n}}$이다.

표본의 크기 $n=4$, 표본평균 $\overline{x}=42$, 모표준편차 $\sigma=1$이므로 모평균 m의 신뢰도 $99\,\%$인 신뢰구간은

$42-2.58\times\dfrac{1}{\sqrt{4}}\leq m\leq42+2.58\times\dfrac{1}{\sqrt{4}}$

$42-1.29\leq m\leq42+1.29$

$\therefore a=1.29$

6-1 답 3

|해결 전략| 모평균의 신뢰구간을 구할 때 모표준편차 σ의 값을 알 수 없는 경우 표본의 크기 n이 충분히 크면 σ 대신 표본표준편차 s를 사용한다.

표본의 크기 36이 충분히 크므로 모표준편차 대신 표본표준편차를 사용할 수 있다.

표본의 크기 $n=36$, 표본평균 $\overline{x}=4$, 표본표준편차 $s=3$이므로 모평균 m의 신뢰도 $99\,\%$인 신뢰구간은

$4-2.58\times\dfrac{3}{\sqrt{36}}\leq m\leq4+2.58\times\dfrac{3}{\sqrt{36}}$

$4-1.29\leq m\leq4+1.29$

$\therefore 2.71\leq m\leq5.29$

따라서 모평균 m의 신뢰도 $99\,\%$인 신뢰구간에 속하는 자연수는 3, 4, 5의 3개이다.

6-2 답 5

|해결 전략| 모평균의 신뢰구간을 구할 때 모표준편차 σ의 값을 알 수 없는 경우 표본의 크기 n이 충분히 크면 σ 대신 표본표준편차 s를 사용한다.

표본의 크기 36이 충분히 크므로 모표준편차 대신 표본표준편차를 사용할 수 있다.

표본의 크기 $n=36$, 표본평균 $\overline{x}=100$, 표본표준편차 $s=6$이므로 모평균 m의 신뢰도 $99\,\%$인 신뢰구간은

$100-2.58\times\dfrac{6}{\sqrt{36}}\leq m\leq100+2.58\times\dfrac{6}{\sqrt{36}}$

$100-2.58\leq m\leq100+2.58$

$\therefore 97.42\leq m\leq102.58$

따라서 모평균 m의 신뢰도 $99\,\%$인 신뢰구간에 속하는 자연수는 98, 99, 100, 101, 102의 5개이다.

7-1 답 49

|해결 전략| 정규분포 $N(m, \sigma^2)$을 따르는 모집단에서 크기가 n인 표본을 임의추출할 때, 표본평균 $\overline{X}$의 값 $\overline{x}$에 대하여 모평균 m을 신뢰도 $95\,\%$로 추정한 신뢰구간이 $p\leq m\leq q$이면 $p=\overline{x}-1.96\dfrac{\sigma}{\sqrt{n}}$, $q=\overline{x}+1.96\dfrac{\sigma}{\sqrt{n}}$이다.

표본평균 $\overline{x}=20$, 모표준편차 $\sigma=4$이므로 모평균 m의 신뢰도 $95\,\%$인 신뢰구간은

$20-1.96\times\dfrac{4}{\sqrt{n}}\leq m\leq20+1.96\times\dfrac{4}{\sqrt{n}}$

이때, $18.88\leq m\leq21.12$이므로

$20-1.96\times\dfrac{4}{\sqrt{n}}=18.88$, $20+1.96\times\dfrac{4}{\sqrt{n}}=21.12$

따라서 $1.96\times\dfrac{4}{\sqrt{n}}=1.12$이므로

$\sqrt{n}=7$ $\qquad\therefore n=49$

7-2 답 40

|해결 전략| 정규분포 $N(m, \sigma^2)$을 따르는 모집단에서 크기가 n인 표본을 임의추출할 때, 표본평균 $\overline{X}$의 값 $\overline{x}$에 대하여 모평균 m을 신뢰도 $99\,\%$로 추정한 신뢰구간이 $p\leq m\leq q$이면 $p=\overline{x}-2.58\dfrac{\sigma}{\sqrt{n}}$, $q=\overline{x}+2.58\dfrac{\sigma}{\sqrt{n}}$이다.

표본평균 $\bar{x}=64$, 모표준편차 $\sigma=\sqrt{10}$이므로 모평균 m의 신뢰도 99 %인 신뢰구간은

$$64-2.58\times\frac{\sqrt{10}}{\sqrt{n}}\leq m\leq 64+2.58\times\frac{\sqrt{10}}{\sqrt{n}}$$

이때, $62.71\leq m\leq 65.29$이므로

$$64-2.58\times\frac{\sqrt{10}}{\sqrt{n}}=62.71,\ 64+2.58\times\frac{\sqrt{10}}{\sqrt{n}}=65.29$$

따라서 $2.58\times\frac{\sqrt{10}}{\sqrt{n}}=1.29$이므로

$$\sqrt{n}=2\sqrt{10} \qquad \therefore n=40$$

8-1 답 19.6

|해결 전략| 정규분포 $N(m,\sigma^2)$을 따르는 모집단에서 크기가 n인 표본을 임의추출할 때, 모평균 m을 신뢰도 95 %로 추정한 신뢰구간의 길이는 $2\times1.96\dfrac{\sigma}{\sqrt{n}}$이다.

표본의 크기 $n=400$, 모표준편차 $\sigma=100$이므로 모평균 m을 신뢰도 95 %로 추정한 신뢰구간의 길이는

$$2\times1.96\times\frac{100}{\sqrt{400}}=19.6$$

8-2 답 385

|해결 전략| 정규분포 $N(m,\sigma^2)$을 따르는 모집단에서 크기가 n인 표본을 임의추출하여 모평균 m을 신뢰도 95 %로 추정한 신뢰구간이 $a\leq m\leq b$일 때, $b-a$의 값은 $2\times1.96\dfrac{\sigma}{\sqrt{n}}$이다.

표본의 크기를 n이라 하면 모표준편차 $\sigma=0.5$이고, 모평균 m의 신뢰도 95 %인 신뢰구간 $a\leq m\leq b$에 대하여 $b-a\leq0.1$이므로

$$2\times1.96\times\frac{0.5}{\sqrt{n}}\leq0.1$$

$$\sqrt{n}\geq19.6 \qquad \therefore n\geq384.16$$

이때, n은 자연수이므로 n의 최솟값은 385이다.

9-1 답 ㄱ, ㄷ

|해결 전략| 표본의 크기가 일정할 때 신뢰도가 높아지면 신뢰구간의 길이는 길어지고, 신뢰도가 일정할 때 표본의 크기가 커지면 신뢰구간의 길이는 짧아진다.

정규분포 $N(m,\sigma^2)$을 따르는 모집단에서 크기가 n인 표본을 임의추출할 때, 모평균을 신뢰도 α %로 추정한 신뢰구간의 길이는

$$2k\frac{\sigma}{\sqrt{n}}\left(\text{단, }P(|Z|\leq k)=\frac{\alpha}{100}\right) \qquad\qquad \cdots\cdots\ \bigcirc$$

ㄱ. 신뢰도를 낮추면 k의 값이 작아지고, 표본의 크기를 크게 하면 n의 값이 커지므로 $2k\dfrac{\sigma}{\sqrt{n}}$의 값은 작아진다.

즉, 신뢰구간의 길이는 짧아진다.

ㄴ. [반례] 신뢰도를 낮추면 k의 값이 작아지므로 k 대신 $\dfrac{k}{2}$, 표본의 크기 n 대신 $\dfrac{n}{4}$을 $\bigcirc$에 대입하면 신뢰구간의 길이는

$$2\times\frac{k}{2}\times\frac{\sigma}{\sqrt{\dfrac{n}{4}}}=2k\frac{\sigma}{\sqrt{n}}\text{로 같다.}$$

ㄷ. 신뢰도가 일정할 때, 표본의 크기가 커질수록 $\sqrt{n}$의 값이 커지므로 $2k\dfrac{\sigma}{\sqrt{n}}$의 값은 작아진다.

즉, 신뢰구간의 길이는 짧아진다.

따라서 옳은 것은 ㄱ, ㄷ이다.

9-2 답 ②

|해결 전략| 정규분포 $N(m,\sigma^2)$을 따르는 모집단에서 크기가 n인 표본을 임의추출할 때, 모평균 m을 신뢰도 α %로 추정한 신뢰구간의 길이는

$$2k\frac{\sigma}{\sqrt{n}}\left(P(|Z|\leq k)=\frac{\alpha}{100}\right)\text{이다.}$$

$P(|Z|\leq a)=0.95$, $P(|Z|\leq b)=0.99$라 하면 각각의 신뢰구간의 길이는

① $2a\dfrac{\sigma}{\sqrt{64}}=\dfrac{a\sigma}{4}$

② $2b\dfrac{\sigma}{\sqrt{64}}=\dfrac{b\sigma}{4}$

③ $2a\dfrac{\sigma}{\sqrt{144}}=\dfrac{a\sigma}{6}$

④ $2a\dfrac{\sigma}{\sqrt{196}}=\dfrac{a\sigma}{7}$

⑤ $2b\dfrac{\sigma}{\sqrt{196}}=\dfrac{b\sigma}{7}$

이때, $a<b$이므로

$$\frac{a\sigma}{7}<\frac{a\sigma}{6}<\frac{a\sigma}{4}<\frac{b\sigma}{4},\ \frac{b\sigma}{7}<\frac{b\sigma}{4}$$

따라서 신뢰구간의 길이가 가장 긴 것은 ②이다.

Memo

Memo

Memo

Memo

개념 해결의 법칙

정답과 해설

고등 **확률과 통계**